Histoires de femmes

TOME 3

Marion

Une femme en devenir

DU MÊME AUTEUR CHEZ LE MÊME ÉDITEUR :

Histoires de femmes, tome 1 : *Éléonore, une femme de cœur*, 2018
Histoires de femmes, tome 2 : *Félicité, une femme d'honneur*, 2018
Une simple histoire d'amour, tome 1 : *L'incendie*, 2017
Une simple histoire d'amour, tome 2 : *La déroute*, 2017
Une simple histoire d'amour, tome 3 : *Les rafales*, 2017
Une simple histoire d'amour, tome 4 : *Les embellies*, 2018
L'amour au temps d'une guerre, tome 1 : *1939-1942*, 2015
L'amour au temps d'une guerre, tome 2 : *1942-1945*, 2016
L'amour au temps d'une guerre, tome 3 : *1945-1948*, 2016
Les héritiers du fleuve, tome 1 : *1887-1893,* 2013
Les héritiers du fleuve, tome 2 : *1898-1914,* 2013
Les héritiers du fleuve, tome 3 : *1918-1929,* 2014
Les héritiers du fleuve, tome 4 : *1931-1939,* 2014
Les années du silence 1 : *La tourmente* (1995) et *La délivrance* (1995), réédition 2014
Les années du silence 2 : *La sérénité* (1998) et *La destinée* (2000), réédition 2014
Les années du silence 3 : *Les bourrasques* (2001) et *L'oasis* (2002), réédition 2014
Mémoires d'un quartier, tome 1 : *Laura,* 2008
Mémoires d'un quartier, tome 2 : *Antoine,* 2008
Mémoires d'un quartier, tome 3 : *Évangéline,* 2009
Mémoires d'un quartier, tome 4 : *Bernadette,* 2009
Mémoires d'un quartier, tome 5 : *Adrien,* 2010
Mémoires d'un quartier, tome 6 : *Francine,* 2010
Mémoires d'un quartier, tome 7 : *Marcel,* 2010
Mémoires d'un quartier, tome 8 : *Laura, la suite,* 2011
Mémoires d'un quartier, tome 9 : *Antoine, la suite,* 2011
Mémoires d'un quartier, tome 10 : *Évangéline, la suite,* 2011
Mémoires d'un quartier, tome 11 : *Bernadette, la suite,* 2012
Mémoires d'un quartier, tome 12 : *Adrien, la suite,* 2012
La dernière saison, tome 1 : *Jeanne,* 2006
La dernière saison, tome 2 : *Thomas,* 2007
La dernière saison, tome 3 : *Les enfants de Jeanne,* 2012
Les sœurs Deblois, tome 1 : *Charlotte,* 2003
Les sœurs Deblois, tome 2 : *Émilie,* 2004
Les sœurs Deblois, tome 3 : *Anne,* 2005
Les sœurs Deblois, tome 4 : *Le demi-frère,* 2005
Les demoiselles du quartier, nouvelles, 2003, réédition 2015
De l'autre côté du mur, récit-témoignage, 2001
Au-delà des mots, roman autobiographique, 1999
Boomerang, roman en collaboration avec Loui Sansfaçon, 1998, réédition 2015
« *Queen Size* », 1997
L'infiltrateur, roman basé sur des faits vécus, 1996, réédition 2015
La fille de Joseph, roman, 1994, 2006, 2014 (réédition du *Tournesol,* 1984)
Entre l'eau douce et la mer, 1994

Visitez le site Web de l'auteur : www.louisetremblaydessiambre.com

LOUISE TREMBLAY
D'ESSIAMBRE

Histoires de femmes

TOME 3

Marion

Une femme en devenir

Guy Saint-Jean Éditeur
4490, rue Garand
Laval (Québec) H7L 5Z6
450-663-1777
info@saint-jeanediteur.com
saint-jeanediteur.com

•••••••••••••••••

Données de catalogage avant publication disponibles à Bibliothèque et Archives nationales du Québec et à Bibliothèque et Archives Canada

•••••••••••••••••

Nous reconnaissons l'aide financière du gouvernement du Canada par l'entremise du Fonds du livre du Canada (FLC) ainsi que celle de la SODEC pour nos activités d'édition. Nous remercions le Conseil des Arts de l'aide accordée à notre programme de publication.

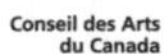

Canada Council for the Arts

Gouvernement du Québec – Programme de crédit d'impôt pour l'édition de livres – Gestion SODEC

Édition : Isabelle Longpré
Révision : Isabelle Pauzé
Correction d'épreuves : Johanne Hamel
Conception graphique et mise en pages : Christiane Séguin
Page couverture : Toile peinte par Louise Tremblay d'Essiambre, « Dans la cour du manoir »

Dépôt légal – Bibliothèque et Archives nationales du Québec, Bibliothèque et Archives Canada, 2019
ISBN : 978-2-89758-718-5
ISBN EPUB : 978-2-89758-719-2
ISBN PDF : 978-2-89758-720-8

Imprimé et relié au Canada
1re impression, mai 2019

Guy Saint-Jean Éditeur est membre de l'Association nationale des éditeurs de livres (ANEL).

À Catherine, Benoît, Claudine, Samuel, Christian et Lana… Je vous aime.

Un merci spécial à mon amie Linda Lamontagne, artiste peintre, pour avoir fait le croquis qui a inspiré la toile.

« On ne naît pas femme,
on le devient. »

Simone de Beauvoir

NOTE DE L'AUTEUR

Comme le temps passe vite ! Je dirais même que plus on vieillit et plus les jours défilent à toute allure. C'en est presque machiavélique, car voyez-vous, rendu à mon âge, on voudrait plutôt le retenir, ce temps si précieux, et on n'y arrive pas !

Voilà, c'était ma pensée philosophique du matin !

En ce moment, je m'apprête à commencer le tome trois de cette série. Vous rendez-vous compte ? Déjà le troisième livre, alors que c'était hier que j'apprenais à connaître madame Éléonore, Marion, James ! Et voilà que je dois me faire à l'idée que je vais tous les quitter bientôt...

Il s'en est passé des choses, dans leur vie, en quelques années ! Oh ! Je vous entends d'ici, argumentant que je me trompe, car en fin de compte, il n'y a pas eu de grands événements, du moins de ceux qui font la manchette, et je vous l'accorde ! Pas de feu qui détruit tout, pas de mortalité qui arrache le cœur, pas d'accident qui change le cours d'une vie... Non, c'est plutôt le quotidien qui a été chargé en émotions, en déceptions, en petites joies, en découvertes. De soi comme de l'autre. Tout comme dans ma propre vie, d'ailleurs, ou dans la vôtre, j'en suis certaine ! Qui peut se vanter d'avancer dans l'existence en sautant d'un billet de loterie gagnant à une succession de voyages à travers le monde ; d'une maison neuve chaque année à une garde-robe griffée ? Personne, n'est-ce pas ? Ou si peu de gens !

Toutefois, recevoir un piano en cadeau alors qu'on ne s'y attend pas du tout et qu'on est musicienne dans l'âme, ça devient tout un événement… Et être obligée de quitter une femme que l'on aime comme une mère et auprès de qui on apprend la vie, ça devient un véritable drame. Voilà les événements qui me font vibrer.

Dans l'avant-dernier tome de la série, nous allons faire un petit saut dans le temps. De tout près d'un an, en fait, pour que Marion et Agnès aient quand même un peu vieilli. Après tout, ce sont elles, les femmes en devenir, les femmes de l'avenir, et j'aimerais bien savoir comment elles vont s'y prendre pour définir leur destinée en ces années de crise où l'existence au quotidien a été difficile pour plusieurs.

La compagnie de Patrick O'Gallagher survivra-t-elle à ce krach financier qui a vu bien des fleurons de l'économie disparaître ? Car c'est bien vers là que nous nous dirigeons : la grande crise de 1929…

Le jeu des classes sociales cessera-t-il d'exister, du moins comme on le connaissait jusqu'à maintenant ?

Madame Éléonore, monsieur Tremblay et tous les autres conserveront-ils leur emploi ? Et le grand

Tonin ? Pourra-t-il continuer à travailler, alors qu'il avait l'habitude de compter sur des gens qui n'auront peut-être plus les moyens de l'engager ? Le cas échéant, qui verra à nourrir sa famille ? Chez les Couturier, l'avenir n'est qu'une notion un peu abstraite, car le quotidien si incertain se suffit à lui-même !

Et que deviendront Ovide et Cyrille, dans ces villes où les emplois se font de plus en plus rares ? Fulbert saura-t-il aider son ami, aujourd'hui père de deux petites filles ? En écrivant ces derniers mots, je sens les coins de ma bouche s'étirer en un sourire. J'ai le pressentiment que Fulbert va tout tenter pour aider Cyrille, ne serait-ce que pour s'attirer les faveurs de la belle Agnès par ricochet.

Comme vous le voyez, l'avenir n'est pas nécessairement rose pour tous ces gens que j'ai appris à aimer, au fil des derniers mois, mais rien n'est perdu. La vie continue, n'est-ce pas ? Avec ses hauts et ses bas, comme le dirait sans doute la tante Félicité.

Je vais donc vous laisser ici afin de rejoindre madame Éléonore dans sa cuisine. Après tout, c'est elle qui aime le plus notre gentille Marion, à qui je dédie le troisième tome de cette courte série. S'il y a quelqu'un sur cette Terre capable de soutenir la jeune fille, envers et contre tout, c'est bien la cuisinière du manoir !

Mais auparavant, nous allons jeter un coup d'œil sur ce qui s'est passé chez les Couturier au printemps

1928, alors que la grande Josette donnait enfin naissance à son bébé.

Bonne lecture à tous !

FAMILLE COUTURIER

Josette Lafond Couturier **Antonin « Tonin » Couturier**

Ovide	Marion	Hector	Ludivine	Barnabé	Hortense	Jules	Anita	Léon	Carmen
(1911-)	(1913-)	(1915-)	(1916-)	(1919-)	(1921-1923)	(1923-)	(1924-)	(1926-)	(1928-)

FAMILLE O'GALLAGHER

Stella Masse O'Gallagher **Patrick O'Gallagher**

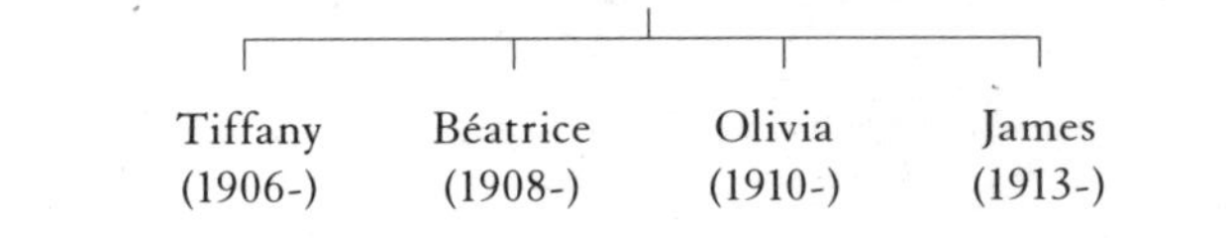

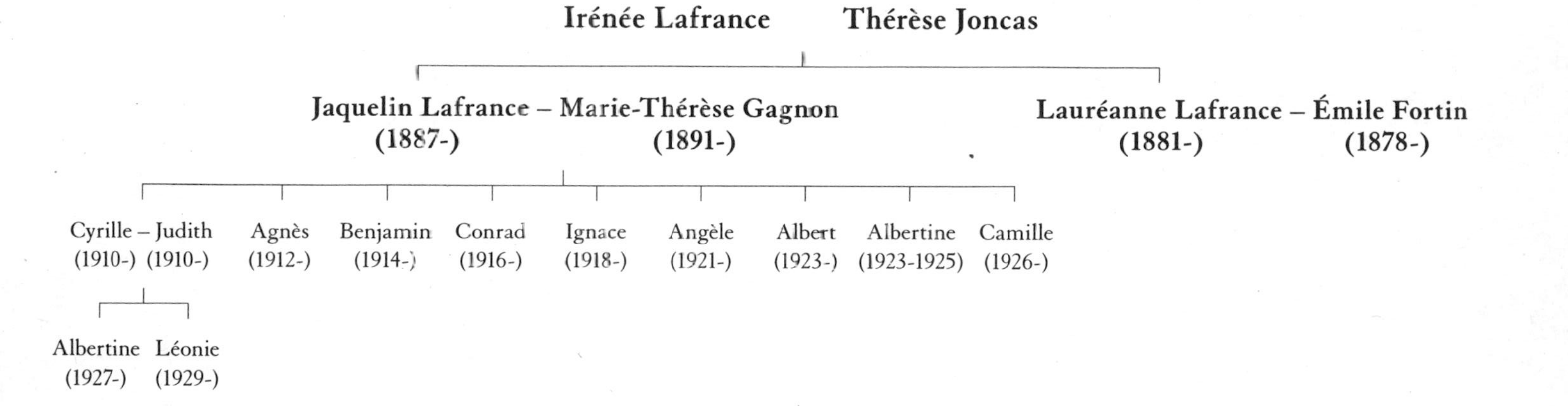
FAMILLE LAFRANCE
Irénée Lafrance
Thérèse Joncas
Jaquelin Lafrance – Marie-Thérèse Gagnon
(1887-) (1891-)
Lauréanne Lafrance – Émile Fortin
(1881-) (1878-)
Cyrille – Judith
(1910-) (1910-)
Agnès
(1912-)
Benjamin
(1914-)
Conrad
(1916-)
Ignace
(1918-)
Angèle
(1921-)
Albert
(1923-)
Albertine
(1923-1925)
Camille
(1926-)
Albertine
(1927-)
Léonie
(1929-)

PROLOGUE

Printemps 1928, chez les Couturier

En fin de compte, et au grand soulagement de Marion, l'affrontement anticipé n'avait pas vraiment eu lieu, car une brève argumentation avait suffi.

Ce matin, avant de montrer la lettre qu'elle avait reçue la veille, la jeune fille avait tout astiqué et bien rangé pour se mettre dans les bonnes grâces de ses parents, même si, habituellement, ils ne formulaient jamais le moindre commentaire sur le ménage. Encore moins de remerciements !

Ensuite, au moment du déjeuner, alors que les muffins mis à cuire embaumaient encore la maison, Marion avait présenté le papier à son père et elle avait poliment attendu qu'il l'ait lu en entier avant de demander, anxieuse :

— Alors ? Qu'est-ce que vous en pensez ?

Elle avait parlé avec juste ce qu'il fallait d'hésitation dans la voix pour ménager la susceptibilité d'un homme qui déclarait à tout venant qu'il était le seul maître de la maison.

Antonin Couturier avait levé les yeux, visiblement agacé, et il avait dévisagé sa fille, prenant subitement conscience qu'elle était aujourd'hui aussi grande que son épouse Josette, puis il avait haussé les épaules.

— C'est sûr qu'un peu plus d'argent, ça ferait pas de tort, avait-il admis en soupirant, tout en lui rendant la feuille.

Malgré cette évidence criante de vérité que le grand Tonin venait d'exprimer avec une certaine lassitude dans la voix, il avait néanmoins tenté le tout pour le tout, sachant pertinemment que Marion valait au moins deux Ludivine et que si elle restait chez eux, sa femme Josette en serait particulièrement contente.

Surtout s'il trouvait un moyen pour que l'argent recommence à tomber dans leurs poches avec régularité tous les mois.

— T'es ben certaine que ton patron voudrait pas engager ta sœur à la place ? avait-il alors suggéré à Marion. Me semble que...

— Vous venez de lire la note, comme moi, non ? avait spontanément coupé Marion, qui avait senti son cœur s'emballer dès les premiers mots articulés par son père.

S'il fallait qu'en bout de ligne, elle soit obligée de rester chez ses parents, la jeune fille ne s'en remettrait pas ! Sans oser défier ouvertement son père, Marion avait tout de même gardé la tête haute. Antonin Couturier avait soupiré pour une seconde fois.

— Ouais…

Constatant qu'un certain embarras semblait persister chez son père, comme une sorte d'incertitude, ce qui changeait agréablement de ses cris habituels, Marion avait cherché son regard, se sentant prête à se battre bec et ongles pour tenter de lui faire entendre raison. Bien sûr, ce faisant, elle avait tout à perdre, mais elle ne lâcherait pas le morceau facilement. Cela faisait des mois qu'elle espérait cet instant, elle irait maintenant jusqu'au bout.

— Qu'est-ce que je pourrais vous dire de plus que ce qui est écrit dans la lettre ?

— Je sais ben.

— Monsieur O'Gallagher est formel : c'est moi qui dois revenir ou alors, madame Éléonore restera seule en cuisine, avait ajouté Marion, sur un ton neutre pour ne pas soulever la colère de son père. Elle ne veut personne d'autre que moi.

— C'est ben ça, le problème. J'ai toute lu, pis c'est ce que j'ai compris, moi avec. J'suis pas cave ! Mais en même temps, t'es ben utile icitte, avec ta mère…

Un brin d'irritation dans la voix du grand Tonin avait suffi pour que Marion choisisse finalement de se taire. Puis brusquement, alors qu'elle ne s'y attendait plus, son père avait rendu les armes.

— Si c'est de même, on va se passer de tes services icitte. Que c'est tu veux qu'on fasse d'autre ? Faut ben continuer à manger, pis depuis un an, pour y arriver, ça tire fort par bouttes. Si on pouvait connaître un peu d'allègement, ça serait profitable pour tout le monde.

La réflexion d'Antonin Couturier s'arrêterait là. Puisque l'argent était essentiel et qu'il finissait toujours par manquer sous son toit, il avait choisi sans plus de discussion de se rendre à l'évidence: Marion devait repartir. De plus, il aurait là l'occasion d'un peu moins travailler, alors qu'il se plaignait de son sempiternel mal de dos depuis des mois. C'est qu'il avait beaucoup neigé, cette année, et lui, il avait beaucoup pelleté pour la ville. Pour une rare fois, son mal de dos n'était pas qu'un prétexte. Alors, le grand Tonin n'allait surtout pas bouder cette chance en or de s'échiner moins souvent à l'ouvrage, même si, pour ce faire, Josette serait déçue. Sa décision serait donc sans appel: si cet O'Gallagher exigeait la présence de Marion, il pourrait compter sur Marion, et Ludivine n'aurait plus qu'à faire des efforts pour deux.

— C'est beau, Marie, tu peux même t'en aller tusuite, avait-il consenti. Mais tu continues de donner tes gages, par exemple. Toutes tes gages!

Soulagée, Marion avait caché son exultation en détournant les yeux.

— Promis, avait-elle déclaré d'une petite voix soumise.

Puis, après un bref silence, elle avait annoncé:

— Comme Ovide nous a jamais donné signe de vie, c'est moi qui vas venir vous voir une fois par mois, avec l'argent. Je devrais arriver à m'entendre avec madame Éléonore sans trop de difficultés.

— Bonne idée ! avait alors crié sa mère depuis son lit, qu'elle avait peu à peu commencé à quitter, dès la naissance d'une minuscule petite fille qui avait été baptisée Carmen.

En fait, Josette n'avait rien perdu de cet échange entre le père et la fille, et au besoin, elle serait intervenue. Bien sûr, Marion allait lui manquer, mais au moins, elle-même ne serait plus toujours à la dernière cenne, et à ses yeux, cela valait son pesant d'or.

— Comme ça, si tu reviens régulièrement, pis que Ludivine y arrive pas, avec tout l'ouvrage qu'il y a à faire icitte, tu pourras l'aider un peu, avait-elle ajouté.

Comme, en principe, Marion n'avait rien contre, elle n'avait pas répondu. Finalement, au bout d'un instant, c'est Josette qui avait conclu la discussion en précisant :

— C'est surtout pour les repas que tu vas nous manquer, Marion. Ben gros ! Tu fais vraiment du bon manger. Quand tu reviendras, au début de chaque mois, tu pourrais peut-être me montrer une couple de recettes ? J'haïrais pas ça pantoute. Surtout si j'ai un peu d'argent pour varier l'ordinaire de nos repas... Astheure, taisez-vous tout le monde, j'essaye d'endormir la petite.

À ces mots, la jeune fille avait compris qu'à sa façon, sa mère venait de lui adresser un compliment, un éloge comme Josette Lafond Couturier n'en faisait presque jamais. Marion s'était alors sentie rougir.

Ce fut donc sur ce moment quasi agréable qu'elle avait tourné les talons pour monter à l'étage chercher le peu de biens lui appartenant.

Au final, Marion n'avait même pas eu besoin de promettre plus d'argent pour avoir la permission de retourner vivre au manoir. Ni l'obligation de supplier. Tant mieux, parce qu'elle aurait peut-être perdu le peu d'assurance qu'elle avait brièvement ressentie.

La jeune fille avait alors grimpé l'escalier deux marches à la fois et, en moins de cinq minutes, son petit baluchon était prêt. Sans le moindre regret, Marion avait quitté cette chambre sous les combles qu'elle avait dû partager avec ses frères et sœurs, dans le bruit, le froid, les odeurs et la promiscuité. Elle s'était juré, à ce moment-là, de ne plus jamais y dormir.

— Bon, je pense que j'ai tout, avait-elle déclaré en revenant au rez-de-chaussée.

Marion avait alors jeté un regard circulaire sur cette pièce qui, au cours de ce très long hiver, lui avait semblé aussi terne et hermétique qu'une prison. Son père sirotait son thé, assis à la table, et, devant l'évier, Ludivine attendait que l'eau mise à chauffer dans la lourde chaudronne à confiture soit assez chaude pour qu'elle puisse faire la vaisselle. Marion s'était dit que cette routine ne lui manquerait pas.

Même s'il lui tardait maintenant de s'en aller, elle avait toutefois pris le temps d'embrasser bébé Léon et d'ébouriffer les cheveux d'Anita, avant de se diriger vers la porte.

Au dernier instant, Marion s'était retournée et elle avait hésité un moment, en fixant la porte de la chambre de ses parents, où dormait la petite Carmen.

Ce bébé-là, Marion l'avait vu naître aux côtés de la sage-femme et le sourire fatigué de sa mère quand elle avait posé les yeux sur la petite fille l'avait déroutée, car il n'avait rien à voir avec ce que Marion connaissait de Josette Couturier. Pour la première fois, la jeune fille avait eu l'impression que sa mère était vraiment heureuse. Confusément, elle avait compris qu'elle aussi un jour vivrait probablement ce genre d'émotion particulière, et l'attachement ressenti pour sa petite sœur avait été immédiat et spontané. Voilà pourquoi, au moment où elle s'apprêtait à quitter la maison familiale, Marion avait envie de l'embrasser. Néanmoins, sur un imperceptible haussement des épaules, elle avait préféré s'en abstenir, car aucun bruit ne filtrait de la pièce. Sa mère aussi avait dû se rendormir.

Ludivine avait été la seule à répondre à son au revoir.

— Pis donne de tes nouvelles !

Quand la porte s'était refermée dans son dos, Marion s'était permis d'inspirer et d'expirer lentement, deux ou trois fois, comme si elle venait de retirer une main plaquée sur son visage depuis des mois, l'empêchant de respirer à fond.

Que l'air printanier sentait bon, ce matin-là !

D'un pas léger, elle avait ensuite descendu l'escalier, avant de se mettre à courir, jusqu'au moment où la bicoque de ses parents avait été gommée par le grand tournant de la route principale, comme si la jeune fille avait eu peur que quelqu'un lui intime l'ordre de revenir.

C'est alors qu'elle avait eu une pensée pour son frère Ovide.

Avait-il, lui aussi, ressenti un pareil vent de liberté, le jour où il s'était sauvé ? Marion avait alors souhaité que oui, car jamais de toute sa vie elle n'avait été aussi soulagée, aussi heureuse, qu'en cet instant béni où elle retournait vivre auprès de la famille O'Gallagher.

Et en ce moment, malgré la fourberie d'Ovide, qui lui avait volé la totalité des gages de son été, en s'enfuyant, l'automne précédent, Marion était prête à tout lui pardonner. Le soleil était bon, les champs autour d'elle ressemblaient de plus en plus à une peau de vache brune tachetée de blanc et elle était en route pour le manoir !

Qu'aurait-elle pu demander de plus pour être heureuse et pour avoir envie de partager ce bonheur ?

Marion s'était remise à courir, son baluchon lui battant joyeusement les reins. Elle avait hâte d'embrasser madame Éléonore, et de saluer monsieur Tremblay et tous les autres domestiques.

Il y avait aussi monsieur James, qu'elle allait bientôt revoir, et à y penser, son cœur avait fait un petit bond joyeux. Ils avaient des heures de confidences à rattraper !

Marion s'était enfin demandé si elle occuperait encore la petite chambre rose et grise, et elle avait soupiré de plaisir en se promettant de prendre un long bain chaud tout mousseux avant de se coucher, le soir venu.

Au cœur de la petite ville, quand elle était passée devant la maison du maître d'école, monsieur Athanase Chartrand, elle s'était aussi promis qu'après la vaisselle du souper, elle discuterait du projet de lecture en compagnie de madame Éléonore, celui que la visite impromptue de son père l'automne dernier avait malheureusement relégué dans l'ombre. Un petit frisson d'excitation lui avait chatouillé l'échine quand elle avait revu en pensée la grande bibliothèque du manoir, où elle allait pouvoir piger plein de livres, au gré de ses fantaisies et des conseils de madame Légaré.

Et peut-être, finalement, allait-elle retrouver l'argent qu'elle avait caché en catastrophe au fond du placard de sa chambre, le soir de son départ précipité ?

Quant à sa belle robe de velours bleu, Marion ne s'était fait aucune illusion : elle avait tellement grandi au cours de l'hiver qu'elle ne lui ferait sûrement plus. Tant pis ! À sa première visite chez ses parents, elle la donnerait à Ludivine, qui était beaucoup plus petite qu'elle.

Au manoir, l'accueil avait été chaleureux, comme Marion l'avait imaginé. L'un après l'autre, tous les membres du personnel sans exception avaient fait un petit détour par la cuisine pour la saluer. De monsieur Tremblay, toujours aussi digne, malgré une étincelle de joie dans le regard, jusqu'à Quincy le jardinier, un peu bourru, qui lui avait tendu timidement une de ses sublimes roses blanches qu'il réussissait à faire pousser dans sa serre, chacun avait eu un mot gentil à son égard.

Quant à madame Éléonore, Marion avait vu briller quelques larmes de bonheur quand la cuisinière l'avait aperçue dans l'embrasure de la porte.

— Doux Jésus ! C'est bien toi, Marion ? Je savais qu'Adam avait livré la lettre de monsieur O'Gallagher à tes parents, mais je ne pouvais savoir quelle serait leur réponse... Viens ici que je t'embrasse !

Quelques instants plus tard, portée par un petit nuage de béatitude, Éléonore Légaré s'était activée pour préparer deux gros gâteaux au chocolat qu'elle servirait au repas du soir.

— Et pourquoi pas des tartes au sucre, madame Éléonore ? avait alors malicieusement demandé

Marion. Il me semble que vous avez toujours dit que vous ne connaissiez rien de meilleur ?

— Les tartes au sucre sont peut-être le meilleur dessert au monde, avait admis la cuisinière, tout en sortant les œufs, mais il est fait pour réconforter les cœurs tristes. Pour les fêtes, c'est plutôt le gâteau au chocolat qui est de mise. Avec une glace au beurre, bien entendu !

Ce jour-là, il y avait eu beaucoup de rires et de sourires dans la cuisine du manoir O'Gallagher, où Marion avait repris sa place avec une facilité déconcertante, ce qui avait quand même un peu surpris la cuisinière, bien qu'elle en ait été ravie.

— À croire, ma belle, que tu es toujours restée au manoir ! Jamais je n'aurais cru, mais tu te souviens de tout ce que je t'ai montré !

— Il faut dire, madame Éléonore, que j'ai beaucoup cuisiné durant mon séjour chez mes parents ! s'était exclamée Marion. Et comme vous me l'aviez déjà expliqué, quand on n'a pas grand-chose sous la main, c'est là qu'on doit se dépasser !

— C'est vrai. C'est ma mère qui l'affirmait, et elle avait tout à fait raison. Comme cela, tu n'avais pas oublié cette maxime ?

— Oh non ! Et laissez-moi vous dire que je me suis dépassée souvent !

Puis, le soir venu, dès leur souper terminé, monsieur Patrick et madame Stella étaient descendus au sous-sol expressément pour saluer la jeune fille.

Là encore, le geste avait touché Marion. Quant à monsieur James, qui accompagnait ses parents, il lui avait fait un clin d'œil à peine perceptible. À ce petit signe de connivence, Marion avait compris que les vraies retrouvailles entre eux se feraient plus tard, à l'abri des oreilles indiscrètes, à la rivière ou au jardin, là où ils auraient tout le loisir de détailler ces six mois passés loin l'un de l'autre.

Non, vraiment, durant son absence, rien n'avait changé au manoir O'Gallagher, et ce fut le cœur content que Marion Couturier s'était endormie ce soir-là.

La robe bleue qu'elle avait tant aimée et si peu portée était bel et bien devenue trop petite, mais elle s'y attendait. La déception n'avait donc pas été trop grande. Quant à la poignée de monnaie qu'elle avait cachée au fond du placard de sa chambre, elle était toujours là, et cela, par contre, avait été une belle surprise.

PREMIÈRE PARTIE

Printemps 1929

« Aujourd'hui, ça fait un an que je suis de retour auprès de madame Éléonore. C'est à peine croyable, tellement le temps a filé vite ! Il faut dire, cependant, qu'il s'en est passé des choses durant cette année-là ! À commencer par le fait qu'à partir d'aujourd'hui, je vais tenir mon journal. C'est madame Éléonore qui m'a suggéré ça, la semaine dernière, parce qu'elle dit que j'ai beaucoup d'imagination et qu'elle a peur que je perde ce qu'elle a appelé un beau talent. Je ne sais pas pourquoi, mais cette idée-là m'a plu tout de suite. Comme ça, le soir, avant de m'endormir, je ne passerai plus des heures à réfléchir et à me retourner dans mon lit, mais je vais écrire tout ce qui me trotte dans la tête, ou encore noter ce qui me semble avoir eu de l'importance durant la journée. Donc, après le repas du midi, comme on avait un peu de temps libre, madame Éléonore a demandé à Adam de nous conduire au magasin général et c'est elle-même qui a choisi et payé un beau cahier tout neuf avec la tranche des pages couverte d'or. Je n'ai jamais rien vu de plus beau ! Ça ressemble à certains des livres de la bibliothèque du manoir et j'ai l'impression d'être quelqu'un d'important quand je trempe ma plume dans l'encrier.

Et maintenant, la dernière année !

Dans ce que je vois d'important, il y a eu bien sûr le long mois à la maison de campagne, où j'ai revu Agnès pas mal souvent. Madame O'Gallagher a eu la gentillesse de lui permettre de venir me visiter au chalet et monsieur James a eu la permission de se joindre à nous pour quelques pique-niques au bord du fleuve. Ces jours-là, j'avais congé de cuisine et on s'est vraiment bien amusés, tous les trois. On avait beaucoup de choses à se raconter, à comparer, tellement nos vies sont différentes. C'est aussi durant notre séjour au bord de l'eau que j'ai arrêté de dire « monsieur James », parce qu'Agnès ne voulait pas faire comme moi et qu'elle trouvait ridicule que j'agisse différemment. Depuis, James et moi, on garde le « monsieur » et le « mademoiselle » juste devant les adultes. Puis, durant une des visites de madame Félicité au manoir, l'automne dernier, Agnès est venue avec son amie Marie-Paul. Cette fille-là est aussi gentille qu'Agnès. Finalement, on a compris qu'elles avaient toutes les deux un an de plus que moi. Mais je suis tellement grande que ça ne paraît pas. Ensuite, au mois de mars dernier, c'est moi qui suis allée voir Agnès à Montréal. Madame Éléonore ne s'est pas fait tirer l'oreille pour me donner la permission de m'absenter. C'est Adam qui m'y a conduite. Je suis même restée à coucher chez Agnès. En fait, ce n'est pas vraiment chez elle, puisqu'elle habite chez sa tante Lauréanne et son oncle Émile, mais c'est tout comme… J'ai revu son grand-père, qui est bien amusant, même s'il dit parfois des gros mots, et Agnès m'a présenté ses parents, à leur épicerie. Ils sont tous très gentils. Ensuite, Agnès et Marie-Paul m'ont fait visiter Montréal. C'est étourdissant, c'est grand et c'est bruyant, mais j'ai adoré ça. Plus tard, c'est dans une ville comme celle-là que j'aimerais vivre.

La seule ombre au tableau, c'est les visites que je fais à mes parents, au début de chaque mois. J'espérais que ça serait des moments agréables, mais il n'en est rien. En fait, ma mère en profite pour me faire travailler à toutes sortes de choses pas toujours vraiment plaisantes. Mais tant pis ! Ça me permet au moins de revoir les petits. C'est fou comme bébé Carmen change vite ! À peine un an, et déjà elle trottine un peu partout ! Elle est si petite qu'on dirait une poupée en porcelaine. Je l'aime beaucoup et parfois, je me surprends à penser que peut-être un jour, j'en aurai une à moi, une petite Carmen, et j'ai l'impression que ça me fait l'aimer encore plus !

Quand j'ai fini les corvées et qu'il me reste un peu de temps, j'en profite pour préparer des repas avec ma mère ou avec Ludivine. J'aime bien enseigner la cuisine ! Le soir, quand je reviens au manoir pour le souper, je prends conscience chaque fois à quel point je suis chanceuse d'échapper au quotidien qui existe chez mes parents. Cependant, je ne parle jamais de tout cela à madame Éléonore, car elle serait bien capable de m'interdire d'y aller, et alors, c'est Ludivine qui en souffrirait, j'en suis absolument certaine. Déjà que sa routine ne doit pas être rose tous les jours…

Sinon, la vie est plutôt agréable. Je travaille beaucoup avec madame Éléonore, mais comme j'aime ce que je fais, je ne vois pas les journées passer. Chaque jour, j'apprends des choses nouvelles et j'ai toujours aimé apprendre, alors je ne m'ennuie jamais.

Ah oui ! Monsieur Tremblay m'a montré à jouer aux échecs. Je trouve ça agréable, et le soir, quand je n'ai pas envie de lire, ou que j'ai les yeux fatigués, je joue parfois une partie contre lui. Il dit que je suis presque aussi forte que madame Éléonore ! Ça me fait bien rire parce que je me doute un peu que ce n'est pas vrai, puisque c'est lui qui finit toujours par gagner. »

CHAPITRE 1

Le dimanche 7 avril 1929, dans la cuisine du manoir en compagnie de monsieur Tremblay, de madame Éléonore et de Marion

— Ça y est ! lança Théodule Tremblay, en entrant dans la cuisine à grandes enjambées, ce qui, chez lui, signifiait habituellement qu'il était de belle humeur. Monsieur O'Gallagher l'a annoncé durant le repas : il a reçu une lettre du propriétaire de la maison de campagne lui confirmant la réservation. Nous y serons donc pour tout le mois d'août, comme nous le faisons depuis quelques années.

— Quelle bonne nouvelle ! s'exclama madame Éléonore.

La cuisinière, qui était en train de peler des pommes, s'arrêta un instant pour offrir un large sourire au majordome, un sourire qu'elle tourna ensuite vers sa jeune protégée.

— N'est-ce pas, Marion, que c'est une excellente nouvelle ? demanda-t-elle, l'économe pointé vers le plafond.

— Tout à fait d'accord, répondit la jeune fille tout hésitante, sans lever les yeux de son travail.

En fait, Marion ne savait trop ce qu'elle ressentait en ce moment.

Bien sûr, en principe, elle adorait les semaines passées à la maison de campagne. Tout le monde au manoir appréciait cet intermède annuel. Toutefois, dans le cas de Marion, il y aurait cette fois-ci un petit bémol posé sur sa joie, ce dont personne autour d'elle ne se doutait pour l'instant. Elle fit donc un gros effort pour paraître aussi enthousiaste que madame Éléonore, espérant ainsi éviter les questions embarrassantes.

— Je vais écrire à Agnès dès ce soir, annonça-t-elle, sur un ton qu'elle souhaitait joyeux. Je crois que ça va lui faire plaisir d'apprendre qu'on va pouvoir se voir plus souvent, durant l'été. Comme l'an dernier !

— Et pourquoi tu ne l'appellerais pas, plutôt ? suggéra madame Éléonore, tout en recommençant à peler ses fruits avec assurance, découpant de longs rubans de pelure bien rouge qui s'accumulaient sur la table devant elle. Je suis persuadée que monsieur O'Gallagher ne t'en voudrait pas d'utiliser le téléphone.

— Sûrement pas ! renchérit alors monsieur Tremblay, qui aimait bien ajouter son grain de sel dans les discussions, quelles qu'elles fussent.

— Ainsi, la nouvelle se rendrait plus vite, poursuivit madame Légaré, et Agnès n'aurait nul besoin de te répondre par lettre. Tu sais à quel point elle déteste écrire, non ?

— C'est vrai, concéda Marion, toujours sans quitter des yeux la pâte qu'elle était en train de rouler. Par contre, moi, j'aime bien recevoir du courrier… Je vais y penser.

Cependant, en ce moment, Agnès était le cadet des soucis de Marion, car cette amitié lui était acquise depuis des mois, maintenant. Les deux jeunes filles savaient pouvoir compter l'une sur l'autre, et la distance qui les séparait au quotidien n'avait jamais été une embûche à leur relation. Elles sauraient donc profiter agréablement de ce long mois de congé au bord du fleuve, qui allait encore une fois les rapprocher.

Non, pour l'instant, c'était plutôt James qui occupait les pensées de Marion, et de façon très précise. À dire vrai, la jeune femme se demandait comment elle allait vivre ces quelques semaines de vacances qui s'annonçaient différentes, alors que le jeune homme serait parti pour l'Europe en compagnie de Quincy. En effet, Patrick O'Gallagher avait décrété que c'était au tour du fils de la famille de découvrir l'Irlande, après que ses trois sœurs l'eurent fait avant lui. James venait d'avoir seize ans.

Bien sûr, Marion savait se réjouir pour le jardinier, qui allait en profiter pour visiter sa propre famille, en même temps qu'il servirait de cicérone à James. Natif de la verte Erin, Quincy en connaissait les moindres recoins. Aussi discret et taciturne pouvait-il être généralement, depuis que son patron lui avait annoncé son départ, le jardinier affichait en permanence un vague sourire qui en disait long sur la joie ressentie.

À la rigueur, Marion pouvait aussi partager l'enthousiasme que James manifestait bruyamment à la perspective d'un si beau voyage. Qui ne serait pas heureux devant une telle opportunité ?

Cependant, quand la jeune fille pensait bien égoïstement à elle, il en allait tout autrement, surtout maintenant que le séjour au bord du fleuve était confirmé. Elle avait bien peur que sans James, ce mois au bord de l'eau n'ait pas le charme habituel.

Le temps d'une profonde inspiration et Marion admit intérieurement que pour cette année, la jubilation serait moins vive qu'à l'accoutumée, puisque le plaisir rattaché à ces semaines à la campagne tenait beaucoup à la présence de James et aux moments passés en sa compagnie.

Ensuite, et dans l'ordre, venaient heureusement Agnès, les baignades, et l'air frais apporté par le fleuve, qui, eux, devraient être au rendez-vous.

Mais pour l'essentiel, dans l'esprit et le cœur de Marion, le mot « vacances » faisait référence à une liberté, à une possibilité de rapprochement entre James et elle qui n'existait pas au manoir.

Comme si les règles de conduite se modifiaient selon le lieu où ils habitaient et qu'ils pouvaient en profiter impunément !

Marion, pas plus que James d'ailleurs, ne comprenait cette attitude de la part des adultes, mais que pouvaient-ils y changer ? Le plus incompréhensible était qu'ils étaient tous pareils ! Tant les parents O'Gallagher que madame Éléonore ou monsieur Tremblay, ils fermaient les yeux au chalet et redevenaient rigides quant au respect des convenances dès le seuil du manoir franchi, à la fin du mois d'août. Voilà pourquoi, depuis ces dernières années, les deux jeunes gens espéraient cette brèche dans la routine avec beaucoup d'impatience. Mais cette année, il n'y aurait ni baignade à deux, ni promenade dans les champs, ni pique-niques en compagnie de celui qu'elle devait encore appeler « monsieur James » en public, puisqu'il ne serait pas là…

À cette pensée, la jeune fille échappa un léger soupir, tout en déposant délicatement la pâte roulée sur une assiette à tarte.

Ce que Marion ne savait pas, en revanche, c'était que James partageait cette déception. Malgré l'excitation suscitée par la perspective du voyage, ce qu'il ne se gênait pas d'afficher à grand renfort d'explications bruyantes, le jeune homme avait compris, à l'instant où son père avait parlé de la maison de campagne, que son plaisir venait de baisser d'un cran.

— Ah oui ! Je tenais à vous dire que le chalet de Pointe-aux-Trembles sera de nouveau à nous durant tout le mois d'août, avait donc déclaré Patrick O'Gallagher, à la fin du dîner, tout en versant un nuage de crème dans son café.

Madame Stella avait aussitôt affiché un sourire de contentement, imitée en ce sens par ses deux filles, Tiffany et Béatrice.

— Bien contente de vous l'entendre dire, mon très cher mari ! avait-elle approuvé. C'est un réel bonheur de savoir que nous y retournerons encore cette année. Je vais, dès aujourd'hui, en glisser un mot à ma sœur, qui aime bien venir nous visiter. Elle dit que l'air y est meilleur que dans sa maison de Westmount, qu'elle trouve par ailleurs nettement trop grande et trop sombre.

— Et moi, ça va me permettre d'enfin connaître cet endroit que l'on dit merveilleux, avait ajouté Tiffany qui, jusqu'à maintenant, n'avait pas eu l'occasion de séjourner au chalet, mille et une occupations ayant figuré à son programme, au cours des deux étés précédents. Merci, père.

— Mais tout le plaisir est pour moi, jeune fille, surtout quand je vois vos sourires radieux, à ta mère, ta sœur et toi… De ton côté, James, tu n'as pas l'air content. Que se passe-t-il ?

— Pourquoi serais-je heureux puisque je ne serai pas là ?

— C'est vrai ! J'avais oublié que c'est à ton tour de partir pour l'Europe... Avoue tout de même qu'il y a pire punition que celle-là, non ?

— C'est bien certain.

— D'autant plus que tu vas avoir la chance de voir Olivia, qui va faire le voyage depuis Paris jusque chez ton oncle Edward à Dublin, et cela, dans le seul but de te rencontrer. Elle a beaucoup insisté, tu sais.

— Je le sais et moi aussi, j'ai très hâte de la revoir. Ne vous méprenez pas sur mes sentiments, père. Tous ces derniers mois où ma sœur a vécu à Paris pour son cours de couture m'ont paru très longs. Il n'en demeure pas moins que j'aime beaucoup la maison de campagne aussi, et savoir que je n'y serai pas l'été prochain me déçoit.

— Je peux très bien le comprendre, mon garçon, mais la vie est ainsi faite ! Tout ne tourne pas toujours dans le sens où on l'espérait...

— J'en suis conscient... Mais n'avons-nous pas l'opportunité, dans certaines occasions, d'aider le destin à tourner dans le bon sens, comme vous dites ? Ne pourrait-on pas devancer le voyage et partir en juillet ? Ainsi, je...

— Mais il n'en est pas question ! avait tranché Patrick O'Gallagher, en fronçant les sourcils. Vos billets sont déjà achetés, tant pour le train qui va vous conduire à New York que pour le bateau qui vous mènera à Liverpool. De plus, quand je lui en ai parlé, Quincy a manifesté une préférence marquée pour le mois d'août, puisque les plates-bandes ici n'ont alors besoin que de soins routiniers, qu'Adam s'est engagé à prodiguer durant son absence... Nous allons donc respecter cette exigence, que je considère tout à fait légitime. Notre existence n'est pas une horloge soigneusement remontée où les événements seraient aussi prévisibles que les minutes qui passent, mon pauvre garçon ! Il arrive que les gens et les expériences nous surprennent et j'ajouterais que ça fait partie des plaisirs de la vie ! Il va falloir que tu t'y fasses, James, car on ne peut pas tout contrôler !

Tout en faisant la leçon à son fils, Patrick O'Gallagher avait repoussé sa chaise pour se lever.

— Pour l'instant, je souhaite seulement que tes bouderies ne viendront pas assombrir la joie de ta mère et de tes sœurs.

— Père ! Comme si j'avais l'habitude de bouder !

— De grâce, ne prends pas cet air offusqué, James ! Je te connais et je sais très bien ce dont tu es capable...

Patrick O'Gallagher posa alors les deux poings sur la table, et, se penchant vers le jeune homme qui fixait intensément son assiette vide, il lui déclara d'une voix sévère :

— Quand tu es embêté par quelque chose, il n'y a pas plus maussade que toi ! Et regarde-moi quand je te parle !

— Désolé, murmura James, en relevant précipitamment la tête.

— D'accord, j'accepte tes excuses… Mais j'espère ne pas avoir besoin d'intervenir pour te rappeler à l'ordre. Me suis-je bien fait comprendre ?

— Oui, père.

— À la bonne heure ! Sur ce, je vous quitte, j'ai de la correspondance qui m'attend.

Sachant qu'il n'y aurait aucune réplique possible, James étant rouge d'embarras, Patrick O'Gallagher prit sa tasse de café et se retira.

Quand son père eut quitté la salle à manger, le jeune homme s'empressa de l'imiter.

— Veuillez m'excuser, tout le monde, j'ai des devoirs à faire.

Sur cette excuse maintes fois répétée, parfois vraie, parfois fausse, James quitta la pièce dès l'instant où le bruit de la porte de la bibliothèque se faisait entendre. Il en profita pour se faufiler jusqu'à sa chambre, où il se glissa le plus silencieusement possible, même si la tentation de claquer la porte lui faisait serrer les poings. Il n'avait surtout pas envie qu'on l'accuse en plus de mauvaise volonté !

Toutefois, comme il était dans sa nature de longuement réfléchir à ce qui l'embêtait afin de trouver une solution, ce que son père appelait à tort de la bouderie, James décida que ses devoirs allaient attendre, et, selon une vieille habitude prise au cours de sa petite enfance, le jeune homme se rendit spontanément jusqu'à la fenêtre et il s'y installa de guingois, un pied au sol et une fesse sur le rebord de bois verni, se souvenant, nostalgique, de l'époque où il pouvait s'y asseoir en tailleur.

Aujourd'hui, à la demande de ses parents, James O'Gallagher portait le pantalon, hiver comme été, et il devait arborer une cravate au cou pour le repas du soir, quand ce n'était pas le smoking et le nœud papillon, selon les circonstances. Il trouvait ridicule cet acharnement à se déguiser, comme il le disait parfois à Marion, et s'il n'en avait tenu qu'à lui, ce rituel aurait été réservé aux très grandes occasions. Néanmoins, chez les O'Gallagher, l'obéissance était élevée au rang de vertu, n'est-ce pas ?, et inculquée dès le berceau. James n'y avait donc pas échappé, et, s'il lui arrivait d'être boudeur, son père n'avait tout de même pas complètement tort, jamais il n'osait répliquer vertement.

C'est ainsi que James avait traversé ses jeunes années.

Aujourd'hui, ce temps de l'insouciance était révolu. À preuve, ce voyage en Europe que son père avait toujours vu comme un passage obligé vers l'âge adulte. Oui, l'enfance était bien finie pour James, et Patrick O'Gallagher avait déjà commencé à parler d'université à son fils.

— Quelques années à McGill pour parfaire tes connaissances générales ne pourraient sûrement pas nuire, avait-il répété à maintes reprises. Encore un an au collège et je ferai valoir l'excellence de tes notes auprès du recteur, qui est un bon ami, pour que tu puisses accéder dès tes dix-sept ans au cours supérieur.

Le tout, sans susciter, cependant, le moindre débordement d'enthousiasme chez James. Qu'à cela ne tienne, Patrick O'Gallagher revenait sur le sujet régulièrement.

— De plus, je considère qu'il serait temps que tu m'accompagnes plus souvent à l'entrepôt pour apprendre les rouages du commerce !

À cette pensée tant de fois ressassée, James échappa un long soupir. Non seulement n'aimait-il que modérément les visites au siège social de la compagnie de son père, en fait, il s'y ennuyait mortellement, mais de plus, il détestait l'idée d'avoir à suivre un cours à la Faculté des arts, selon l'entendement que Patrick O'Gallagher avait de l'avenir de ses enfants, du moins pour ceux qui voulaient poursuivre leurs études. Olivia était déjà passée par là, rongeant son frein durant quelques années, pensionnaire dans un couvent à Montréal. Dans son cas, cela avait été le prix à payer pour obtenir ensuite la permission de s'installer à Paris, où elle avait enfin commencé un cours de couture. Depuis l'automne, comme elle l'avait écrit récemment, elle apprenait les points de base en travaillant comme « petite main ».

« C'est long, avait-elle admis dans sa lettre, mais c'est essentiel, j'en suis consciente. De toute façon, rien ne saurait me rebuter ici ! Quel univers merveilleux que celui de la mode, et quelle ville agréable que Paris ! »

De toute évidence, Olivia avait été récompensée pour ses efforts, mais James doutait d'avoir la patience de faire comme elle.

Avec le temps, et surtout après toutes ces heures passées en compagnie de leur majordome à imaginer et construire des ponts en tous genres avec le jeu de Meccano, James n'était plus du tout certain de vouloir suivre les traces de son père. En effet, ses ambitions s'étaient tout naturellement tournées vers le génie civil. Rien ne lui paraissait plus attirant qu'une grande feuille de papier à dessin où il pouvait échafauder plans et devis ! Et que dire de la fierté sûrement ressentie à voir ses idées prendre réellement forme !

Mais comment l'annoncer ?

Le jeune homme resta ainsi un long moment à la fenêtre de sa chambre, fixant sans les voir les flaques d'eau qui brillaient au soleil. Il se passa la remarque que la neige fondait rapidement, cette année, puis il revint à ses études et à son voyage, faisant un détour par la maison de campagne où il n'irait pas, sans arriver à trouver quelque solution que ce soit à cet avenir à la fois proche et lointain qui était le sien.

Un peu plus tard, alors qu'il broyait toujours du noir, James entendit des voix qui le tirèrent de sa réflexion. Il approcha son visage de la vitre et aperçut ses parents, accompagnés de sa sœur Béatrice.

De toute évidence, ils partaient tous les trois pour une promenade.

Il y eut un rire et James les envia d'être aussi insouciants. Puis, en désespoir de cause, il décida de se réfugier à la serre. L'odeur de la terre avait toujours eu un pouvoir apaisant sur lui.

Ce fut au moment où James traversait la cour devant le soupirail donnant sur la cuisine que Marion le vit passer. Elle était en train d'astiquer la table, à la demande de madame Éléonore, qui s'était retirée à sa chambre pour une petite sieste de digestion.

— Comme le souper est à moitié prêt, je vais en profiter ! avait-elle déclaré en se frottant l'estomac. Curieusement, le rôti de ce midi ne passe pas.

Ralentissant le mouvement du bras qui frottait avec énergie, Marion suivit James des yeux. À sa démarche lourde, elle en déduisit qu'il avait un problème. Elle étira alors le cou et le vit disparaître au coin de la maison.

Nul doute, « monsieur James » se rendait à la serre, et s'il y allait ainsi, par un beau dimanche après-midi de printemps, le pas lent et les épaules courbées, c'est qu'il était soucieux.

La décision se prit dans l'instant et, sans demander la permission à qui que ce soit, Marion lança le torchon dans l'évier et retira son tablier. Elle terminerait sa besogne plus tard. Attrapant son chandail pendu au clou, près de la porte, elle s'en drapa comme dans une couverture, et elle sortit de la maison à son tour.

Au besoin, elle prétexterait l'envie de quelques fleurs pour égayer une cuisine qui brillait déjà comme un sou neuf, et ce fut ainsi que Marion s'en alla rejoindre James à la serre.

Elle retrouva son ami debout devant l'établi de Quincy, alors qu'il cherchait un sécateur bien aiguisé. Il sursauta quand la jeune fille l'interpella.

— Ah ! Marion, fit-il, en détournant brièvement la tête.

La voix de James manquait indéniablement d'enthousiasme.

— Comment vas-tu ? demanda-t-il, comme s'il agissait par automatisme, faisant ainsi preuve d'une politesse obligée.

— Moi, ça va, répondit Marion sur le même ton, un peu décontenancée par la froideur de l'accueil. Quand je sens la chaleur du soleil à travers mon chandail, ça va toujours bien. J'ai l'impression de revivre, tout comme les arbres.

Puis, regardant autour d'elle, elle demanda à son tour :

— Quincy n'est pas là ?

— Non. Il est parti pour Montréal avec Adam. « Se promener », comme ils ont dit. Ils ne reviendront qu'en toute fin d'après-midi, à temps pour le repas.

— Ah bon, je n'étais pas au courant… Alors qu'est-ce que tu fais ici ? Tu sais comme moi que notre jardinier n'aime pas du tout qu'on vienne fouiner dans la serre durant son absence.

— Je sais… Mais je ne fais rien de mal. J'avais tout bonnement envie de m'occuper à autre chose que mes satanés devoirs.

— Oh ! Tes satanés devoirs ? Qu'est-ce qui se passe, James ? J'ai toujours cru que tu aimais étudier… Mais au son de ta voix, j'ai l'intuition que ce n'est pas vraiment le cas en ce moment.

— Bof !

Entre Marion et James, quand il n'y avait pas d'oreilles indiscrètes, le décorum, les convenances à respecter, ou la moindre gêne n'avaient plus leur place. D'où ce tutoiement spontané. Il arrivait même parfois à Marion de penser qu'elle aurait bien aimé connaître pareille complicité avec son frère Ovide, celui dont on n'avait eu aucune nouvelle depuis presque deux ans, maintenant. Elle s'approcha donc de James et, d'un petit tapotement du doigt sur l'épaule, elle l'obligea à la regarder droit dans les yeux.

— Et maintenant, si tu me disais vraiment ce qui ne va pas.

Cette dernière invitation fut la goutte qui fit déborder le vase et James laissa éclater sa mauvaise humeur. Lançant sur l'établi le ciseau qu'il avait finalement choisi, il se tourna tout d'un bloc face à son amie.

— Ce qui va mal ? Tout, Marion ! C'est toute ma vie qui va mal… Et je ne sais plus quoi faire pour essayer d'améliorer les choses !

Aux yeux de la jeune cuisinière, une telle affirmation était si incongrue, si exagérée, qu'elle dut faire un gros effort pour ne pas sourire.

— Voyons donc ! lança-t-elle sur un ton tout de même légèrement moqueur. Tu ne penses pas que tu dépasses un peu les bornes en parlant comme tu viens de le faire ?

— À peine.

James avait l'air si malheureux, si désorienté, que Marion en oublia aussitôt sa moquerie.

— Et si tu m'expliquais, demanda-t-elle gentiment. Parce que moi, ta vie, je la trouve plutôt enviable.

James avait machinalement repris le sécateur. Les reins accotés contre l'établi et les yeux au sol, il le tripotait un peu brusquement, au risque de se blesser. Pourtant, Marion n'intervint pas, sachant qu'il est souvent difficile d'exprimer ses émotions.

Et Dieu sait que cela lui était arrivé régulièrement devant ses parents ! Parfois, un regard mauvais suffisait à lui embrouiller les idées.

Elle resta donc silencieuse, consciente que la moindre parole pourrait peut-être enlever à James l'envie de se confier, et elle se contenta de poser sa main sur celles de son ami pour qu'il cesse son manège.

Ce qu'il fit en soupirant.

— Je sais bien que j'ai l'air d'un enfant gâté quand je dis que tout va mal, commença le jeune homme d'une voix lente. Je n'ai qu'à regarder autour de moi pour comprendre que je pourrais faire l'envie de bien des gens… Ce grand manoir, deux autos à notre disposition à la porte, un collège réputé, des domestiques à mon service, si je peux me permettre de le dire sans t'offenser.

— Ça ne m'offense pas du tout. À chacun sa vie, n'est-ce pas ?

— Oui, si on veut. Et dans mon cas, jusqu'à maintenant, je n'ai jamais manqué de rien. Même le superflu m'a été donné en abondance…

— Et alors ?

— Alors, tout ça, ce ne sont que des apparences, Marion ! C'est quand on va au-delà de ce que l'on voit que les choses n'ont plus tout à fait le même aspect.

— Ça me fait drôle de dire ça, commenta Marion, mais en ce moment, tu parles comme madame Éléonore. Elle aussi, elle dit qu'il faut toujours aller au-delà des apparences, qui sont souvent trompeuses.

— Et elle a raison ! C'est exactement ce que je pense, moi aussi… Même si à mon âge, j'ai la chance de pouvoir poursuivre des études sans me soucier du lendemain, même si la compagnie de la famille O'Gallagher m'est offerte sur un plateau d'argent, ça ne correspond pas du tout à ce que j'aimerais faire dans la vie…

— Ah non ? Eh bien, c'est toute une nouvelle ! J'ai toujours imaginé que tu prendrais la relève de ton père. Il en parle si souvent sans que tu soulèves la moindre objection… Dis-moi, James… Sans vouloir être indiscrète, qu'est-ce qui te plairait de faire ?

— Construire des ponts !

Devant cet aveu lancé avec une naïveté quasi enfantine et une telle extase dans la voix, Marion ne put retenir un petit rire taquin.

— Ben ça alors ! Moi qui pensais que ce n'était qu'un jeu ! C'est monsieur Tremblay qui serait heureux de t'entendre, souligna-t-elle, amusée.

— Tu crois ?

— Et comment ! C'est quand même avec lui que tu as découvert l'univers des ponts et de leur construction, non ?

James ne répondit pas spontanément à cette question, pourtant simple et banale. Tout à sa réflexion, le jeune homme admettait intérieurement que Théodule Tremblay avait effectivement eu une influence déterminante sur lui. Sans l'intervention du majordome, l'enfant qu'il était à l'époque aurait continué de bouder son jeu de Meccano auquel il ne comprenait pas grand-chose, et aujourd'hui, il s'apprêterait probablement à suivre les traces de son père sans même se poser de questions. Pourtant, la perspective d'une vie entière à brasser des affaires ne lui plaisait pas réellement.

— Tu as raison, Marion, admit James enfin, énonçant à haute voix ce qu'il pensait depuis longtemps en silence. Monsieur Tremblay a assurément contribué à cette passion que j'ai pour la construction ! Et c'est une bonne chose parce que le monde du commerce ne m'a jamais vraiment attiré.

— Je m'en doutais quand même un peu ! Quand tu étais plus jeune, tu devenais tout souriant quand monsieur Tremblay te proposait de construire un pont ! C'est pour ça que j'ai dit que notre majordome serait heureux d'apprendre que…

— C'est là que tu te trompes ! interrompit James avec vivacité. Comment monsieur Tremblay pourrait-il se réjouir devant le fait que je vais grandement décevoir mon père, le jour où je trouverai le courage de lui annoncer que je n'ai pas du tout le goût de prendre sa relève à la compagnie ?

— Oh !

Marion en avait perdu son sourire.

— C'est sûr que vue sous cet angle, concéda-t-elle, la situation devient un petit peu plus compliquée.

— Compliquée, tu dis !

Les deux jeunes gens échangèrent un regard consterné.

— Malgré la crampe que j'ai dans le ventre quand je pense à tout ça, je ne me cacherai pas la tête dans le sable indéfiniment ! déclara James avec une assurance qu'il était loin de ressentir. Ça ne serait honnête pour personne. Il va bien falloir que je reconnaisse publiquement un jour que la compagnie ne m'intéresse pas.

— C'est vrai !

— D'autant plus que je ne me vois pas du tout être contraint d'assister régulièrement à tous ces soupers d'affaires, avec la cravate et le veston. Tu le sais, toi, à quel point je déteste toute cette mascarade, n'est-ce pas ?

— Oh oui ! Tu en parles souvent.

— Et que dire des voyages que je serais obligé d'entreprendre à tout moment ? Partir comme mon père le fait presque tous les mois, ça ne me dit rien du tout… Alors, comment est-ce que je peux expliquer ça, maintenant, hein ?

Du regard, James consulta Marion, qui n'eut d'autre réponse à offrir qu'un haussement des épaules.

Le jeune homme poussa alors un long soupir.

— C'est là où j'en suis… Tu sais, Marion, il m'arrive de plus en plus souvent de ne pas dormir à cause de tout ça. J'y pense tellement que c'est devenu comme un rituel pour moi, au réveil et au coucher !

— Alors parles-en franchement ! Il ne faudrait pas que tu tombes malade à cause de cette situation qui te rend malheureux !

— Bien heureux de voir que tu penses comme moi ! Pourtant, je ne peux pas aborder le sujet… Du moins, pas pour l'instant ! Tant que je n'aurai pas de bons arguments à offrir, non seulement mon père serait terriblement déçu, mais c'est monsieur Tremblay qui serait pris à partie ! Et ce n'est pas du tout ce que je veux.

— Ça, je peux le comprendre… Même s'il est plutôt à cheval sur les principes et, avouons-le, assez sévère, le majordome est quand même gentil, et il ne mériterait pas d'être réprimandé pour avoir tout simplement osé jouer avec toi quand tu étais plus petit…

— C'est exactement ce que je me dis !

— Pourtant, j'insiste, James ! Il faut parler ! Ton père ne peut pas t'en vouloir d'avoir de l'ambition.

— Pour ça, non, c'est vrai.

— Et il ne peut pas non plus tenir rigueur à monsieur Tremblay d'avoir pris du temps pour jouer avec toi quand lui-même était absent. Il y a quand même des limites à respecter ! Le majordome ne pouvait pas deviner que tu aimerais la construction à ce point-là !

— Là encore, tu n'as pas tort.

— Alors, qu'est-ce que tu attends ? C'est sûr que ton père va être déçu, comment réagir autrement ? Mais que tu parles maintenant ou dans six mois ne changera rien à cette réalité-là. Il va aussi probablement tout tenter pour te faire changer d'avis, j'en suis certaine, et tu devrais t'y préparer. Mais que pourrait-il faire de plus si tu t'entêtes ? Je sais bien que les parents ont un gros mot à dire dans l'avenir de leurs enfants, mais je crois que ton père fait partie de ceux qui savent écouter. Regarde ta sœur Olivia ! Elle est à Paris comme elle l'a toujours voulu, et avec la bénédiction de tes parents… Allons, James, ne fais pas cette tête-là ! Ton père ne te condamnera pas à ta chambre éternellement, si tu résistes. Tu n'es plus un enfant.

— Tu crois ? Laisse-moi te dire que là-dessus, je ne suis pas tout à fait d'accord avec toi. Je pense que pour mon père, je serai toujours un enfant ! Quand il le veut, il a une de ces façons de s'adresser à moi qui m'enlève tous mes moyens ! Exactement comme si j'avais encore quatre ans. Dans ces occasions-là, je n'en mène pas large, crois-moi. Je me sens aussi insignifiant et inutile qu'un moucheron…

— Tu exagères !

— Pas du tout !

— Ah bon… Si tu le dis.

Accotée elle aussi à l'établi, Marion se tenait tout à côté de James. Elle était si près de lui qu'elle sentait la chaleur de son bras contre le sien. S'il avait été une fille, elle se serait sûrement appuyée plus lourdement contre lui, ou alors elle aurait passé son bras autour de ses épaules, tout simplement pour qu'il comprenne qu'elle était là pour lui, et que, s'il avait encore envie de parler, elle l'écouterait jusqu'au bout.

Mais James était un garçon, et, malgré tout ce que Marion pensait des règles sévères qui régissaient le manoir, il était aussi le fils de Patrick O'Gallagher. Il y avait donc certains gestes qui lui étaient interdits. Elle se contenta de quelques paroles supplémentaires, qui se voulaient gentilles :

— En fait, il y a juste toi qui sais vraiment comment tu te sens… Et ce n'est pas moi qui vais te juger ou te contredire. Mais si tu veux mon avis, quand bien même ça serait vrai que ton père te traite encore parfois comme un enfant, il n'en reste pas moins que tu n'auras pas le choix : ou bien tu le suis à l'entrepôt sans rien laisser voir de tes envies, et tu risques alors d'être malheureux pour le reste de ta vie ; ou bien tu te décides, et tu lui parles.

— Je le sais bien, Marion... Si tu savais à quel point je le sais ! D'où ma présence dans la serre, pour essayer de calmer mes craintes... J'ai toujours aimé venir ici, tu le sais, n'est-ce pas ? Ça m'aide à oublier pour un moment tout ce qui me tracasse...

Puis, incapable de retenir les mots, James ajouta, dans un souffle :

— Et parfois j'y oublie aussi mes déceptions.

À cette dernière révélation, Marion s'écarta pour fixer son ami avec attention.

— Déceptions ? répéta-t-elle, visiblement surprise. Parce qu'en plus d'un avenir qui t'inquiète, tu es déçu par quelque chose d'autre ? Décidément, mon pauvre James, tu as raison de dire que tout va mal ! Et je peux savoir ce qui te déçoit à ce point ?

Le jeune O'Gallagher leva les yeux vers Marion. Le soleil qui entrait de partout, en ce beau dimanche après-midi, faisait scintiller ses cheveux d'acajou. Le visage de la jeune fille était rosi par la discussion qu'ils venaient d'avoir, et son regard brillait de curiosité.

James eut alors l'impression un peu particulière qu'il la voyait vraiment pour une toute première fois, et il la trouva jolie, avec ses taches de son sur le nez.

À son tour, et bien malgré lui, le jeune homme se sentit rougir. Incapable de comprendre ce qui lui arrivait, il détourna les yeux.

Allons donc !

Cela faisait des années qu'il côtoyait Marion, et jamais il n'avait ressenti pareil embarras devant elle. Depuis le tout premier été à la maison de campagne, alors qu'ils n'étaient que deux enfants, la jeune fille avait toujours été une compagne agréable, de bonne humeur, joyeuse, avisée.

James se revit alors, cueillant des fleurs des champs avec elle, se baignant dans le fleuve, partageant un pot de limonade. Tous ces souvenirs rattachés à leurs séjours remplis d'insouciance et de rire, étaient autant de merveilleux moments d'amitié. Tout comme ceux, plus rares, où ils discutaient dans la cuisine avec madame Éléonore.

Par la suite, surtout depuis que Marion était revenue au manoir, l'année précédente, il y avait eu leurs rencontres au jardin, au bord de la rivière ou dans la serre, comme en ce moment, là où ils pouvaient se confier l'un à l'autre, à l'abri du regard des adultes qui risquaient de ne pas voir leur amitié d'un bon œil. Combien de fois avaient-ils parlé ensemble de tous ces interdits, ce protocole, ces règles qu'ils jugeaient inutiles ? Marion était l'amie, la confidente, la conseillère… Ils bavardaient d'études, de menus et de potager avec un égal intérêt, et, depuis un an, ils partageaient leurs lectures.

— Comme avec Agnès ou Marie-Paul, lui avait fait remarquer Marion.

Et James était entièrement d'accord avec elle.

Alors pourquoi, aujourd'hui, le sourire de son amie lui paraissait-il plus éclatant et sa voix plus douce ?

James ne comprenait pas, et il détestait cette sensation d'avoir peur d'échapper quelque chose d'important sans trop savoir quoi.

Dans de telles conditions, allait-il vraiment lui avouer qu'il regrettait de ne pouvoir aller à la maison de campagne comme d'habitude et que le voyage, depuis quelques heures, n'avait plus le même attrait ?

Lui dirait-il franchement que sa déception, en ce moment, était celle de ne pas avoir l'occasion de partager ses vacances avec elle ?

Incapable de se répondre à lui-même, James comprit qu'il ne le ferait pas plus avec Marion. De quoi aurait-il l'air si elle se moquait de lui ? Alors, il décida d'éluder la question. Il se redressa et souleva le sécateur.

— J'en ai assez de parler de tout ça ! déclara-t-il avec fermeté, pour être bien certain que Marion n'insiste pas. Je suis venu à la serre justement pour oublier mes questionnements… Et si on allait cueillir un bouquet avant que Quincy revienne ? proposa-t-il, espérant de tout son cœur que la discussion allait en rester là.

Il y eut un petit flottement qui inquiéta James, puis Marion secoua la tête avec insouciance.

James en fut soulagé, certes, mais néanmoins, une pointe de déception se greffa à son soulagement.

— Bonne idée ! lança enfin Marion, en s'éloignant de l'établi. Si toi tu es ici pour te calmer, moi, j'étais venue avec l'intention de composer un beau bouquet pour la cuisine. Ça fait une bonne demi-heure que je frotte pour que tout reluise. Il me semble que ça serait encore plus beau avec quelques fleurs sur la table. Puis, ça va faire plaisir à madame Éléonore, qui souffre d'une légère indigestion.

— Alors, suis-moi ! Dans le fond, là-bas, il y a des chrysanthèmes et des marguerites que l'on peut cueillir sans risque de se faire attraper par Quincy ! C'est lui-même qui me l'a dit ! Je ne sais trop comment il réussit ce tour de magie de faire pousser des fleurs de jardin dans sa serre, mais peu importe ! On va en profiter.

— Tant mieux ! C'est madame Éléonore qui va être contente, car elle aime vraiment beaucoup les marguerites !

— Alors je vais t'aider à les choisir et on lui offrira le bouquet ensemble !

Ce soir-là, quand James se retira dans sa chambre, ses perspectives d'avenir n'avaient plus vraiment la priorité, loin de là ! Depuis l'après-midi, il revoyait en boucle le sourire éclatant de Marion, quand il lui avait tendu les fleurs, et il sentait encore le frôlement de sa main contre la sienne, au moment où elle les avait saisies.

De toute sa vie, James n'avait jamais éprouvé pareil embrasement, sauf peut-être en rêve. Actuellement, alors qu'il se glissait sous les couvertures, il avait les mains moites et son cœur battait la chamade.

Oserait-il, un jour, parler de ce qu'il ressentait avec Marion ?

Il en doutait grandement, car juste à y penser, il sentait sa gorge se serrer. La seule chose dont James était certain, en ce moment, était que finalement, c'était une bonne, voire une excellente idée de partir pour l'Irlande, parce qu'à la simple perspective de se baigner dans le fleuve avec la jeune fille en maillot de bain, à ses côtés, ses mains se mettaient à trembler et son corps était en émoi.

« Bonjour, cher journal !

J'ai envie de rire en écrivant ces mots ! C'est un peu fou, mais j'ai vraiment l'impression que je m'adresse à quelqu'un de bien vivant quand j'ouvre mon cahier pour y confier mes idées. Peut-être que je devrais te trouver un nom ? Pourquoi pas ? Je vais y penser sérieusement et je déciderai plus tard.

Ça fait quelques jours que je n'ai pas écrit, je m'en excuse, alors je vais essayer de faire un résumé…

Pour une fois que le printemps ne prend pas un temps fou à s'installer, je ne vais surtout pas m'en plaindre ! Et cela, même si ma mère a profité du beau soleil de l'autre matin pour me demander de laver tous les rideaux de la maison, la dernière fois que je suis allée chez mes parents. Ce n'est pas mêlant, ça m'a pris tellement de temps, avec les cuves qu'il faut remplir à la bouilloire et au chaudron, que j'ai raté le souper du manoir ! Heureusement, madame Éléonore ne m'en a pas voulu. Elle m'avait même gardé une assiette bien garnie et elle me l'a fait réchauffer en me racontant par le détail tout ce qui s'était passé durant la journée. C'est un ange, cette femme-là !

Sous le toit des O'Gallagher, c'est le train-train quotidien, sauf que j'ai bien l'impression que James a beaucoup d'étude, car depuis quelques semaines, il passe la majeure partie de son temps dans sa chambre. C'est à peine si on prend quelques minutes pour se dire bonjour le matin, quand je monte chercher la vaisselle dans la salle à manger. Je comprends bien qu'il soit très occupé, vu que c'est à peu près certain qu'il va aller à l'université dans un an. Je me dis que pour pouvoir être accepté là, ça doit être très important d'avoir de bonnes notes. D'une certaine manière, je l'envie beaucoup, je l'avoue, mais je trouve quand même dommage qu'il ne profite pas un peu plus du temps doux, parce qu'on a un vrai beau printemps, cette année… Puis, je me demande bien quel cours il va suivre, finalement. Même ça, je n'ai pas pu le lui demander parce que depuis l'autre dimanche à la serre, on ne s'est pas retrouvés en cachette… Ici, à la cuisine, on n'entend parler de rien et je n'ai pas la moindre idée si James s'est enfin décidé à confier ses ambitions à son père. Je vais tenter de lui faire signe, demain matin. On pourrait peut-être se rejoindre à la rivière en fin de journée, puisque la neige est maintenant toute fondue…

Quand je lui ai parlé, l'autre jour, Agnès était vraiment contente d'apprendre que cette année encore, nous allons passer tout le mois d'août à la maison de campagne. On s'est bien promis, elle et moi, de se voir le plus souvent possible. Peut-être même avec son amie Marie-Paul, si l'occasion se présente. Ce qui fait, au bout du compte, que j'ai quand même un peu hâte à l'été. C'est vraiment agréable de vivre au bord de l'eau, quand il fait très chaud. J'ai même entendu monsieur

O'Gallagher dire qu'il songeait à acheter la maison de campagne. Ça serait merveilleux, car on pourrait y aller plus souvent. Du moins, c'est ce que je pense !

Et j'espère aussi que l'an prochain, James sera là !

Tout cela pour dire que finalement, pour cette année, ça devrait aller. Je commence à me faire à l'idée que James part en voyage et que le séjour au bord de l'eau sera différent.

En fin de semaine prochaine, je vais beaucoup penser à Agnès. C'est elle qui me l'a demandé, dans une lettre que je viens de recevoir, car paraîtrait-il que la tante Félicité a décidé de parler de Cyrille à toute la parenté. La vieille dame a convoqué ce qu'elle a appelé un « conseil de famille », parce qu'elle se désespère de voir que le frère d'Agnès n'est toujours pas revenu à Montréal. Ça doit vraiment inquiéter mon amie pour qu'elle se donne la peine de me l'écrire, elle qui déteste tellement ça ! Je sais bien que je ne connais pas Cyrille, mais Agnès m'en a tellement parlé que c'est tout comme. J'ai bien hâte de voir comment cette histoire-là va se terminer.

En attendant, moi, je n'ai toujours pas de nouvelles de mon frère. Et les parents non plus, d'ailleurs. C'est ma mère qui m'en a glissé un mot, l'autre jour, tandis que je frottais les rideaux sur la planche à laver. Elle m'a confié qu'elle ne pouvait pas en jaser avec mon père, parce que le rouge lui monte au visage à la moindre mention du nom d'Ovide et qu'elle a peur qu'il fasse une crise d'apoplexie. N'empêche que toutes les deux, on se demande bien ce qu'Ovide devient. Par contre, j'ai dit à ma mère de ne pas trop s'en faire pour lui. Après tout, mon frère a dix-huit ans, maintenant ! C'est un homme, et comme il a toujours été plutôt débrouillard et qu'il est costaud, il doit certainement arriver à s'en sortir pas trop mal.

Bon… Je pense que c'est tout ce que j'avais à écrire pour aujourd'hui. Je suis fatiguée et je vais me coucher tout de suite. »

CHAPITRE 2

Le vendredi 3 mai 1929, dans une petite chambre de la rue de Saint-Édouard, à Québec, en compagnie de Cyrille et de Judith

Cyrille marchait de long en large à pas mesurés parce que l'espace manquait. De temps en temps, le jeune homme jetait à la dérobée des regards un peu découragés en direction de Judith, qui allaitait leur petite Léonie sans s'occuper de lui, parce qu'il la tenait en grande partie responsable du genre de vie qui était la leur. Assise dans un coin de la pièce, un peu à l'étroit entre le fauteuil et une minuscule table d'appoint, où, à tour de rôle, Judith et Cyrille mangeaient leurs soupers, Albertine jouait avec une poupée de chiffon que sa mère lui avait cousue.

Sur ce point, ils étaient chanceux, Judith et lui : ils avaient deux petites filles très jolies et en parfaite santé, n'en déplaise à Géraldine, la mère de Judith ! N'était-ce pas là l'important ?

Cyrille était sur le point de se laisser attendrir par ce constat quand, en se retournant, il se frappa durement le tibia contre le montant de métal du lit.

Ce fut la goutte qui fit déborder le vase. Il lâcha un juron que le grand-père Lafrance n'aurait pas désavoué et, levant les yeux, il s'en prit aussitôt à sa compagne.

— Je comprends pas ton entêtement, Judith ! lança Cyrille en se frottant la jambe pour chasser la douleur. Depuis le temps qu'on est partis du village, toi et moi, il serait temps de sortir de notre coqueron, tu penses pas ? De toute façon, pour moi, c'est clair que tes parents ont eu le temps de décolérer.

— Ça, c'est toi qui le dis, mon pauvre Cyrille ! Mais comme je les connais, pis je te ferais remarquer que je les connais pas mal mieux que toi, j'suis loin d'être certaine que t'as raison !

Tout en répétant ces quelques mots sur le ton d'une litanie, ceux que Cyrille avait trop souvent entendus, Judith leva enfin les yeux vers lui, comme si elle espérait une réponse différente de celle que son amoureux avait l'habitude de lui servir.

— Ça se peut pas que mononcle Anselme soit rancunier à ce point-là, argumenta encore une fois le jeune homme. Après tout, il est le frère de ma mère, et je connais personne au monde plus ouvert d'esprit que Marie-Thérèse Lafrance. Ça doit venir des Gagnon, ce trait de caractère-là, parce que matante Félicité comprend facilement le bon sens, elle aussi.

— Tu peux ben dire tout ce que tu veux, Cyrille, moi, je change pas d'avis. Même si t'as raison de prétendre que mon père est plus facile à vivre que ma mère, ça empêche pas que j'suis pas prête pantoute à retourner à Sainte-Adèle-de-la-Merci. Pense à tous ceux qui nous connaissent depuis toujours, pis qui risquent de nous regarder de travers !

Cyrille secoua la tête de découragement, tellement le sujet était éculé, à force d'être si souvent remis sur le tapis.

— Finalement, ce qui te retient, c'est juste une question de vieux curieux et d'écornifleux, comme le dirait sans doute matante Félicité.

— Quand ben même ça serait ça !

— Laisse donc faire le monde, Judith ! Je te l'ai souvent dit. Ou toi et moi, on finirait par s'habituer à sentir leur reproche, ou alors, les gens de la paroisse auraient pas le choix de se faire à l'idée qu'on est ensemble ! De toute façon, qui parle de retourner au village ? souligna-t-il enfin avec impatience.

— Voyons donc, Cyrille ! Veux-tu ben me dire où c'est qu'on pourrait aller, si c'est pas au village ?

Judith avait levé le ton à son tour, et la petite Léonie, blottie contre elle, sursauta. La jeune mère referma machinalement les bras sur le petit corps tout chaud et le bébé se remit à téter vigoureusement.

— On pourrait aller à Montréal, peut-être ? rétorqua Cyrille à mi-voix, pour ne pas alerter leur voisin de palier, un homme sans âge, célibataire, qui n'appréciait pas du tout d'être dérangé et qui n'avait aucun scrupule à frapper bruyamment contre le mur mitoyen quand l'une des deux petites pleurnichait. On en a parlé tellement souvent que je comprends pas que tu tiennes jamais compte du fait que ma famille se soit installée en ville depuis quatre ans.

— Oui, pis ?

— Comment ça, pis ? Torpinouche, Judith ! Il me semble que c'est facile à comprendre qu'il y a pas juste le village pour vivre.

— C'est ben certain. J'suis pas niaiseuse au point de penser ça. Mais moi, par exemple, ce que j'ai remarqué, c'est que tu dis souvent que ton avenir était supposé passer soit par les études ou par la ferme de mon père. Les études, je pense qu'on peut oublier ça, pis la ferme, elle, c'est à Sainte-Adèle-de-la-Merci qu'elle se trouve… J'ai toujours ben pas inventé ça !

L'hésitation de Cyrille dura le temps d'un soupir exaspéré.

— Non, c'est vrai, t'as rien inventé. Je l'avoue : j'aurais beaucoup aimé travailler avec ton père, admit-il, escamotant volontairement les études qui, dans son cas, n'étaient plus qu'un rêve inutile. On s'entendait bien, lui et moi. Quand je trouvais le temps long, au collège, c'est souvent à lui que je pensais, et au travail de la ferme, pis ça me donnait le courage de continuer… Jusqu'à ce que je me fasse des amis, mais ça, c'est une autre histoire… Pour en revenir à la ferme de ton père, j'ai bien apprécié l'été que j'ai passé chez vous à lui donner un coup de main, et c'est peut-être pour ça que j'en parle encore des fois, quand j'en ai assez de la manufacture. Mais une chose est sûre, par exemple: si j'ai décidé d'oublier tous ces beaux projets-là, c'est uniquement parce que la vie en avait décidé autrement, parce que moi, je ne voulais plus du tout être cordonnier.

— La vie ? Prends-moi pas pour une imbécile, pis essaye pas d'arrondir les angles en parlant de même ! C'est pas la vie qui a décidé de nous chasser du village, c'est ma mère ! Pis tu le sais aussi bien que moi.

— Et ça m'a tout l'air que ta mère est en train de gagner sur toute la ligne, précisa Cyrille avec amertume. La preuve, c'est qu'on est toujours à Québec, pratiquement trois ans après notre départ, et qu'on tire toujours autant le diable par la queue, malgré tous mes efforts. Laisse-moi préciser que c'était pas exactement comme ça que j'envisageais mon avenir... Veux-tu que je te dise de quoi ? On en serait pas là si ton père s'était tenu debout !

S'ils avaient souvent discuté de leur vie médiocre et de l'avenir meilleur qui aurait pu s'offrir à eux, c'était bien la première fois que les reproches pleuvaient à ce point, comme si Cyrille avait décidé de crever l'abcès une bonne fois pour toutes et que, pour ce faire, il devait se montrer aussi amer devant son quotidien et aussi dur envers la famille de Judith.

— Bon ! Mon père, astheure ! rétorqua la jeune femme, sans être capable d'aller plus loin.

Brusquement, Judith sentit son cœur se serrer comme devant un reproche non mérité, et elle se mit à trembler, à court de mots. Elle tenait la petite Léonie de plus en plus fort tout contre elle, comme si le bébé avait le pouvoir de la rassurer. Quand la jeune mère posa les yeux sur sa fille, quelques larmes perlèrent à ses cils.

— Serais-tu en train de me dire que tu regrettes, Cyrille ? demanda-t-elle enfin, d'une voix étouffée par le chagrin et par la peur d'entendre une réponse qui ne lui plairait pas.

Du bout du doigt, Judith caressait la joue de sa fille, dans un geste d'une infinie tendresse.

— Ta manière de parler, en ce moment, c'est-tu pour me faire comprendre que tu regrettes notre décision de vivre ensemble, pis que t'as jamais osé me le dire clairement jusqu'à maintenant ?

Cette question laissa Cyrille pétrifié. Judith venait de mettre le doigt sur ce qui lui faisait le plus mal, parce que oui, il lui arrivait de regretter d'avoir agi sur un coup de tête. Jamais il ne se reprocherait d'avoir choisi de vivre avec Judith, ça n'avait rien à voir. Toutefois, à l'époque, ils n'étaient que deux enfants qui se croyaient des adultes, et ils s'étaient trompés. Si c'était à refaire, Cyrille ne prendrait sûrement pas une décision aussi lourde de conséquences sans au moins en parler à ses parents. Avec eux, au lieu de fuir le village comme un voleur, il aurait bien fini par trouver une solution à ce qu'il avait vu comme une immense montagne à escalader. Malheureusement, au moment où Géraldine l'avait prié de quitter sa maison et de ne plus jamais y revenir, Cyrille avait eu peur de perdre Judith. Sur le coup, cette attitude ferme et intolérante additionnée au regard désespéré de la jeune fille avait tout dicté. Aujourd'hui, il était impossible de faire marche arrière, alors il assumerait son choix jusqu'au bout.

Toutefois, était-il prêt à discuter de ce qu'il ressentait vraiment avec la jeune femme ? Ça, c'était moins certain.

Cyrille jeta un regard en coin vers Judith. Malgré l'attitude frondeuse qu'elle affichait habituellement et sa capacité à dire clairement les choses, sans la moindre retenue, Cyrille savait que sa compagne devenait fragile et démunie dès qu'il était question de ses parents. Et Cyrille pouvait le comprendre, même s'il trouvait ce réflexe démesuré. Après tout, la famille d'Anselme Gagnon avait toujours été unie, tricotée serré, comme le disait sa mère, et elle avait été, pour Judith, un rempart contre les aléas de la vie durant de nombreuses années. De s'être fait montrer la porte aussi cavalièrement, en même temps que lui, avait dû terriblement la blesser. C'était justement pour cette raison, et par amour pour elle, si le jeune homme avait longtemps évité d'entretenir de faux espoirs et ne lui avait pas parlé des lettres qu'il avait envoyées à son ami Fulbert.

Fulbert Morissette…

L'évocation de ce nom eut l'avantage de calmer temporairement Cyrille.

Qui aurait pu imaginer que ce serait à lui que Cyrille, exaspéré par la vie qu'il menait, aurait envie d'écrire ? Pourtant, c'est ce qu'il avait fait et sans le moindre scrupule. Cet ennemi juré devenu un complice au fil du temps avait été le seul lien que le jeune homme avait entretenu avec son passé, par besoin de se sentir rassuré, lui aussi, et parce que son ami avait toujours eu de bonnes idées pour se sortir du pétrin. La preuve que Cyrille avait eu raison de lui écrire, c'est que Fulbert n'avait pas hésité à venir le visiter et à parler à leur propriétaire, ce qui avait tout de même amélioré les conditions de vie de sa petite famille. Toutefois, lors de la visite de ce même Fulbert, accompagné de sa sœur Agnès, Judith lui avait fait le reproche d'avoir agi en cachette. D'un même souffle, elle lui avait demandé de ne plus jamais se conduire de la sorte. Elle avait exigé de lui qu'il lui dise toujours la vérité, quelles que soient les circonstances, et Cyrille avait promis.

Et voilà qu'en ce moment, il hésitait à exprimer les choses franchement.

S'approchant de l'unique fenêtre qui permettait d'aérer la pièce quand il ne faisait pas trop froid dehors, et qui, aujourd'hui, laissait entrer une lumière blafarde, le jeune homme repoussa la tenture d'une main lasse.

Depuis le matin, il tombait un crachin insistant et la rue était déserte. Dans moins d'une heure, la nuit serait tombée. Cyrille devrait alors penser à se coucher, car il se levait tous les matins à l'aube, même le samedi. Le temps d'un thé bien chaud, et il partirait à pied pour la manufacture, située à plus de deux milles de là, où il se retrouverait, jusqu'au soir, devant une machine bruyante qui servait à coudre les semelles en cuir.

Durant de nombreuses heures, six jours par semaine, Cyrille Lafrance n'avait comme seul horizon que le dos de celui qui cousait devant lui.

Alors pouvait-il, sans mentir, prétendre qu'il ne regrettait rien ?

Cyrille poussa un long soupir, tout hésitant, sachant qu'il risquait de peiner Judith. Toutefois, il avait promis de lui confier la vérité, n'est-ce pas ? Alors soit, il dirait la vérité, toute la vérité.

— Je voudrais surtout pas que tu le prennes mal, Judith, commença-t-il, sans faux-fuyant, mais il m'arrive parfois, oui, de regretter cette décision qu'on a prise sur un coup de tête.

Le ton employé était sans appel.

À la suite de cette confession, le silence qui s'abattit lourdement sur la chambre fut d'une pesanteur à faire courber les épaules. D'un geste impulsif, Judith posa la main sur la tête bouclée d'Albertine, son aînée, qui jouait silencieusement à ses pieds, et elle se mit à enrouler nerveusement autour de son doigt une mèche de fins cheveux châtains, doux comme de la soie.

Comment Cyrille pouvait-il parler de regret alors que leur fuite avait permis la naissance de deux merveilleuses petites filles ? Son cœur de mère ne comprenait pas et cette incompréhension occultait toute envie de réfléchir posément à la situation.

— Comme ça, tu m'aimes pus, Cyrille ? demanda alors la jeune femme, d'une voix rauque qui lui écorcha la gorge.

De toute son âme, Judith espérait que Cyrille se tournerait vers elle et qu'il se précipiterait pour la prendre dans ses bras afin de la rassurer, comme il l'avait si souvent fait. Au lieu de quoi, il n'y eut que ces mots francs, prononcés froidement et d'une voix lasse :

— Ça n'a rien à voir, Judith. Rien du tout ! Tu devrais le savoir. Si on est ici, c'est parce qu'on s'aime, non ? C'est pas toi qui es en cause ni nos filles. C'est plutôt l'ensemble de notre vie qui va à la dérive !

Sur ces mots, Cyrille se retourna enfin et fixa longuement celle qui avait les joues zébrées de larmes.

Il trouva l'image pitoyable de médiocrité et pourtant, il n'eut pas envie de s'approcher de Judith pour la consoler. À ses yeux, cela aurait été d'admettre encore une fois qu'il acceptait cet état de choses. Or, il n'en était rien.

Cyrille survola la pièce du regard.

Ils s'entassaient tous les quatre dans une chambre qui tenait lieu de maison. L'accès illimité à la cuisine, négocié par son ami Fulbert auprès de la propriétaire, ne changeait rien à cette promiscuité souvent étouffante. Certes, ils avaient deux enfants adorables qu'il aimait plus que sa propre vie, mais malheureusement, à cause d'elles, il avait dû mettre une croix sur ses ambitions. Quant à Judith, même si l'amour entre eux était toujours aussi sincère, Cyrille avait peur qu'il finisse par s'étioler, avec le temps. La placidité de la jeune femme devant leur vie médiocre ne ressemblait pas à celle qui avait fait battre son cœur. C'était la battante, la fonceuse que Cyrille avait appris à aimer, pas la mère démunie qui se contentait des quatre murs d'une petite chambre comme seul horizon. De plus, Cyrille se disait que la Judith d'avant finirait bien par se réveiller, un jour, et que devant la fadeur de ce quotidien sans envergure, elle se lasserait vite et que ça serait le début de la fin entre eux.

On ne passe pas son existence à tourner en rond dans une chambre, n'est-ce pas ? Et pour l'instant, c'était là tout ce que Cyrille avait à offrir à sa famille.

Le jeune homme fit un effort louable pour retenir un second soupir et les larmes qui menaçaient de couler. Il fallait que le ton de la conversation change, et vite !

Cyrille reporta alors les yeux sur Judith.

Combien de fois, ces dernières années, l'avait-il consolée, rassurée, comme il l'aurait fait avec une enfant ? Des dizaines de fois peut-être. Sans hésiter, il avait laissé tomber ses propres inquiétudes et ses tristesses, ses angoisses et ses déceptions personnelles, pour que la mère de ses filles puisse s'appuyer sur lui. Elle le méritait bien. Jamais Cyrille n'avait perdu patience devant ses larmes ou ses appréhensions. Mais ce soir, il n'avait plus la force ni l'intention de répéter des promesses vides de sens qui n'étaient rien de plus qu'un souffle de vent pour sécher ses larmes.

— Je t'aime, Judith. Ça, c'est du solide, et il faut surtout pas que tu aies peur que je parte, avoua-t-il enfin, d'une voix grave. Mais il faut quand même que tu te mettes dans la tête que j'aime pas la vie qu'on mène et que je vais faire tout ce qui est en mon pouvoir pour que ça change. Quitte à te déplaire. Ça aussi, c'est dur comme le roc.

Judith encaissa ces quelques mots sans rien laisser paraître de ses émotions, parce qu'en ce moment, malgré les paroles rassurantes de Cyrille, qui disait toujours l'aimer, c'était la peur qui dominait. Celle de voir son homme se fatiguer de leur vie et de le perdre.

— Si je disais que je comprends pas ce que t'essayes de m'expliquer, fit-elle, avec une espérance qui s'entendait jusque dans sa voix. Si c'est de même, pis que t'es sincère quand tu dis que tu m'aimes, pourquoi tout changer ? Pourquoi risquer de perdre le peu qui nous appartient ? Tu trouves pas que ça ressemble encore à un coup de tête, ton affaire ?

— Non, je trouve pas que ça ressemble à un coup de tête, s'obstina Cyrille. Bien au contraire ! Admettre qu'on s'est trompé et accepter l'aide de ceux qui tiennent à nous, c'est loin de ressembler à un caprice. Ça dit simplement qu'on a bien réfléchi et qu'on est sensé. Continuer comme on est partis, ça serait renoncer à se battre pour améliorer notre sort, et ça, pour moi, c'est impensable ! Je me sentirais lâche d'agir ainsi et j'espère que tu peux le comprendre. J'ai une famille qui nous aime, et j'ai bien l'intention de donner suite à la visite de mon grand-père et de matante Félicité. On a tout simplement trop tardé, il est temps qu'on se décide à agir. De toute façon, qu'est-ce que tu voudrais qu'on fasse d'autre ?

— J'entends ce que tu dis, pis ces mots-là, je les comprends. Je le sais que c'est pas facile, pis que ça le sera pas non plus dans l'immédiat. Mais je me dis quand même qu'on pourrait essayer de bâtir quelque chose de mieux sur ce qu'on a au lieu de…

— Ce qu'on a ? coupa Cyrille, exaspéré de voir que Judith persistait à s'entêter encore et encore.

Sur ce, il échappa un rire amer.

— Mais ouvre-toi les yeux, Judith ! lança-t-il durement.

Devant tant d'entêtement borné, la colère de Cyrille s'était réveillée.

— On a rien ! constata le jeune homme, écartant tout grand les bras pour montrer la pièce, où même les meubles n'étaient pas à eux, à l'exception du lit de bébé qu'ils n'avaient pas eu le choix d'acheter. Ça fait trois ans qu'on trime fort, sans relâche, et tout ce qui nous appartient, c'est notre linge, un peu de vaisselle, deux ou trois serviettes, et ce qui est nécessaire pour les petites.

Cyrille avait raison et, effectivement, il n'y avait pas de quoi pavoiser. Qu'à cela ne tienne ! Judith insista.

— C'est pas grave, Cyrille ! Des meubles, pis les cossins qui viennent avec, on finira ben par à en avoir un jour, comme tout le monde. Ça compte pas vraiment, ces choses-là. Pense à la nuit où vous avez passé au feu quand t'étais petit ! Ta famille pis toi, vous avez toute perdu, pis toute remplacé du jour au lendemain, pis la vie a continué…

— C'est vrai, admit Cyrille, sans oser ajouter que leur situation actuelle et celle que sa famille avait connue n'avaient que peu de choses en commun.

Devant un silence qui persistait, Judith poursuivit.

— Moi aussi, je t'aime, avoua-t-elle dans un souffle, pis pour moi, c'est ça l'essentiel. Ça, pis nos filles. Tu vas voir, Cyrille ! On va être capables de s'en sortir tout seuls.

— Peut-être bien, oui. On est pas trop malhabiles, l'un comme l'autre, et on a pas peur de travailler. Mais au rythme où vont les choses, si on apporte pas de changement dans notre quotidien et dans notre façon d'envisager l'avenir, c'est dans mille ans qu'on va commencer à voir une différence !

— Voyons donc ! Pourquoi toujours voir tout en noir ?

— Parce que j'essaie d'être honnête, d'être lucide, ma pauvre Judith ! Ça donnerait pas grand-chose de se fermer les yeux sur notre situation. On ferait juste continuer de tourner en rond, pis ça, j'en ai plus qu'assez ! Dis-toi bien que c'est pas l'ouvrage qui me fait peur. Et avant que tu m'en parles, je sais que je pourrais éventuellement me trouver une deuxième *job*. C'est vrai. N'importe quoi, en autant que ça rapporte un peu. J'y ai pensé, crains pas ! Mais à chaque fois que je me décide à chercher, je me dis que ça serait bien maladroit de se donner toute cette misère-là, tandis qu'il y a plein de monde qui nous aime et qui probablement attend juste un signe de notre part. Tu penses pas, toi ? Si ça donne rien, on avisera. Mais je crois pas qu'on soit obligés d'en arriver là. Je me dis que si matante Félicité et mon grand-père sont venus jusqu'ici, à leur âge, pour nous dire qu'ils étaient prêts à nous aider, c'est qu'on risque pas grand-chose à essayer de les contacter.

— Pour se faire reprocher notre vie, nos erreurs ?

Cyrille ferma les yeux, agacé par ce qui ressemblait à un déni de la réalité. Refusant d'entrer dans le jeu de Judith et de répondre franchement, par crainte de jeter de l'huile sur le feu, le jeune homme inspira bruyamment, tandis que la jeune femme, encouragée par son silence, reprenait de plus belle.

— Pis probablement qu'on se ferait reprocher aussi le fait qu'on est pas mariés !

À ces mots, Cyrille ouvrit précipitamment les yeux. Mais avant qu'il puisse émettre le moindre commentaire, Judith poursuivait.

— Personne en a parlé à date, je le sais, admit-elle, mais ça va ben finir par sortir un jour. On vit dans le péché, Cyrille, pis ça, tu pourras jamais le nier ! Déjà qu'on est chanceux que les deux petites ayent été baptisées quand même, parce qu'on a triché avec tes faux papiers. Si jusqu'à aujourd'hui, ta famille a rien dit là-dessus, crains pas, ma mère va s'en charger ! C'est clair comme de l'eau de roche !

Ce sujet-là aussi était tout usé d'avoir été si souvent ressassé.

— Et après ? demanda Cyrille, pour la énième fois. C'est pas parce que ta mère jure seulement par les curés que tout le monde pense comme elle !

— Je le sais, mais il y a quand même pas mal de gens qui vont se faire un plaisir de nous lancer la première pierre… T'as pas tort de dire qu'on aurait pu réfléchir un peu plus avant de se sauver comme deux voleurs. Mais c'est fait, pis on peut rien changer à ça !

— Pour une fois, je suis bien d'accord avec toi. Mais moi, contrairement à toi, je trouve que c'est une raison de plus pour demander de l'aide. Si on avoue s'être trompés, mes parents vont nous pardonner. Comme matante Félicité pis grand-père Lafrance l'ont fait. Souviens-toi quand t'as parlé du fait qu'on était pas mariés devant eux ! Grand-père t'a demandé de te taire d'un seul geste de la main.

— Ouais, mettons…

Cette indécision chronique entendue dans la voix de Judith comme dans son propos fit enfler l'impatience de Cyrille.

— Oui, « mettons », comme tu dis. Mettons qu'on s'en va à Montréal… Je suis sûr que mes parents nous laisseraient pas tomber.

— Peut-être… Je connais assez tes parents pour oser espérer qu'ils seraient du genre à nous aider, comme tu dis.

— Bon, enfin ! Un peu de…

— Laisse-moi finir, Cyrille, coupa vivement Judith, qui semblait avoir repris sur elle. Tes parents nous donneraient peut-être un coup de main, mais ils iraient pas jusqu'à nous faire vivre, ça, j'en suis certaine. Ils en ont plein les bras avec l'épicerie, pis leur famille… Faudrait quand même que tu te trouves une *job*, non ? Pis c'est là que ça se gâte, tant qu'à moi !

— Pourquoi ?

— Parce que toi, ce que tu connais, c'est les souliers.

— Oui, pis ? Je vois pas du tout où c'est que tu veux en venir avec ça. Il me semble que c'est pas un défaut, d'avoir une certaine habileté.

— Ça serait même un avantage, je dis pas le contraire. Par contre, les *jobs* de cordonnier, c'est ici qu'il y en a le plus. Tu le sais aussi bien que moi... C'est justement pour ça qu'on s'est retrouvés à Québec.

— Je te ferais remarquer que je pourrais peut-être faire un autre métier, non ? J'espère bien que je suis assez intelligent pour être capable d'apprendre autre chose que de coudre des semelles ! lança Cyrille avec une certaine irritation dans la voix.

— C'est sûr. Pis c'est pas pantoute ce que je voulais supposer. Mais à la place de partir pour Montréal, avec plein d'inconnu devant nous autres, si je retournais à la Dominion Corset, qu'est-ce que t'en dirais ? Ça fait un boutte que j'y pense. Ça ferait un salaire de plus, comme à nos débuts, pis...

— Pis les petites, elles ? coupa vivement Cyrille à son tour. On est toujours pas pour les abandonner à la journée longue !

— Tu penses vraiment que c'est mon intention, de laisser nos filles ? Mais pour qui tu me prends, Cyrille Lafrance ?

La colère suintait de chacun des mots prononcés froidement par Judith. Elle qui tentait de trouver une solution à leur problème se voyait rembarrée comme une imbécile. Elle se redressa et soutint le regard de Cyrille avec un aplomb qui lui fit baisser les yeux.

— Désolé, Judith, murmura ce dernier. C'est pas du tout ce que je voulais insinuer.

— J'espère donc ! Pis arrête de m'interrompre tout le temps ! Laisse-moi aller jusqu'au bout de mon idée, pour une fois, pis tu vas peut-être finir par comprendre.

— Vas-y, je t'écoute.

— Si je retournais travailler, c'est ben certain qu'il faudrait trouver quelqu'un pour s'occuper des filles quand je serais à l'ouvrage. Mais une fois la question réglée, il me semble que…

— Ben voyons donc ! interrompit impulsivement Cyrille, malgré sa promesse d'écouter attentivement la jeune femme. Dans ce cas-là, qu'est-ce que ça changerait à notre quotidien, que tu partes travailler ? On mettrait toute ta paye ou presque dans les frais occasionnés par une gardienne, et au bout de la ligne, on gagnerait pas grand-chose… Et ça, c'est si on trouve quelqu'un qui accepterait de s'enfermer ici, dans une chambre mal aérée, à tourner en rond avec deux bébés.

— Je le fais ben, moi ! rétorqua Judith, piquée au vif. Ça fait trois ans qu'on vit ici, pis j'en suis pas morte ! Je me plains même pas !

— Disons que c'est pas tout à fait pareil, hein ? Albertine et Léonie sont tes filles, pas celles d'une étrangère.

— T'es de mauvaise foi, Cyrille !

— Pardon ? Là, ma pauvre fille, c'est toi qui es bornée… Viens pas me dire que c'est agréable de passer toutes tes journées ici, je te croirais pas. Personne de sensé peut aimer ça, et vois-tu, j'ai toujours pensé que tu étais une fille avec une tête sur les épaules ! J'en reviens pas ! On dirait que ça t'amuse de toujours tout ramener vers le bas. De toute façon, rappelle-toi : t'arrêtais pas de dire que tu détestais ça, passer des heures devant un moulin à coudre. Tu trouvais ça bruyant et suffocant, à cause de toute la poussière qu'il y avait dans l'air et ça te donnait mal dans le dos.

— C'est vrai. Mais je suis quand même prête à retourner à l'usine si c'est pour aider à améliorer notre sort.

— Coudonc, Judith ! On dirait que t'as rien écouté de ce que je viens de te dire ! Dans le cas présent, que tu retournes au travail ou que tu restes ici, ça changera rien à la situation qu'on subit. Quand je t'écoute parler, j'ai l'impression que ça fait ton affaire de rester sur tes positions.

— Ouais, pis ? J'ai pas le droit de préférer vivre dans ce que je connais, même si c'est dur par bouttes, plutôt que de foncer tête baissée dans de l'inconnu ?

— Pense donc à nos filles, puis rappelle-toi ton enfance au village ! Quand on se souvient de Sainte-Adèle-de-la-Merci et qu'on compare notre village à notre coqueron de Québec, on parle de deux mondes bien différents, Judith ! En ce moment, ça peut toujours aller, vu qu'Albertine et Léonie sont encore des bébés. Mais un jour, elles vont grandir, et moi, vois-tu, c'est une enfance comme celle que j'ai connue que j'ai envie d'offrir à nos filles. Ça te tenterait pas d'ouvrir les yeux et d'essayer de voir un peu plus loin que ta peur maladive de te retrouver devant ta mère ou quelques commères du village ?

— C'est méchant ce que tu viens de dire, Cyrille ! Comme si je pensais jamais à l'avenir ! Comme si j'espérais pas mieux pour nos deux filles !

— Je veux bien croire en tes intentions, mais c'est pas en restant ici, à Québec, qu'on va parvenir à s'en sortir. Pour moi, c'est très clair. Prends ça du bord que tu veux, c'est la vérité, et moi, je ne changerai pas d'avis... Astheure, tu vas devoir m'excuser, mais j'ai besoin d'air. On étouffe ici !

Et sans plus de cérémonie, Cyrille attrapa son manteau au vol et sortit en claquant la porte.

C'était prévisible et il y eut en écho un coup frappé contre le mur. Cyrille se dit alors, machinalement, qu'encore une fois, le voisin avait probablement pu suivre toute leur discussion à partir de sa propre chambre. Tant pis ! Il n'allait toujours bien pas s'excuser de vouloir améliorer le sort de sa famille.

Les pas du jeune père l'amenèrent tout naturellement jusqu'au parc, où il put enfin marcher à grandes enjambées tout le long de la rivière, et ainsi tenter de maîtriser sa colère.

Il était bouleversé par ce maelström d'émotions disparates qui bouillonnaient en lui, passant de l'impatience à la désolation, de l'amertume à la tristesse, de l'envie brutale de frapper au besoin immense d'être consolé.

Cyrille comprenait surtout que s'il aimait toujours autant Judith, l'entêtement aveugle de la jeune femme finirait peut-être par user cet amour, et cela lui faisait peur. Quoi qu'elle puisse en dire ou en penser, Cyrille Lafrance ne finirait pas ses jours devant une montagne de semelles à coudre. Et cela sans même tenir compte du fait qu'il se languissait de revoir sa famille. Il n'était pas né pour une vie de routine, une vie de misère. Il était intelligent, il le savait depuis sa toute première année à l'école, et on le lui avait souvent répété. Jusqu'au curé de sa paroisse, l'abbé Pettigrew, qui avait offert de lui payer des études classiques, grâce à ses notes.

— Un jour, votre fils Cyrille sera curé, avait-il prédit à ses parents.

Heureux et fier d'avoir été favorisé, mais tout de même craintif devant un avenir qu'il n'aurait pas lui-même choisi, et ce, malgré l'assurance que sa mère interviendrait au besoin, Cyrille était parti pour le collège de Trois-Rivières, la mort dans l'âme.

Curé, lui ? Allons donc !

Il avait effectivement vite compris que la prêtrise n'était pas faite pour Cyrille Lafrance. La belle Judith encombrait beaucoup trop ses pensées et ses rêves pour qu'il songe à prier afin de découvrir la vocation en lui, comme l'exigeait son directeur de conscience, le père Gérard, à chacune de leurs rencontres.

Puis, les vacances étaient venues le soustraire à sa vie de collégien. Tout heureux, Cyrille s'était précipité à Sainte-Adèle-de-la-Merci et il avait rejoint son père à la cordonnerie familiale, comme il l'avait tant espéré quand il était gamin. Toutefois, après quelques semaines à travailler aux côtés de Jaquelin, le jeune garçon avait dû reconnaître que le métier de cordonnier non plus ne serait pas pour lui. Trop de routine et pas assez de grand air.

Et cette odeur de pieds mal lavés qui lui donnait la nausée !

Il n'en restait pas moins qu'il aimait étudier et qu'il voyait grand. Il s'était alors surpris à rêver : il deviendrait médecin, peut-être, comme le père de Fulbert ; ou notaire, tiens, comme celui de Xavier. D'autant plus que dans les deux alternatives, il aurait en prime de longues années d'études devant lui et cela n'était pas pour lui déplaire, car il aimait toujours autant se plonger le nez dans les livres !

Cyrille était donc retourné au collège ragaillardi, se disant que dans le pire des cas, si jamais le curé Pettigrew devinait que son pupille ne serait jamais prêtre et qu'il cessait de subvenir à ses besoins d'étudiant, Cyrille serait cultivateur, comme son oncle Anselme. Après tout, ce dernier n'avait aucune relève et, durant tout un été, il s'était amusé à inventer un avenir plausible avec son neveu à ses côtés.

— Si t'as pas peur du gros ouvrage, pis que ça te fait rien de te salir les mains, mon jeune, tout ça devant toi, ça pourrait ben t'appartenir un jour, vu que j'ai juste deux filles pour me succéder.

Tout en parlant, Anselme avait montré l'étendue de ses terres, où il cultivait le tabac depuis des années.

— C'est sûr que c'est ben tentant, mononcle, avait alors rétorqué Cyrille.

— Pis en plusse, on s'adonne ben, toi pis moi !

L'idée avait fait son bout de chemin dans l'esprit de Cyrille, chaque fois plus attirante. Après tout, pourquoi pas ?

Il aimait bien travailler au grand air et si devenir propriétaire de cette ferme prospère était le lot qui lui était réservé pour occuper sa vie d'adulte, la punition de ne plus étudier ne serait pas trop grande !

D'autant plus que Judith pourrait le seconder.

Mais finalement, rien n'avait fonctionné comme Cyrille l'espérait ! Au lieu d'étudier ou de devenir cultivateur, depuis trois ans, il se retrouvait enfermé dans une manufacture sombre et bruyante, et Judith lui refusait la clé pour en sortir !

Cyrille serra les poings, et, fermant les yeux, il revit clairement le collège où il avait étudié. Les salles de cours avec les tableaux noirs ; le dortoir aux lits alignés contre le mur ; les longs corridors où il avait peur de se perdre, dans les premiers temps ; la cour en pavé, où il passait toutes ses récréations et ses moments libres.

Vinrent ensuite le frère Alfred, le surveillant des plus jeunes ; le père Auguste, un préfet de discipline juste, mais craint par tous les élèves ; le père Gérard, son directeur de conscience ; le principal du collège, qui se lançait régulièrement dans de longues et assommantes diatribes, disséquant allègrement la société et affirmant au final que ses élèves en étaient la crème...

Durant de longs mois, Cyrille avait détesté cet endroit et ceux qui y vivaient. Aujourd'hui, le jeune homme admettait que ça avait été le bon temps et il en gardait un souvenir ému. Avec le recul, Cyrille comprenait que tous ces hommes de caractère, chacun à sa manière, avec ses qualités comme ses défauts, avaient forgé celui qu'il était devenu.

Et il y avait les amis, aussi !

Fulbert Morissette, Xavier Chamberland, Pierre Rochon...

Cela avait pris de nombreux mois pour que l'amitié survienne dans la vie de Cyrille, lors de son arrivée au collège, mais peu importe ! Aujourd'hui, le jeune homme savait qu'entre eux, il y aurait toujours un lien indéfectible à travers les nombreux souvenirs qu'ils partageaient.

À revoir ainsi en pensée tous ses amis du collège, Cyrille se demanda si Fulbert était vraiment entré à la Faculté de médecine, comme il lui avait confié vouloir le faire, lors de sa visite, l'an dernier.

— Tu sais, Cyrille, je pense bien que je vais suivre les traces de mon père. Ça fait deux fois que je fais le tour de l'hôpital avec lui, et je trouve ça intéressant, attirant, avait déclaré Fulbert, au moment où Agnès et lui attendaient le train à la gare du Palais pour retourner à Montréal. Il me reste encore un an au collège pour prendre ma décision finale, mais il y a de fortes chances que ça soit la médecine.

— T'es chanceux de pouvoir rêver comme ça ! avait alors échappé Cyrille à voix basse, pour que Judith et Agnès ne l'entendent pas. Pour moi, c'est fini, les beaux projets d'avenir et les études !

— Voyons donc, Cyrille ! Tu n'as pas le droit de parler comme ça ! Si jamais tu avais besoin d'aide, tu n'aurais qu'à le dire. Tu me connais, non ? À deux, on trouverait sûrement une solution.

Fulbert et son insouciance !

Malheureusement, à l'exception d'une carte à Noël, n'exprimant que les vœux de saison, les deux amis ne s'étaient pas reparlé depuis.

Quant à Xavier, Cyrille n'avait aucune idée de ce qu'il était devenu.

À cette pensée, une bouffée de tendresse lui fit débattre le cœur, en même temps qu'il regretta de ne pas avoir écrit à celui qu'il considérait, encore à présent, comme son meilleur ami.

Mais Xavier aurait-il pu seulement lire sa lettre ?

Cyrille esquissa un sourire, tout en revoyant en pensée Xavier Chamberland et ses lunettes « en cul de bouteille » comme il le disait lui-même, car il était myope comme une taupe. C'était probablement l'être le plus généreux qu'il ait croisé au collège et ils s'entendaient si bien, tous les deux !

Que devenait-il ? Avait-il complètement perdu la vue, ou lui restait-il un semblant de vision lui permettant d'apercevoir encore les beautés du monde, comme Xavier espérait le faire encore longtemps ?

Et qu'allait-il pouvoir exercer comme métier, alors qu'à quatorze ans, il n'y voyait déjà presque rien ?

La perspective de se retrouver aussi démuni que son ami pouvait l'être procura un frisson d'épouvante à Cyrille.

Ça devait être terriblement angoissant de ne pouvoir travailler comme tout le monde ! Pourtant, il ne se souvenait pas d'avoir entendu Xavier se plaindre de quoi que ce soit, jamais.

— On verra bien dans le temps comme dans le temps, disait-il, en se moquant d'une situation qui n'avait rien de drôle. Pour quelqu'un comme moi, qui risque la cécité, le jeu de mots s'impose, vous ne pensez pas, les gars ?

Rien ni personne ne semblait avoir la capacité d'abattre Xavier.

Alors, en ce moment, tandis que Cyrille avait l'impression que la vie le tenait cloué au sol, l'empêchant de prendre son véritable envol, la présence de Xavier, ses conseils et ses remarques judicieuses, son humour aussi, lui manquèrent au point où les larmes débordèrent bien malgré lui, tandis qu'à l'église Saint-Roch, les cloches carillonnaient pour rappeler aux paroissiens qu'on était enfin au mois de mai. Ils étaient conviés à ce qu'on appelle le « mois de Marie », où, en groupe, les fidèles récitaient un chapelet tous les soirs.

Ce fut un signal pour Cyrille. Il s'essuya le visage, renifla un bon coup, puis il se releva du banc de parc où il s'était finalement assis, et il reprit le chemin en direction de sa chambre. Il était temps qu'il songe à se coucher s'il voulait être capable de se tirer du lit, le lendemain à l'aube.

Toutefois, si Cyrille avait su qu'au même instant, à Montréal, une bonne partie de sa famille était réunie pour discuter de sa situation, peut-être que les larmes auraient été moins amères et qu'il ne se serait pas senti aussi abattu.

En effet, comme Agnès l'avait écrit à Marion, à la demande de la tante Félicité, plusieurs membres de la famille Lafrance s'étaient rassemblés dans la cuisine d'Émile et Lauréanne, par ce vendredi soir pluvieux et frais.

— Il est toujours ben pas écrit qu'on va laisser l'un des nôtres manger du pain noir jusqu'à la fin des temps ! avait conclu la vieille dame, après avoir brossé un tableau assez juste de la situation de Cyrille et Judith.

La tante Félicité n'avait rien omis. De leur départ précipité du village à leur installation à Québec ; du travail à la manufacture à la naissance de leur petite fille ; de leur logement sommaire à la visite qu'Irénée et elle leur avaient faite le printemps précédent, elle avait tout bien résumé. Même le voyage entrepris par Agnès et Fulbert avait été mentionné. La seule chose que Félicité n'avait pas précisée, c'était le prénom de la petite Albertine, se disant, à juste titre, que c'était à Cyrille de le faire, puisque c'était aussi celui de la petite fille que Jaquelin et Marie-Thérèse avaient perdue en bas âge.

Cette dernière, d'abord surprise, puis émue, et enfin contrariée, avait bu les paroles de sa tante, partagée entre la colère, le soulagement et la rancœur.

— Pis ça vous aurait pas tenté, matante, de nous en parler avant aujourd'hui ? fit-elle avec humeur, après le court silence qui avait suivi la confession de Félicité. Pendant que Jaquelin pis moi, on se faisait du sang de punaise au sujet de notre garçon, vous, vous saviez déjà que tout allait quand même pas si pire, rapport qu'ils sont toujours en vie, pis qu'en plusse, ils ont une petite fille en bonne santé !

Sur ce, Marie-Thérèse se détourna et lança un regard sévère à sa fille, qui se mit à rougir comme une tomate.

— Pis ça vaut pour toi aussi, Agnès ! Ça t'est pas passé par la tête de nous mettre au courant, ton père pis moi ? Compte sur moi, on va reparler de tout ça un autre tantôt... À croire que vous avez pas de cœur, personne !

Sur ce, Marie-Thérèse revint à Félicité, pour conclure, toujours d'un même souffle.

— Je regrette de vous dire ça, matante, mais je vous en veux pas mal d'avoir agi comme vous l'avez fait. Ça a pas d'allure de laisser des parents se morfondre de même !

— Je le sais ben, ma pauvre enfant ! Que c'est tu vas penser là ? J'étais ben consciente que c'était pas tellement catholique de rien vous raconter, comme ça, mais Irénée pis moi, on avait promis de rien dire avant qu'eux autres le décident. Pis quand je promets quelque chose…

Un coup du plat de la main assené sur la table par Marie-Thérèse fit sursauter tout le monde.

— Il y a toujours ben des limites, matante ! Je le sais que vous avez l'habitude de tenir vos promesses ! Le beau-père aussi. Pis c'est tout à votre honneur. N'empêche qu'un peu de jarnigoine, des fois, ça peut pas faire de tort. Un peu de réflexion pis de la compassion pour ceux qui souffrent sans bon sens devant une situation.

Visiblement, Marie-Thérèse n'était pas d'humeur à pardonner facilement le silence de sa tante ni celui d'Irénée. Cependant, peu habituée à s'emporter ainsi, elle prit une longue inspiration pour tenter de se calmer et c'est Irénée qui en profita pour s'immiscer dans la conversation.

— À notre défense, précisa le vieil homme, on pouvait pas s'imaginer que Cyrille ferait le mort comme ça, pendant des mois ! Sacrifice de batince ! Ça fait un an qu'on est passés chez eux, qu'on leur a dit qu'ils pouvaient compter sur nous autres au besoin, pis ça a rien donné pantoute !

Marie-Thérèse ne trouva pas de mots pour rétorquer. Elle se contenta d'échanger un regard désolé avec Jaquelin, tandis qu'un lourd silence se glissait dans la cuisine. Se sentant un peu moins concernés, Émile et Lauréanne se tenaient par la main, assis à un bout de la table, mais ils suivaient néanmoins la discussion avec attention.

Retrouvant peu à peu ses esprits, Marie-Thérèse esquissa un fragile sourire à l'intention de son mari.

— Pis toi, mon homme, que c'est que t'en penses ?

En temps normal, Jaquelin était plutôt lent dans ses réflexions. Il aimait bien prendre son temps en tout. Mais comme le cas présent n'avait rien de normal et qu'il pensait à son fils pratiquement tous les jours depuis trois ans, la réponse était déjà toute prête.

— Je pense que l'important, c'est que Cyrille aille ben, pis sa Judith aussi. On peut remercier le Ciel d'avoir écouté mes prières... Pour le reste, que c'est tu veux que j'ajoute à ce que notre tante Félicité a dit, ma pauvre Marie ? Cyrille est pus un petit gars en culottes courtes, il doit ben savoir ce qu'il fait, non ? Je retiens aussi le fait qu'ils ont une fille, Judith pis lui. Ça, c'est peut-être le plus important dans cette histoire-là, parce qu'avoir une famille, ça donne du sérieux à un homme. Je me rappelle qu'après le feu qui a détruit notre maison, j'étais soulagé qu'on aye sauvé tous nos enfants, et c'est leur confort qui m'a incité à partir pour les chantiers. Je voulais que toute reprenne sa place le plus vite possible pour que notre famille aye pas à souffrir trop longtemps de la situation, pis pour ça, ben, ça prenait de l'argent... Ceci étant dit, mettons que je suis prêt à me fier au bon jugement de notre garçon, pis à attendre qu'il nous fasse signe. Après toute, c'est à lui de décider pour sa vie, comme moi je l'ai faite, pis c'est en plein ce qu'il a demandé. Mais en même temps, si quelqu'un ici a quelque chose de concret à proposer, c'est sûr que j'vas l'écouter ben attentivement.

Fallait-il que Jaquelin soit soulagé pour discourir aussi longtemps et avec autant d'à-propos ? Cette sagesse et ce calme imperturbable réussirent enfin à apaiser Marie-Thérèse. Émue, elle glissa une main dans celle de son mari.

— Dans ce cas-là, j'vas dire comme toi, Jaquelin : notre Cyrille est une personne de bon jugement, pis de cœur aussi. Jamais il laisserait sa famille dans la misère noire.

— Ça, ma pauvre Marie-Thérèse, souligna Irénée, qui n'avait pas l'habitude de ménager son monde quand il avait quelque chose à dire, c'est parce que t'as pas vu dans quelles conditions ils vivent. Pas sûr, moi, qu'une chambre à peine plus grande que la mienne va suffire encore ben ben longtemps pour trois personnes en bonne santé ! Si je me rappelle ben, des enfants, faut que ça grouille un peu pour arriver à grandir, maudit batince !

— Grand-père a raison, moman ! renchérit Agnès. Ça a pas d'allure de vivre dans une chambre de rien du tout !

— Ben que c'est qu'ils attendent pour nous faire signe, d'abord ? se lamenta Marie-Thérèse, ne sachant plus vers qui tourner son désarroi.

— Je pense que Judith y est pour beaucoup dans le fait qu'ils bougent pas, précisa alors Agnès. C'est probablement à cause d'elle si Cyrille nous a toujours pas donné de ses nouvelles.

— Pourquoi tu dis ça, ma fille ? Pendant que ton frère est à l'ouvrage, c'est quand même Judith qui doit vivre dans des conditions pas faciles. Me semble que moi, à sa place, je...

— Peut-être, oui, coupa Agnès, que le quotidien de Judith est moins plaisant que celui de Cyrille, mais c'est quand même elle qui m'a avoué qu'elle a ben peur de la réaction de ses parents. Pis de tout le village de Sainte-Adèle-de-la-Merci, tant qu'à y être !

— Peur de ses parents ? Voyons donc ! Mon frère Anselme ferait pas de mal à une mouche ! Pis ses deux filles, c'est comme de l'or en barre pour lui. C'est ben certain qu'il serait heureux d'apprendre que sa Judith va bien, pis qu'elle est...

— Je pensais pas nécessairement à mononcle, en disant ça, moman, interrompit vivement Agnès, une seconde fois. Je pensais ben plus à matante Géraldine.

Le nom avait été lancé comme un pavé dans une mare et il y eut d'abord un silence embarrassé. Dans la pièce, tout le monde savait que la femme d'Anselme y était pour beaucoup dans le départ de Judith et Cyrille.

Après quelques instants, Irénée toussota.

— Je serais ben embêté de me prononcer, bougonna le vieil homme, pour qui le moindre silence était un désagrément inutile dans une discussion. Faut dire que je la connais pas vraiment, la Géraldine. Les rares fois que je l'ai vue, c'était à la cordonnerie, pis en apparence, elle était ben d'adon. Pis pour ce qui nous intéresse en ce moment, c'est toi, Marie-Thérèse, qui m'en as le plus parlé.

— Pis moi, ce que j'en sais, précisa cette dernière, c'est mon frère Anselme qui me l'a dit. Pourtant, en ce qui concerne ma belle-sœur, je vous donnerais raison, le beau-père, compléta Marie-Thérèse. D'ordinaire, Géraldine est une femme ben avenante.

Malgré la rancune que Jaquelin et elle avaient entretenue à l'égard de leur belle-sœur, depuis près de trois ans, Marie-Thérèse ne pouvait supporter qu'on lui attribue tous les torts.

Peut-être bien que Géraldine avait parlé trop vite, ça pouvait arriver à tout le monde; et peut-être aussi qu'elle s'en faisait pour rien, car l'inquiétude était souvent mauvaise conseillère. Il n'en restait pas moins que Géraldine aimait sincèrement Judith et que c'était probablement pour la protéger qu'elle avait agi ainsi.

Devant un tel constat, de but en blanc, Marie-Thérèse jugea que la rancune avait assez duré et qu'il était temps de remettre les pendules à l'heure.

— Judith aurait peur de sa mère ? fit-elle en regardant Agnès droit dans les yeux. Non, ma fille, on doit pas avoir peur de Géraldine. Elle a beau avoir les idées ben arrêtées sur certaines affaires, comme la religion, par exemple, pis se montrer ben à pic sur le sujet, je peux dire sans me tromper qu'elle serait contente de revoir sa fille.

— Pas sûre, moi.

— Voyons donc, Agnès ! Quelle mère serait pas soulagée de savoir que toute va ben, malgré les circonstances ? Même si ça fait un boutte qu'on s'est pas parlé, Géraldine pis moi, j'suis quasiment certaine que toute va être oublié à la seconde où les enfants vont nous revenir. Dans le fond, il nous reste juste à trouver une manière de faire pour que Judith pis Cyrille acceptent notre aide... Hein, matante, c'est ça qu'il reste à faire ?

— En plein ça ! lança Irénée, sans laisser à Félicité la moindre chance de répondre. Je pense que, malgré notre visite, à ta tante pis moi, Cyrille pis Judith sont encore gênés par leur situation fâcheuse... Après toute, ils sont pas mariés, la jeune femme nous l'a avoué. Moi, par contre, je reconnais que ça me dérange pas plus que ça, pis je leur ai fait comprendre facilement ma façon de voir les choses. J'ai pour mon dire qu'on pensera au mariage en temps et lieu, parce que c'est pas ça l'important pour astheure. Cyrille pis Judith sont pas les premiers à qui ça arrive de sauter la clôture avant les noces, pis ça sera pas les derniers non plus, maudit batince ! C'est la nature qui veut ça de même. Mais que c'est vous voulez qu'on fasse de plus si ça achale Judith au point de vouloir rester cachée ? Si je me fie à ce que Cyrille nous a confié, avant qu'on s'en aille, j'ai l'impression qu'ils espèrent encore revenir vers leurs deux familles la tête haute, si vous voyez ce que je veux dire. J'ai eu beau répéter au jeune qu'à mes yeux, passer devant le curé, ça change pas vraiment les choses, on dirait ben que ça suffit pas… Maudit sacrifice de batince ! Pourquoi c'est faire que les choses sont compliquées de même, des fois ?

— Son père, protesta Lauréanne. Vous entendez-vous parler ? Retenez-vous un peu, quand même !

— Veux-tu ben, toi ! Pis si ça me tente pas, à moi, de me retenir ? Tu sauras, ma fille, que ça me fait sortir de mes gonds, des niaiseries pareilles. Voir que c'est un signe de croix faite sur deux anneaux qui va changer le monde !

— Ben moi, je suis comme vous, grand-père ! admit Agnès avec fougue. Je vois pas pantoute pourquoi Cyrille pis Judith sont mal à l'aise à ce point-là. L'important, c'est qu'ils s'aiment, non ? Pis qu'ils sont des bons parents.

— N'empêche, ma belle ! Ton frère pis Judith ont quand même une excuse, qui va ben au-delà du mariage, intervint Félicité.

— Je vous suis pas, matante !

— C'est à cause des curés qui disent que des cousins germains, ça doit pas se marier ensemble, précisa la vieille dame. Ils disent que c'est contre nature, pis que leurs enfants risquent d'être débiles… Voir que ça a du bon sens de parler de même !

— C'est juste un paquet de menteries, tout ça, rapport que Judith a eu une belle petite fille ben normale, ajouta Irénée, à l'instant où Agnès haussait les épaules avec un visible agacement. Pas pantoute certain que…

— Ben si vous voulez mon avis, souligna Jaquelin, coupant ainsi la parole à son père, malgré tout ce qui vient de se dire ici, je pense qu'on devrait finalement s'en mêler, justement à cause du bébé.

Sur ces mots, il se tourna vers Marie-Thérèse.

— Te rends-tu compte, ma femme ! Ça veut dire que toi pis moi, on est devenus des grands-parents !

— Bonté divine ! T'as ben raison, mon mari ! Me v'là grand-mère…

Tout en parlant, Marie-Thérèse s'était mise à rougir de bonheur.

— C'est comme un petit velours posé sur l'ennui, pis les inquiétudes que j'ai ressassées durant les dernières années, expliqua-t-elle à la ronde… Pis à la connaître comme je la connais, j'ai le sentiment que ça va être pareil pour Géraldine. Le fait d'apprendre qu'elle est grand-mère, pis surtout de savoir que la petite est normale pis en santé, ça va changer ben des affaires pour ma belle-sœur, à commencer par remettre en question les suppositions des curés… Pis Anselme va être fou de joie !

— Ben d'accord avec toi ! Finalement, m'est avis qu'on devrait leur parler, à eux autres avec, approuva Jaquelin, tout en opinant vigoureusement du bonnet.

— Pis si Géraldine reste sur ses positions ? demanda Irénée, qui voyait toujours la petite bête noire dans chaque situation.

À ces mots, ce fut comme si un petit vent frisquet traversait la cuisine.

— Ben là… C'est comme rien que Cyrille m'en voudrait pour le restant de ses jours ! nota Félicité, un brin découragée.

Cette fois, ce fut un regard navré qui circula autour de la table.

— Et si c'était moi qui parlais à Cyrille ?

Toutes les têtes se tournèrent en même temps vers Émile, qui venait de s'exprimer avec son calme habituel.

— Après tout, c'est mon filleul… Me semble qu'un parrain, ça sert pas juste à donner des cadeaux de temps en temps. Selon ce que j'ai compris, au moment du baptême de Cyrille, le prêtre avait dit qu'un parrain peut aussi remplacer les parents, au besoin.

— Ça, c'est sûr ! Pis c'est justement pour cette raison-là qu'on vous avait choisi, Émile. Parce qu'on se disait que vous seriez un modèle pour notre garçon, souligna Marie-Thérèse.

— Vous y allez pas avec le dos de la cuillère, la belle-sœur ! C'est gentil de dire ça, pis ça me va droit au cœur... Donc, si vous pensez comme moi, pis que vous êtes d'accord, on pourrait peut-être se dire que c'est astheure que le besoin s'en fait sentir, non ?

— Pas fou comme idée, approuva Irénée, heureux de voir enfin poindre une certaine ouverture à l'horizon. De toute façon, de la manière que ça s'en va, on a rien à perdre, maudit batince ! Chose certaine, pis je me suis jamais gêné pour le dire : vous êtes un homme de bien, Émile. J'aurais pas pu trouver mieux comme gendre ! Astheure que c'est dit, je pense ben que Cyrille pis Judith se permettront pas de regimber devant vous.

— Pis quand ben même ça serait le cas, j'suis pas le genre à m'en formaliser, déclara Émile du tac au tac.

Ensuite, tournant les yeux vers sa femme, il demanda :

— Mais d'abord, ma belle Lauréanne, j'aimerais savoir ce que toi, t'en penses. Tu le sais que les décisions d'importance, c'est à deux qu'on les prend.

— Pis c'est ben apprécié, mon mari. Je me suis toujours sentie importante, à côté de toi, pis ça a ben du prix à mes yeux... Mais dans ce qui nous occupe à soir, je trouve rien que du bon, dans ta proposition.

— Ben si c'est de même, pis que tout le monde est d'accord, comme de raison, on part pour Québec demain matin !

— Vite de même, Émile ?

— Bateau d'un nom, Marie-Thérèse, pourquoi pas ? Donnez-moi juste une bonne raison pour qu'on remette ça à plus tard, pis je…

— Ben non, Émile, ben non ! C'est vrai que le plus vite sera le mieux. C'est juste l'énervement qui me fait parler de même. Mais laissez-moi vous dire que j'vas être sur le gros nerf durant toute la journée de demain, par exemple… Pis oubliez pas : vous direz à Cyrille que face à lui, il y a rien de changé dans notre famille !

— Non, pantoute ! renchérit Jaquelin avec ferveur. On l'aime toujours autant. C'est lui, notre plus vieux, pis il y a juste ça qui compte pour nous autres. Vous rajouterez, quand vous lui parlerez, qu'on a ben hâte qu'il reprenne sa place à la table avec le reste de la famille, pis qu'on va rajouter une place pour Judith. Même la chaise haute est encore là… Ouais, c'est comme ça que j'aimerais que vous lui parliez, Émile ! Cyrille sait que les repas en famille ont toujours eu ben de l'importance, chez nous. Il va comprendre ce que je veux dire.

— Pis on fait quoi avec mononcle Anselme pis matante Géraldine ? s'inquiéta Agnès. Comme c'est là, on dirait qu'on leur joue dans le dos, pis j'aime pas ça.

— T'as ben raison, ma fille, approuva Marie-Thérèse, tout en se tournant vers elle. On peut toujours ben pas agir comme ça sans au moins leur en parler...

— Bon ! Vous voyez ben que j'ai raison ! Pis, on fait quoi ?

— On leur parle, comme je viens de le dire, précisa Marie-Thérèse. Par contre, Agnès, j'ai pas vraiment d'inquiétude pour eux autres !

— Ah non ?

— Laisse-moi aller avec ça, pis toute va ben se passer. J'vas parler à Anselme. Juste lui pis moi. Après, ça sera à mon frère de s'arranger avec sa femme. Astheure qu'il a le téléphone, on va pouvoir facilement se rejoindre. Je me suis toujours ben entendue avec lui, pis j'vois pas en quoi ça aurait pu changer tant que ça.

— Ben là... C'est sûr, moman, que les choses ont changé un brin ! Quand même ! Ça fait des années que vous vous parlez pus !

— Pis ? Des chicanes de famille, ma belle, il y en a toujours eu, il va y en avoir encore demain, pis c'est pas ça qui va changer la face du Monde. Pour ma part, tout est déjà oublié. Pis c'est des bonnes nouvelles que j'ai à lui apprendre. Juste des bonnes nouvelles ! Comme je connais mon frère, c'est ben en masse pour qu'il oublie la chicane, lui avec. Tu sauras ben m'en reparler quand ton frère pis Judith seront de retour. Avec la petite, comme de raison... Grand-mère ! Me v'là rendue grand-mère !

« Fallait que je l'écrive : je ne pensais jamais que je trouverais Agnès chanceuse à ce point-là, mais c'est un fait : elle a retrouvé son frère pour de bon, même si, pour l'instant, il demeure toujours à Québec, et je l'envie. Elle m'a dit que c'était une situation qui restait délicate, un peu compliquée, mais de l'entendre parler de Cyrille librement, moi, ça me fait m'ennuyer d'Ovide encore un peu plus. En même temps, ça me fâche de voir que mon frère agit comme ça ! Voyons donc ! Ça ne se fait pas, laisser sa famille dans l'ignorance de même ! On pourrait s'imaginer qu'il est mort, ou blessé gravement, et on n'aurait rien de concret pour nous dire qu'on est dans l'erreur. Quand j'essaie de me mettre à la place des parents, je comprends très bien leur colère. J'espère seulement qu'un jour, l'ennui va finir par être trop fort pour Ovide, et qu'il va nous donner signe de vie.

Et tant pis si le père se choque après lui. Dans un sens, Ovide l'aurait bien mérité !

En attendant, ici, c'est comme qui dirait le branle-bas de combat ! Au point où madame Éléonore prétend, en riant, que Quincy joue à Dieu le Père. C'est un peu vrai, parce qu'il essaie d'être partout à la fois : à la serre, aux plates-bandes, au potager ! Plus le voyage approche, et plus il court à droite et à gauche ! Il lance à qui veut l'entendre que c'est pour être certain que tout soit aussi parfait que d'habitude, mais moi, je crois plutôt qu'il est énervé par le voyage qui s'en vient à grands pas. On ne rit plus ! Avec James, il va passer un long mois en Irlande et en Angleterre, plus le voyage en bateau, bien entendu, à l'aller comme au retour ! De toute façon, qu'est-ce que ça pourrait bien changer que les fleurs soient un petit peu moins belles, cette année ? D'autant plus qu'au mois d'août, personne ne va remarquer quoi que ce soit parce qu'on sera tous à la maison de campagne, et qu'à notre retour, l'automne sera presque là. Seul Adam devra revenir une fois de temps en temps pour arroser les plates-bandes et le potager, si jamais il ne tombait pas suffisamment de pluie. Il l'a promis. Et il a dit à madame Éléonore qu'il cueillerait tout ce qui serait bien mûr dans le jardin ! Alors, pourquoi Quincy s'en fait-il autant, je me le demande un peu !

James, par contre, est égal à lui-même et, depuis le mois de mai, il continue à vivre dans sa chambre, ou il sort pour rejoindre des amis. Alors, s'il est énervé par le voyage, moi, je n'en sais rien. Je suis bien consciente que c'est la période des examens de fin d'année, mais quand même ! Il pourrait trouver quelques minutes pour qu'on puisse se voir, lui et moi. Mais peut-être bien, aussi, qu'une fois l'école terminée, tout va redevenir comme avant et qu'on va se retrouver à la rivière une couple de fois par semaine. Je l'espère, car sinon, je vais commencer à me poser de sérieuses questions. J'ai peut-être dit quelque chose qui lui a fait de la peine, ou qui l'a choqué ? Pourtant, il me semble que ce n'est pas son genre de bouder comme ça avec moi. Avec ses parents, oui, ça arrive, quand il n'est pas content ou qu'on lui refuse quelque chose. Il ne faudrait pas que James lise ça, mais je trouve parfois qu'il agit comme un bébé. Mais en temps normal, quand quelque chose ne va pas, James me le dit franchement. Alors, je souhaite vraiment que tout va être rentré dans l'ordre avant son départ à la fin du mois de juillet, parce que sinon, le mois d'août risque de me paraître pas mal long. Même à la maison de campagne ! »

CHAPITRE 3

Le jeudi 20 juin 1929, par une journée plutôt fraîche, dans le potager du manoir, en compagnie de madame Éléonore et de Quincy

Madame Légaré faisait semblant d'écouter les nombreux conseils que lui débitait le jardinier et qui lui tombaient dessus comme une véritable calamité. À croire qu'elle n'y connaissait absolument rien et que Quincy sentait le besoin de lui donner un cours de botanique en accéléré !

— Vous pensez vraiment que c'est aussi important ? soupira-t-elle sans grand enthousiasme, tout en suivant Quincy des yeux, tandis qu'il lui montrait quelles herbes arracher et comment le faire pour ne pas nuire aux jeunes plants de légumes.

— Important ? Plus que cela, madame Légaré ! Le sarclage est primordial ! Sinon, c'est la jungle dans le potager.

— La jungle ! Alors là, Quincy, vous m'en voyez tout étonnée.

Madame Éléonore se moquait, bien sûr. Dans son anxiété à laisser ses plantes, le pauvre jardinier exagérait, et Éléonore allait le rappeler à l'ordre. Elle ne niait pas le fait que l'on devait éclaircir les plants et leur laisser un maximum d'espace pour qu'ils poussent droit, mais son père n'avait jamais insisté à ce point pour que le potager soit exempt de toutes les mauvaises herbes imaginables.

Et les jardins de Joseph Légaré, année après année, produisaient en abondance !

Éléonore se pinça les lèvres pour ne pas éclater de rire.

— La jungle ? répéta-t-elle enfin. Savez-vous Quincy, à vous entendre parler ainsi, que c'est quasiment terrifiant !

À ces mots, l'homme aux cheveux grisonnants leva les yeux et scruta attentivement le visage de la cuisinière. Il fronça les sourcils tout en ajustant une bretelle de la salopette grise qu'il s'entêtait à porter pour faire ses tâches.

— On dirait que vous vous moquez de moi, madame Légaré !

— Jamais je n'oserais, fit cette dernière, pince-sans-rire.

— Il me semblait aussi... Vous êtes trop polie pour cela.

Rassuré, Quincy donna une chiquenaude sur sa casquette pour la redresser et il reprit son travail minutieux.

— Quoi qu'il en soit, ajouta-t-il en écartant délicatement un petit plant pour arracher une herbe folle, apprenez que nul jardinier digne de ce nom ne saurait tolérer l'anarchie dans son jardin ! Alors, imaginez quelle déception ce serait pour moi de revenir de voyage pour trouver la pagaille dans ma cour !

Cette fois, c'en était trop !

Éléonore ferma les yeux pour cacher son impatience. Décidément, Quincy y allait un peu fort !

La cuisinière jugea qu'il était grand temps de calmer les inquiétudes du pauvre homme, sinon le prochain mois risquait d'être pénible pour un peu tout le monde, au manoir, à commencer par le jardinier lui-même.

— Monsieur Quincy !

Ce dernier sursauta, puis il leva la tête.

— Oui ?

— Mais qu'est-ce que c'est que ces idées ? Vous me croyez à ce point dénuée d'esprit et de bon sens ?

— Je n'ai jamais dit ça !

— Mais moi, je le dis, ajouta Éléonore fermement. À vous entendre parler, c'est comme si je n'y connaissais rien. Rappelez-vous ! Je suis née sur une ferme et les travaux de la terre n'ont plus vraiment de secrets pour moi.

— C'est vrai, je suis désolé.

— Voilà qui est mieux ! N'ayez crainte, vos semis auront bien profité, malgré votre absence, et nous aurons, cette année encore, de beaux et bons légumes bien croquants à nous mettre sous la dent.

— J'ose l'espérer.

— Comment, l'espérer ? Non, non, Quincy, ce n'est pas un vœu pieux, c'est un fait, et vous pouvez partir l'esprit en paix.

Sur ce, pressée par le temps, comme toujours, Éléonore se redressa.

— Si toutefois vous teniez mordicus à passer le potager en revue avec moi, un légume après l'autre, nous allons devoir remettre à plus tard la suite de vos leçons sur les soins à lui prodiguer, car moi, j'ai un repas à préparer !

— Mais madame Éléonore, du temps, il m'en reste si peu avant le départ !

— Allons, mon bon Quincy ! La Terre n'arrêtera pas de tourner pour quelques fleurs ou quelques carottes en moins !

— Ça, c'est vous qui le dites, soupira le jardinier, qui ne savait plus trop si c'était une bonne chose d'avoir accepté la proposition de monsieur O'Gallagher. Allez ! Vous pouvez retourner à votre cuisine. Vous n'avez pas tort de dire qu'il va falloir manger bientôt !

Ce fut ce dernier mot qui enleva toute envie de réplique à madame Éléonore. Malgré la mine attristée du jardinier, elle tourna aussitôt les talons pour se diriger vers la maison.

— On se revoit dans une heure, pour le dîner ! lança-t-elle par-dessus son épaule. Par contre, je n'ai pas la moindre idée de ce que nous allons manger ! Et j'oserais prétendre que vous y êtes pour quelque chose !

Toutefois, madame Éléonore s'en faisait pour rien, puisque Marion avait déjà pris les choses en mains.

— En espérant bien faire, j'ai pelé des patates et des carottes, annonça la jeune fille, dès que la cuisinière mit un pied dans la cuisine.

— La bonne idée ! Et si je ne m'abuse, il nous reste suffisamment de jambon froid pour en faire l'essentiel du repas.

— Exactement ce que je m'étais dit.

— Voyez-vous ça ! Sais-tu, ma belle, que tu as de moins en moins besoin de moi !

— N'allez surtout pas croire cela, madame Éléonore ! Si je sais planifier un repas toute seule, c'est bien parce que j'ai dû me débrouiller sans vous durant de nombreux mois, quand je suis retournée vivre chez mes parents. Mais pour le reste, par exemple, je suis loin d'avoir tout appris ce que vous savez faire en cuisine.

— C'est vrai que je n'ai pas encore fait tout le tour de mon jardin.

Sur ce jeu de mots un peu facile qui lui était venu spontanément à l'esprit, la cuisinière éclata de rire.

— C'est monsieur Quincy qui serait heureux de m'entendre parler de la sorte, nota-t-elle en nouant les cordons de son tablier.

— Pourquoi vous dites ça, madame Éléonore ?

— Parce que j'arrive justement du potager, où le cher homme se désespère devant ses légumes. Il a tellement peur qu'à son retour, le jardin ne soit plus qu'une catastrophe qu'il en fait une obsession.

— Mais pourquoi ? J'y suis allée, tout à l'heure, pour voir s'il n'y avait pas par hasard quelques fraises prêtes à être mangées, et ce que j'ai pu constater était plutôt réjouissant, même si les fraises sont encore un peu vertes. En fait, le potager de cette année ressemble au potager habituel. Ce n'est pas l'absence de monsieur Quincy qui va faire que les carottes et les petites fèves vont pousser moins vite !

— Heureuse de te l'entendre dire ! Tu iras répéter ça à Quincy, tiens ! Il a grand besoin d'être rassuré, le pauvre... Bon, le dessert maintenant ! Que dirais-tu, Marion, de quelques galettes au sucre ? C'est vite fait et elles seront encore tièdes au moment du service.

Mais avant que Marion puisse répondre, une voix chaude et grave retentit jusque dans la cuisine.

— Mais qu'est-ce que j'entends ? On parle de galettes ici ? Quelle riche idée ! lança le majordome depuis le corridor.

Avant même que Théodule Tremblay n'ait fini de parler, son imposante stature se dressait dans l'encadrement de la porte.

— Je m'en régale à l'avance ! fit-il sur un ton réjoui.

— N'est-ce pas, monsieur Tremblay ? rétorqua une Éléonore toute malicieuse, en levant les yeux vers lui. Je pensais justement à vous en faisant cette suggestion à Marion.

— Alors, je vous en remercie, c'est une délicate attention… Notez que si je suis ici, c'est que je voulais vous parler, madame Légaré, et à toi aussi, Marion.

Cette dernière leva un regard inquiet.

— Ah oui ? En quel honneur ? J'ai fait une gaffe qui…

— Mais qu'est-ce que c'est que cette crainte ? rétorqua le majordome. Je n'ai absolument rien à reprocher à qui que ce soit… Non, je tenais simplement à vous dire que madame O'Gallagher a reçu une lettre d'Olivia qui confirme qu'elle est toujours aussi heureuse à Paris et elle en a profité pour nous envoyer ses salutations, à nous, les membres du personnel.

— Quelle gentille personne que cette mademoiselle Olivia !

— N'est-ce pas, madame Légaré ? Et maintenant, si vous vouliez bien m'accorder quelques instants, je vous en saurais gré.

Un éclat de surprise teintée de questionnement traversa le regard de la cuisinière.

— À moi ? Eh bien… Donnez-moi quelques instants, et je serai toute à vous, monsieur Tremblay !

Quant à toi, Marion, si tu nous cuisinais ces fameuses galettes ? Tu les réussis, ma foi, aussi bien que moi.

— Vous trouvez ?

— Bien sûr !

— Alors, je m'en occupe, répondit vivement la jeune fille, rose de fierté. Dès que les légumes seront sur le feu, je m'y mets.

Sachant désormais le repas entre bonnes mains, Éléonore se tourna encore une fois vers le majordome.

— Eh bien, monsieur Tremblay, que puis-je faire pour vous ?

— C'est que…

Le grand homme avait l'air embêté. Il jeta machinalement un regard anxieux vers Marion, ce qui n'échappa nullement à madame Légaré.

— Et si je vous aidais à dresser la table des maîtres ? proposa-t-elle de but en blanc, question de s'éloigner élégamment de la cuisine, car elle devinait que c'était là le souhait du majordome.

En même temps, inutile de dire que la curiosité de la cuisinière était mise à mal !

— Alors, que pensez-vous de ma proposition ? insista-t-elle. À deux, cela irait plus vite et nous pourrions prendre un moment de repos avant le repas.

— Et pourquoi pas ? répliqua Théodule Tremblay, de toute évidence soulagé. D'autant plus que ce midi, Adam ne pourra pas m'aider, puisqu'il est parti en ville pour quelques réparations à faire sur l'auto de monsieur O'Gallagher.

— Eh bien voilà ! La décision se prend d'elle-même, n'est-ce pas ?

— En effet !

— Si c'est comme ça, je vous suis... Si tu as besoin de moi, Marion, tu viendras me voir à l'étage.

Sur ce, madame Légaré emboîta le pas au majordome, qui se dirigeait déjà vers l'escalier de service menant à la salle à manger.

Le temps de sortir du buffet une nappe blanche en lin fin, de l'étendre soigneusement sur la table, aidé par la cuisinière, de lisser et de mesurer les retombées, et monsieur Tremblay se décida enfin à parler.

— C'est tout simplement que j'aurais besoin de vos conseils, madame Légaré.

— Mes conseils ? Vous me voyez toute surprise ! À l'exception de ma cuisine et des repas que j'y prépare, je ne vois pas en quoi je pourrais vous conseiller. Vous en savez tellement plus que moi sur tant de choses !

— N'allez surtout pas croire cela ! Même si je n'en laisse rien voir, puisque ma fonction l'exige, il y a tout de même une multitude de petits détails du quotidien qui m'échappent.

— Ah oui ? Je ne l'aurais jamais cru... Vous avez toujours l'air si sûr de vous ! Alors ? En quoi pourrais-je vous être utile ?

— Dans l'art vestimentaire.

À dire vrai, la cuisinière ne s'attendait pas du tout à une telle révélation, et, bien malgré elle, elle ouvrit tout grand les yeux.

— Oh ! L'art vestimentaire... Dommage que mademoiselle Olivia soit si loin de nous, n'est-ce pas ? S'il y a quelqu'un qui s'y connaît dans le domaine, c'est bien elle. Quant à moi, je ne vois toujours pas ce que je pourrais faire pour vous. À première vue, fit-elle en détaillant le majordome de la tête aux pieds, il me semble que vous êtes capable de vous débrouiller très bien sans moi... Et si vous étiez un peu plus précis, je vous prie ?

— Bien sûr ! Laissez-moi donc vous expliquer... Mais d'abord, nous allons sortir les verres du vaisselier. Je dois les essuyer avant de les déposer sur la table, ce que je vais faire tout en vous parlant.

Comme le cas qui préoccupait Théodule Tremblay lui semblait un peu délicat, il prit tout son temps pour choisir les mots appropriés.

— Tout cela remonte à l'été dernier, avoua-t-il enfin sur le même ton qu'il aurait annoncé un décès.

— L'été dernier ? Alors là, vous m'intriguez de plus en plus...

— Si vous me laissiez parler, je pourrais...

— Allez-y, je ne vous interromprai plus !

Debout à côté de la table, les deux mains croisées sur son ventre, Éléonore attendait.

— Voilà... C'est à cause du rythme de vie qui s'impose tout naturellement à la maison de campagne...

Un vrai coin de paradis, soit dit en passant, et j'aime bien m'y retrouver. Mes doléances ne concernent pas notre retraite au bord de l'eau, surtout pas ! Mais voyez-vous, je ne m'attendais pas du tout à ce genre de vie et j'ai eu très chaud.

— Je m'excuse, monsieur Tremblay, mais je vous suis de moins en moins. Il est normal qu'il fasse chaud en été, non ?

À ces mots, le majordome se sentit rougir. Pourquoi était-il tout à coup aussi maladroit ? S'approchant alors de la fenêtre pour mirer le verre qu'il venait de frotter avec un linge doux, il poursuivit, tout en tournant le dos à madame Légaré.

— La chose devrait pourtant être si simple et je trouve cela diablement humiliant d'avoir à le demander, avoua le majordome, de plus en plus obscur.

Puis, après une longue inspiration, il lança, sur un ton accablé :

— Voilà, madame Légaré, j'aurais besoin de vêtements mieux adaptés à la situation qui prévaut à la maison de campagne.

La cuisinière dut se retenir pour ne pas éclater de rire. Décidément, les hommes de la maison s'en faisaient pour des riens, aujourd'hui !

— Et c'est cela qui vous tracasse à ce point ? arriva-t-elle finalement à demander sur un ton neutre.

— Eh oui ! Je me sens ridicule d'avoir à le dire, mais j'aurais besoin de vêtements d'été et je n'y connais rien.

À ces mots, le majordome se retourna pour faire face à Éléonore.

— Voilà, vous savez tout !

— Et c'est l'an dernier, à la maison de campagne, que vous avez pris conscience de… Comment dire ? De ce manque flagrant dans votre garde-robe ?

— En effet ! admit Théodule Tremblay, en déposant délicatement le verre sur la table avant d'en prendre un deuxième. L'été dernier, j'ai vite compris que là-bas, ma livrée de majordome n'est utile que fort peu souvent, et j'avoue que cette veste de gabardine est nettement trop chaude pour être portée tous les jours !

— Effectivement, elle doit être plutôt inconfortable. Je me plains de façon récurrente de ma cuisine, qui se transforme rapidement en fourneau, durant la belle saison, mais au moins, j'ai la liberté de me vêtir d'une robe plus légère, au besoin… Et vous, monsieur Tremblay, vous n'aviez vraiment rien d'autre à vous mettre sur le dos ?

— Pas vraiment, non.

— Mais qu'avez-vous fait quand vous avez voyagé avec mademoiselle Béatrice ? Il ne fait pas aussi chaud qu'ici, dans les vieux pays ?

— Là n'est pas la question ! En voyage, voyez-vous, je suis de service, et cela, sept jours par semaine. Le choix des vêtements ne m'a donc pas causé le moindre mal de tête. Quand je suis le majordome, je sais exactement ce que je peux et dois porter. Et au diable la chaleur ! Toutefois, à la campagne, comme monsieur a eu la gentillesse de me permettre de nombreux moments de détente, quand ce ne sont pas des jours complets de repos, je vous avoue que je n'avais, dans mon armoire, pas le moindre vêtement adapté au climat. En un mot, madame Légaré, j'ai sué à grosses gouttes ! Et comme je ne suis plus un gamin pour me permettre la baignade…

— Je suis d'accord avec vous… Il y a certaines activités agréables qui ne nous sont plus autorisées, n'est-ce pas ? Et c'est dommage. Mais je ne vois toujours pas ce que je viens faire là-dedans !

Devant cet aveu naïvement exprimé, avec, de surcroît, une sincérité qui ne laissait place à aucun doute, monsieur Tremblay poussa un léger soupir. Il semblait bien qu'il boirait la lie de la honte jusqu'au bout !

— Allons, Théodule, souligna-t-il à mi-voix, ce n'est pourtant pas si difficile à dire…

Alors, se redressant, il demanda tout d'une traite :

— Et si vous veniez avec moi dans les grands magasins, madame Légaré ? Vos conseils judicieux ne pourraient certainement pas me nuire.

De toute évidence, la cuisinière ne semblait pas voir dans quel embarras elle mettait le majordome, avec tous ses questionnements. Elle insista donc.

— Et pourquoi moi ? Si vous admettez ne rien y connaître, il en va de même en ce qui me concerne, puisqu'on parle ici de vêtements pour hommes ! Vous auriez pu demander à Adam ou à James, non ?

— Non !

Cette fois, le ton était catégorique.

— Adam est trop jeune pour bien me conseiller, et monsieur James, bien, c'est monsieur James, déclara Théodule Tremblay, comme si cette lapalissade faisait foi de tout. Quant à monsieur O'Gallagher, avant que vous me le demandiez, il n'en est pas question… C'est un homme occupé qui n'aurait que faire des embarras de son majordome… Ma fonction existe justement pour le libérer des tracas du quotidien, je n'irai certainement pas le déranger avec de telles futilités… Plutôt mourir de chaleur !

— Quincy alors ?

— Il ne porte que la salopette ! Non, si j'ai pensé à vous, c'est que j'ai cru remarquer, au fil des années, que vous étiez toujours vêtue avec élégance et que vous sembliez toujours à l'aise, quelles que soient les circonstances. Voyez-vous, c'est exactement l'image que je cherche à projeter : celle d'un homme élégant, tout en étant confortable ! Comme cela, si jamais des visiteurs nous arrivaient à l'improviste, je ne serais pas pris au dépourvu… Alors, qu'est-ce que vous en pensez ?

— Je pense que vous êtes un homme improbable et unique !

— Pardon ?

De toute évidence, Théodule Tremblay était interloqué.

— À mon tour de dire que je ne vois pas où vous voulez en venir ! Mais qu'est-ce que vous cherchez à me dire, madame Légaré ?

— Que je vous admire, tout simplement. Votre fonction vous colle à la peau avec une élégance, justement, qui ne saurait mentir. N'ayez crainte, nous allons sûrement trouver ce qu'il convient que vous portiez, et foi d'Éléonore, vous ne serez jamais gêné par votre apparence !

— Ces mots que vous venez de prononcer… Est-ce que cela veut dire que vous allez m'accompagner ?

— Avec le plus grand des plaisirs, monsieur Tremblay ! confirma Éléonore en souriant. Votre journée sera la mienne, en autant que je sois prévenue un peu à l'avance… Et j'en profiterai peut-être pour me choisir un nouveau chapeau de paille ! Le mien commence à être franchement démodé.

Ce fut comme si Théodule Tremblay venait d'être soulagé d'un poids immense. Redressant alors les épaules, il recommença à frotter le verre qu'il avait à la main avec un grand sourire.

— Alors j'en discute avec Adam pour le transport, et je vous fais signe… Et surtout, grand merci, madame Légaré ! Vraiment, vous venez de m'enlever une épine du pied… Vivement que les vacances arrivent !

— À qui le dites-vous ! C'est Marion qui me faisait justement remarquer, tout à l'heure, à quel point elle a hâte de partir !

À la mention de ce prénom, Théodule Tremblay déposa sur la table le verre qu'il venait d'astiquer.

— La chère enfant, murmura-t-il, songeur.

Puis, il leva les yeux vers madame Légaré.

— Si je vous disais… Depuis que j'ai vécu la désagréable expérience d'être confronté à son père, j'ai pris cette gamine en affection. Quelle enfance désagréable notre gentille Marion a-t-elle dû connaître !

Éléonore Légaré n'avait jamais douté de la sensibilité du majordome, même s'il faisait tout en son pouvoir pour la cacher sous un vernis de dignité. Voilà pourquoi de le voir s'intéresser ainsi à Marion lui procura une joie difficile à décrire. Quand elle croisa le regard de ce personnage habituellement plutôt austère, Éléonore eut la sensation de découvrir un homme qui lui était inconnu jusqu'à ce jour. Toutefois, ce qu'elle croyait percevoir en ce moment lui plaisait bien.

— Effectivement, Marion n'a pas eu la vie facile, souligna-t-elle. Elle en parle peu, certes, mais ce qu'elle échappe parfois me laisse sans voix.

— Vous l'aimez beaucoup, n'est-ce pas ?

À ce moment, le majordome et la cuisinière échangèrent un sourire.

— Je voudrais le cacher que je n'y arriverais pas.

— Pourquoi le cacher ? demanda alors le majordome, en saisissant un troisième verre. Tout le monde a besoin de se sentir aimé, vous ne croyez pas ?

— Si, je le crois, monsieur Tremblay. Et du plus profond de mon cœur… Et maintenant, si vous me disiez dans quel tiroir se trouvent les ustensiles, je pourrais déjà commencer à vous aider. À deux, les corvées sont toujours plus faciles !

DEUXIÈME PARTIE

Fin de l'été et début de l'automne 1929

« Enfin les vacances !

Ça faisait longtemps que je voulais écrire ces quelques mots. Mais c'est arrivé et demain matin, nous partons à Pointe-aux-Trembles, pour quatre longues semaines. Je sais bien que je vais tout de même cuisiner, et à certains moments, quand monsieur et madame O'Gallagher reçoivent des amis ou de la parenté, je travaille deux fois plutôt qu'une, mais à la maison de campagne, il me semble que ce n'est pas tout à fait pareil. En fait, chaque jour, madame Éléonore trouve un prétexte pour me laisser des moments libres, et je trouve ça bien agréable. Il arrive même assez souvent que nous en profitions toutes les deux ensemble. Pour cette année, on s'est même promis quelques pique-niques au bord de l'eau. Si jamais l'occasion se présente, on pourrait peut-être inviter madame Félicité et Agnès à se joindre à nous ? Je vais en parler à madame Éléonore dès que nous serons installées.

Quant à James et monsieur Quincy, ils sont partis depuis une semaine, maintenant. Monsieur Tremblay nous a annoncé, au déjeuner, qu'ils devaient prendre le bateau aujourd'hui, en fin d'après-midi. J'essaie de me figurer à quoi peut bien ressembler un navire assez grand pour qu'il y ait une salle de bal, des boutiques, un salon de coiffure, un gymnase, des restaurants, une infirmerie, plus des centaines de chambres, dont certaines aussi vastes que celle de monsieur et madame O'Gallagher, et ça, c'est sans compter la cuisine, la buanderie et tout le reste, et je n'y arrive pas. En fait, comme l'a expliqué monsieur Tremblay, un bateau comme celui que James va prendre pour aller dans les vieux pays, c'est une petite ville complète qui se suffit à elle-même. Il nous a déclaré qu'il va y avoir plus de passagers et de membres du personnel sur ce paquebot-là qu'il y a d'habitants à Villeneuve. C'est un peu fou, quand on y pense, tout ce monde-là entassé dans un seul bateau ! James m'a pourtant montré une photographie du paquebot qui s'appelle « Olympic », mais ça ne m'a pas permis d'imaginer toute une ville à l'intérieur. Tant pis ! Peut-être bien qu'un jour, j'aurai la chance d'y embarquer pour faire un voyage, moi aussi, même si madame Éléonore me dit que c'est fort peu probable, parce que ça coûte très cher, une traversée vers l'Europe. C'est vraiment dommage, mais je peux bien rêver, non ?

Tout ça pour dire que James et moi, on s'est finalement rencontrés au bord de la rivière, juste avant son départ. Il a fait une drôle de face quand je lui ai dit que j'avais eu de la peine de ne pas le voir aussi souvent qu'on en avait pris l'habitude. Je ne sais trop s'il était désolé ou quoi, mais il m'a serré très fort la main quand il m'a affirmé que s'il s'était déguisé en courant d'air, c'était à cause de ses études. J'ai bien ri, quand il m'a dit ça, et j'ai compris que j'avais eu raison de ne pas trop m'inquiéter. Il m'a ensuite promis de tenir un journal tout au long de son périple en Irlande et en Angleterre, et d'y ajouter des photographies ou des cartes postales pour que je puisse en profiter un peu. À ce moment-là, j'ai failli lui dire que moi aussi je tenais un journal, mais je n'ai pas osé. Je pense que j'avais peur qu'il se moque de moi. De toute façon, madame Éléonore m'a dit que ce que j'écrivais dans les pages de mon journal était du domaine privé et que je pouvais y mettre tout ce que je voulais. « Personne d'autre que toi ne le lira », a-t-elle ajouté. Il n'en demeure pas moins que j'ai très hâte de voir ce que James va me préparer.

À toi, cher journal, je peux bien le dire, mais je suis certaine maintenant que James ne m'en veut pas pour quoi que ce soit, parce qu'il m'a embrassée sur la joue, l'autre après-midi, juste avant qu'on revienne vers le manoir. Ça me fait un peu drôle de penser ça, mais j'avais l'impression d'être avec mon grand frère. Je crois bien que j'ai rougi, parce que, sur le coup, j'ai eu très chaud, un peu comme si Ovide avait voulu m'embrasser ! Du moins je pense, parce qu'Ovide n'a jamais essayé de me faire la bise sur la joue. Alors, pour cacher mon embarras, je me suis reculée d'un pas et j'ai demandé à James de saluer mademoiselle Olivia pour moi. Ce qu'il s'est engagé à faire. Puis, au moment du départ, le lendemain matin, il m'a glissé à l'oreille qu'il allait s'ennuyer. Moi aussi, je crois bien que je vais m'ennuyer de lui, encore plus que je le pensais, et j'ai dans l'idée que madame Éléonore l'a deviné. Ça doit être pour cette raison qu'elle m'a promis toutes sortes de sorties et de promenades pour le temps où nous habiterons à la maison de campagne.

En attendant, c'est Agnès que je dois revoir dès demain. Elle m'a téléphoné l'autre jour, tout excitée, pour me dire qu'elle allait passer une semaine de vacances chez son grand-père et madame Félicité, en même temps que moi j'allais arriver au chalet. J'ai tellement hâte de la revoir !

Bon bien, je crois que c'est tout pour ce soir. Je dois me coucher tôt car on a une grosse journée devant nous. »

CHAPITRE 4

Le samedi 3 août 1929, dans la cuisine du chalet d'Irénée et de Félicité, alors qu'il pleut à boire debout

— Coudonc, Agnès, tu vas-tu finir par la lâcher, la damnée fenêtre ?

— Je surveille l'arrivée de Marion, grand-père.

— Je veux ben croire, mais c'est fatigant en sacrifice de t'entendre soupirer aux deux menutes !

— Ah oui ? Je m'excuse ! J'vas faire attention pour faire moins de bruit... C'est à cause de la pluie, aussi ! Si on avait un beau gros soleil, je pourrais l'attendre dehors.

— Ben mets tes bottes, prends un parapluie, pis vas-y ! répliqua Félicité, qui préparait une montagne de légumes en prévision de la visite du lendemain. Moi avec, j'suis tannée d'entendre un bruit de ballon qui se dégonfle à tout bout de champ ! Bonne sainte Anne, Agnès, ça dure depuis le matin !

La jeune fille détourna les yeux du paysage qu'elle fixait depuis un très long moment, et elle dévisagea son grand-père et sa grand-tante à tour de rôle. Elle se heurta à deux regards impatients.

— Coudonc, vous deux ! Fallait le dire si j'étais pour vous déranger. Je serais juste restée en ville !

— Sacrifice, Agnès ! T'es ben à pic, tout d'un coup !

— C'est pas moi, c'est vous !

— Pardon ? Veux-tu ben me dire ce qui se passe avec toi ? J'aime pas trop ça, la manière que t'as de me parler !

— Désolée. Je voulais pas être impolie, grand-père. C'est juste que moi avec, je commence à être tannée d'attendre.

— Ben là, on revient à ce que j'ai dit : lâche la fenêtre, maudit batince, pis occupe-toi à d'autre chose !

— Ton grand-père a pas tort, tu sais, glissa la tante Félicité. Pis c'était pas pantoute une manière de t'adresser à lui. Par contre, avant d'aller plus loin dans les reproches, dis-toi ben que tu déranges pas une miette... Voyons donc, Agnès ! Tu dois ben t'en douter, non ? Ça serait même le contraire, parce que d'habitude, c'est toujours plein d'agrément, quand t'es là. Sauf que pour astheure, t'as l'air d'avoir rajeuni d'au moins dix ans, pis ça me tape sur les nerfs ! T'es pus une gamine pour te languir après quelqu'un comme ça ! Si tu prenais un couteau, pis que tu venais m'aider, au lieu de te morfondre ? Ça me rendrait service en même temps que les heures passeraient plus vite pour toi.

À ces mots, Agnès éclata de rire, incapable de bouderie ou de rancune.

— Vous avez ben raison, matante. C'est pas de surveiller la maison des voisins qui va faire arriver Marion plus vite... C'est ben correct de même, pis m'en vas vous aider. Mais dites-vous que si je surveille comme ça, c'est à cause de Marie-Paul qui veut organiser une sorte de petite fête pour Louisa, qui va avoir dix-huit ans la semaine prochaine.

— Une fête ? demanda Irénée, piqué par la curiosité. Un peu comme celle que j'ai organisée pour Félicité ?

— Si vous voulez, oui. Une fête surprise. Elle veut faire ça samedi soir prochain.

— Ben t'es chanceuse, parce que c'est plaisant en s'il vous plaît, une belle réception comme ça... Mais en quoi ça t'oblige à rester plantée devant la fenêtre ?

— Parce que j'ai promis de m'occuper de l'invitation qu'elle veut faire à Marion.

— Oh ! Une invitation... C'est vrai que ça a l'air d'une réunion d'importance... Moi avec, j'avais fait des invitations, par téléphone pis par lettre, à part de ça.

Maintenant, Irénée avait l'air de beaucoup s'amuser.

— Pis à te voir aller, c'est comme évident que toi aussi, tu prends ça ben au sérieux, cette soirée-là !

— Comment c'est que vous voudriez que je prenne ça ?

— Avec un grain de sel, peut-être ?

— C'est ça, moquez-vous de moi, grand-père !

— C'est là que tu te trompes, Agnès ! Je me moque de personne. Ce que je veux dire par là, c'est que tu pourrais attendre à demain, pour la faire, ton invitation, non ?

— Non, justement ! Vous devez ben savoir comme moi comment ça se passe au manoir ! Si Marion veut demander une permission spéciale pour une sortie, elle doit le prévoir longtemps à l'avance.

— Ça, c'est vrai, approuva Félicité.

— Bon, vous voyez ben que j'ai raison de surveiller ! Surtout qu'on a décidé qu'on allait toutes coucher en ville, chez Marie-Paul. Laissez-moi vous dire que pour Marion, c'est pas gagné d'avance. C'est donc pour ça que je guette la maison d'à côté.

— Ben là, ça a le mérite d'être clair ! apprécia Félicité. N'empêche... Si tu t'installais au bout de la table, tu pourrais m'aider, pis tu pourrais voir par la fenêtre en même temps. Que c'est tu penses de ça ?

Heureusement qu'Agnès accepta le compromis proposé par la tante Félicité, car elle aurait perdu de nombreuses heures à fixer inutilement la maison que la famille O'Gallagher devait commencer à occuper dans le courant de la journée, avec armes et bagages. En effet, le camion de la compagnie ainsi que les deux automobiles du manoir arrivèrent en toute fin d'après-midi, alors que la pluie tombait de plus belle.

— Enfin ! Ça a été donc ben long, cette année !

— Ça doit être à cause de toute l'eau qui nous tombe sur la tête depuis hier matin… Un vrai déluge ! C'est comme rien que les chemins doivent être boueux pis ben glissants ! Au point d'en être dangereux, fit remarquer la vieille dame.

— Au bout du compte, Agnès, compte-toi chanceuse de les voir arriver aujourd'hui, conclut Irénée, sans lever les yeux du livre qu'il feuilletait.

— Envoye, ma belle, vas-y ! lança joyeusement la tante Félicité. J'en suis rendue au souper d'à soir, pis il est presque prêt. J'vas finir de le préparer toute seule. Je vois ben que ça te démange de t'en aller !

Agnès ne se le fit pas dire deux fois ! Elle était déjà à la porte, en train d'enfiler de longues bottes en caoutchouc.

— Merci, matante ! Pis attendez-moi pas pour souper, improvisa-t-elle, tout en enfilant son imperméable. Faites juste me garder une portion, parce que si ça adonne, j'vas leur donner un coup de main pour vider le camion. Comme on dit : plus on va être de monde, plus vite ça va aller.

— T'as ben raison… Mais attends donc une menute, toi là !

Félicité se tourna vers Irénée qui, assis à la table, était plongé dans l'examen du dernier volume de *L'encyclopédie Grolier pour la jeunesse* qu'il achetait un livre à la fois pour ses petits-enfants. Il en avait reçu le troisième bouquin par la poste en début de semaine. Au risque de le déranger, Félicité demanda :

— Dites donc, Irénée, si on allait les aider, nous autres avec ? C'est quand même pas un peu d'eau qui devrait nous empêcher d'aller dehors. On est pas faits en chocolat, comme l'aurait dit ma mère !

— Parlez pour vous, Félicité, je vous retiens pas. Mais moi, par contre, j'vas rester ici.

— Pourquoi ? Vous avez peur de la pluie ?

— Sacrifice, Félicité, c'est ben niaiseux de penser de même ! Non, c'est juste que j'ai promis à Ignace de lui refiler le livre à son prochain voyage au chalet, pis j'aimerais ça avoir le temps de le regarder un peu avant.

— Ah bon !

Félicité avait l'air déçue. Elle jeta un œil par la fenêtre et vit qu'à la maison voisine, les gens s'activaient déjà. La vieille dame soupira suffisamment fort pour qu'Irénée l'entende, puis elle insista.

— Envoyez donc ! Venez avec nous autres ! Ça va vous faire du bien de sortir de la maison. De toute façon, me semblait que c'était pour les jeunes que vous aviez acheté ça, cette série de livres-là, pas pour vous.

— Batince, Félicité ! Pourquoi c'est faire que j'suis toujours obligé de toute répéter ? À croire que personne écoute quand je parle ! C'est en plein ce que je viens de dire : j'veux donner le livre à Ignace à la première occasion qui va se présenter, pis les chances que ça soye demain sont grandes, rapport qu'Émile pis Lauréanne sont supposés venir nous voir.

— Je sais tout ça. Pourquoi vous pensez que je popote de même depuis le matin ?

— Parce qu'on attend de la visite...

— Justement !

— Ouais, justement pour moi avec ! Vous préparez vos légumes, pendant que moi, je regarde mon livre !

— Voir que ça a un rapport !

— Ben moi, j'en vois un, vous saurez... Maudit sacrifice, nous entendez-vous parler ? On tourne en rond.

— Vous trouvez ?

Il y avait une pointe de sarcasme dans la voix de Félicité.

— Remarquez que ça serait pas nouveau, mon pauvre Irénée, pis...

— Bon, bon ! interrompit Agnès en haussant le ton.

Si la jeune fille aimait sincèrement son grand père et sa grand-tante, elle était toutefois vite agacée par leurs interminables et inutiles prises de bec.

— Si c'est tout ce que vous avez de bon à dire, moi, je m'en vas !

— Ben attends-moi ! décida subitement Félicité. J'aurais préféré que ton grand-père vienne avec nous autres, mais bon, si lui voit les choses autrement...

Il est pas écrit nulle part que j'suis obligée d'endurer sa mauvaise humeur tout le temps que tu vas être partie, hein ? Donne-moi deux menutes, ma belle. J'vas changer de blouse parce que je sens les oignons à plein nez, pis je te suis chez nos voisins. Si toi t'as hâte de revoir Marion pour l'inviter, moi, c'est madame Légaré qui m'a manqué !

À peine le temps de le dire, et Félicité était de retour dans la cuisine.

— J'enfile ma veste de laine, je prends mon parapluie, pis on part ! T'es ben fine de m'avoir attendue !

Puis, détournant la tête, elle vérifia une dernière fois.

— Toujours pas changé d'idée, Irénée ?

— Pantoute, grommela-t-il sans lever les yeux. Il fait un temps à pas mettre un chien dehors, pis j'ai pas fini de lire. C'est vous plutôt qui devriez changer d'avis. Vous allez attraper votre coup de mort !

— Pour un peu de pluie ? Laissez-moi rire. Il fait quand même assez chaud, on est toujours ben pas en hiver !

Félicité se tut, attendit un instant, puis, voyant qu'Irénée ne réagissait plus, elle haussa les épaules.

— Bon ben, si c'est de même, on va se dire à tantôt.

— C'est ça, laissez-moi donc tuseul !

Les mots avaient échappé à Irénée. Félicité se retourna vivement une seconde fois.

— Coudonc, vous, sur quel pied vous dansez, aujourd'hui ? Vous avez pas dit que vous vouliez lire votre gros bouquin en paix ?

— Ouais, c'est ça que j'ai dit.

— Me semblait aussi... Bonne sainte Anne, Irénée, que vous êtes dur à suivre par bouttes ! Que c'est qui fait pas votre affaire, d'abord ? Vous êtes pas capable de rester seul avec vous-même pour une petite heure ?

— Pis le souper, lui ?

— Si c'est juste ça, craignez pas, je vous laisserai pas mourir de faim. Je reviens sur le coup de six heures...

— C'est ben tard, ça là !

— Ben voyons donc ! Un vrai bébé ! Quand ben même on mangerait un peu plus tard, pour une fois, ça sera pas la fin du monde ! Prenez-vous une tartine, tiens, si vous avez trop faim. Il y a un gros pot de mélasse dans l'armoire. Pis choquez-vous pas après moi, ajouta précipitamment Félicité, voyant le visage du vieil homme virer à l'écarlate. Une colère de votre part changera rien à mon envie d'aller saluer Éléonore... Ça serait juste ben désagréable pour tout le monde. Sur ça, je vous redis salut, Irénée, pis on se revoit t'à l'heure.

Les mots étaient à peine prononcés que la porte claquait à faire trembler les murs.

Irénée referma alors doucement le livre. Il n'avait plus envie de lire ni même de regarder les images qui, pourtant, étaient bien jolies, avec toutes leurs couleurs. Le vieil homme se dit alors qu'il avait fait un bon achat, puis il se leva de table, et marcha lourdement jusqu'à la fenêtre, où sa petite-fille avait passé une bonne partie de la journée.

Il en écarta le rideau.

Bras dessus bras dessous, Félicité et Agnès avaient déjà rejoint la route principale et elles marchaient d'un bon pas en direction de la maison des voisins. Le grand parapluie noir de la vieille dame leur cachait la tête, mais, les connaissant bien, Irénée se les imagina en train de jacasser avec entrain. Le temps d'un soupir qui se transforma en quinte de toux, le vieil homme les envia, puis il laissa retomber le rideau. Malgré tout ce qu'il avait prétendu, il aurait bien aimé les suivre, mais il avait eu peur que l'humidité de cette journée pluvieuse n'empire sa toux.

Alors, à défaut de pouvoir sortir, il traîna une chaise jusqu'à la fenêtre qui donnait sur le fleuve, il entrouvrit le battant juste ce qu'il fallait pour avoir un petit filet d'air, puis il alluma machinalement une cigarette. La première bouffée le fit tousser de plus belle.

— Maudit sacrifice de batince, arriva-t-il à murmurer en haletant, quelques instants plus tard. Pourquoi c'est faire que ça m'arrive à moi, une affaire de même ? Me semble que j'ai pas mérité ça.

En dépit de la sensation de brûlure qui avait envahi sa poitrine, Irénée fuma sa cigarette jusqu'au bout, toussotant encore et se raclant la gorge. Incapable de faire autrement, il se mit à penser à ce que son médecin lui avait prédit, trois semaines auparavant, quand, exaspéré de tousser sans arrêt depuis si longtemps, Irénée s'était enfin présenté à son bureau pour le consulter.

— Ça fait des années que c'te damnée grippe veut pas lâcher ! C'est pas mal fatigant, vous saurez, parce qu'autrement, je me sens ben en forme ! Il y aurait pas un bon sirop que j'aurais pas encore essayé ?

— Ce n'est pas d'un sirop dont vous avez besoin, mon pauvre Irénée, c'est d'arrêter de fumer. Ça fait des années que je vous le dis ! La cigarette est en train de vous tuer !

— Ben voyons donc, vous ! C'est écrit nulle part que la fumée de cigarette est dangereuse pour ma santé ! De toute façon, mon ami Napoléon, lui, il fume encore plus que moi, pis il tousse pas comme un perdu ! Vous devez vous tromper.

— Je ne crois pas, non ! J'ai trop vu de gens comme vous pour ne pas vous le répéter.

— Ah ouais ?

— Parfaitement ! Plusieurs gros fumeurs que j'ai eus comme patients ont déjà passé l'arme à gauche ! Pour moi, c'est clair comme deux et deux font quatre : si vous n'arrêtez pas de fumer, Irénée, vous ne passerez pas l'année. Ça siffle et ça râle là-dedans, comme ce n'est pas permis, avait sévèrement articulé le médecin, tout en pointant la poitrine du vieil homme avec l'index.

— Faut ben mourir de quelque chose, avait alors rétorqué Irénée, en bougonnant et en se dégageant du doigt accusateur d'un petit geste sec de l'épaule, comme si cette prédiction le laissait indifférent.

Ce n'était pas la première fois que le médecin le mettait en garde, mais c'était bien la première fois, cependant, qu'il avait osé avancer une échéance.

Ce jour-là, malhabile, Irénée s'était battu avec sa chemise pour la reboutonner, parce que ses mains tremblaient.

Depuis, il avait de la difficulté à dormir une nuit complète, et cela jouait sur son caractère, lui qui était déjà plutôt irritable de nature.

Qu'en serait-il s'il devait, de surcroît, cesser de fumer ?

— Maudit batince ! Je serais carrément pus parlable, admit-il, lucide et fataliste, tout en remettant la chaise à sa place, près de la table. Si j'suis pour partir vite de même, aussi ben laisser un souvenir qui a un semblant de bon sens. De toute façon, j'ai déjà essayé, pis j'suis pas capable d'arrêter de fumer. Ça fait partie de ce que j'suis depuis trop longtemps. Déjà que je trouve ça dur de me limiter à cause de Félicité…

Était-ce la pluie qui n'en finissait plus de tomber depuis hier ; ou le vent qui sifflait sans arrêt dans la cheminée et à la corniche ; ou encore cette solitude qu'on lui avait imposée ? Nul ne saurait le dire, mais brusquement, Irénée se sentit le cœur lourd.

Debout au milieu de la pièce, les deux mains croisées dans le dos, il observa attentivement autour de lui. Les murs de planches peintes en blanc, la petite cuisine avec son gros poêle à bois chromé et sa vieille glacière que Félicité s'entêtait à vouloir garder ; et finalement, ce coin du salon, d'où il pouvait admirer le fleuve…

Irénée l'aimait bien, ce petit chalet, acheté avec Félicité, quelque trois ans auparavant. D'une certaine façon, à ses yeux, c'était la consécration de toute une vie de labeur.

Ça, et le piano droit, qu'il avait eu les moyens d'offrir à Félicité. Irénée s'attarda à l'instrument qui avait fière allure, installé entre la porte arrière et la fenêtre donnant sur le fleuve. Tous les jours, quand venait l'été, alors que Félicité et lui déménageaient leurs pénates au chalet, il avait droit à un petit concert improvisé.

Irénée Lafrance, cordonnier à Sainte-Adèle-de-la-Merci durant plus de vingt-cinq ans, n'avait pas trop mal réussi dans la vie !

— Pis j'en suis fier, murmura le vieil homme, bombant le torse, alors qu'en ce moment, il voyait défiler une partie de son existence devant lui. Mais sacrifice que ça a pas été facile, par bouttes !

Irénée secoua la tête, anéanti par une nostalgie douloureuse qui l'envahissait de plus en plus souvent.

— Pourtant, calvaire, je regrette rien, pis si c'était à refaire, je changerais pas grand-chose, constata-t-il à mi-voix.

Cherchait-il à se réconforter ? Probablement, parce qu'il était tout tremblant.

— C'est vrai, admit-il alors, que si j'avais connu de l'existence tout ce que je sais astheure, je me serais peut-être forcé pour être un peu plus facile à vivre... Ouais, je dirai jamais le contraire. Me semble que ça aurait pas faite de tort à personne que je me radoucisse le caractère. C'est mes enfants qui en auraient peut-être ben profité un brin. Ouais... Mais j'avais-tu vraiment le loisir de me poser des questions ?

La réponse était si évidente pour lui qu'Irénée se contenta de hausser les épaules.

— Les journées étaient bien trop remplies pour que je puisse m'arrêter pour jongler, déclara-t-il aux quatre murs de la cuisine. Pis à ben y penser, malgré tout, j'ai des sacrifice de bons enfants... Pourquoi regretter quand le résultat est pas pire pantoute, je vous le demande un peu ? Pour le reste, pour ce que j'ai pas pu contrôler, aujourd'hui encore, je ferais avec, comme je l'ai faite dans le temps... Dans une vie, il y a des affaires qui nous arrivent sans qu'on l'aye voulu, pis on a pas le choix de les accepter. C'est bête de même !

Irénée inspira longuement, toussota, puis il revint s'asseoir à la table.

— Batince que ça a passé vite ! C'est pas des maudites farces : toute une vie depuis l'enfance jusqu'à maintenant, pis on dirait que j'ai rien vu aller... Le pire là-dedans, c'est que j'ai passé mon temps à attendre l'instant où j'irais rejoindre ma défunte épouse, pis v'là-tu pas qu'astheure que je vois la ligne d'arrivée, drette là devant moi, j'suis pus sûr pantoute que j'ai envie de partir tusuite. Calvaire que la vie est mal faite, des fois !

Accoté contre le dossier de la chaise, Irénée resta silencieux un long moment, le regard vague. Puis, il pensa à Cyrille, à Judith et aux deux petites filles qui partageaient désormais leur vie.

— Même que ça a été une belle surprise pour tout le monde quand Lauréanne nous a annoncé que les deux jeunes avaient maintenant deux filles, fit Irénée en hochant la tête, revoyant en pensée les sourires radieux de Jaquelin et de Marie-Thérèse quand ils avaient appris l'heureuse nouvelle. Il y a ben juste la fichue Géraldine qui voit pas ça comme nous autres.

Devant cette constatation navrante et incapable de rester en place, Irénée se leva une seconde fois. Finalement, il allait se préparer une tartine qui l'aiderait à patienter jusqu'au souper.

— C'est pas vrai que j'vas manger les pissenlits par la racine avant d'avoir réglé ce problème-là, notat-il à mi-voix, en sortant le pain et le pot de mélasse, faisant toujours référence à Cyrille et à Judith. Il y a des calvaire de limites à imposer sa volonté à tout un chacun, comme ça ! Sacrifice, même Émile a pas réussi à faire entendre raison à la Géraldine, qui l'a mis à la porte de chez eux comme un malpropre en lui radotant que pour elle, les apparences, pis ce que le monde pourrait dire, c'était ben important… Peuh ! Voir que c'est ça qui est important !

Irénée était sorti de ses gonds quand sa fille Lauréanne lui avait raconté leur visite à Sainte-Adèle-de-la-Merci.

En effet, puisque l'intervention de Marie-Thérèse auprès de son frère Anselme, puis celle de son mari Jaquelin auprès de Géraldine n'avaient rien donné, Émile avait proposé de se rendre au village pour lui parler à son tour.

— Astheure que j'ai vu de mes yeux vu les conditions de vie de Cyrille pis Judith, avait-il expliqué, pis qu'ils ont avoué vouloir revenir vivre avec le reste de la famille, je me sens ben à l'aise de parler à Géraldine. Que c'est t'en penses, ma belle Lauréanne ?

Voilà pourquoi, par un beau samedi, Émile et Lauréanne s'étaient rendus au village de Sainte-Adèle-de-la-Merci. À leur retour, même la pacifique Lauréanne était hors d'elle.

— Vous auriez dû voir ça, son père ! Une vraie furie ! On a même pas eu le temps de se dégreyer qu'elle a dit à mon mari qu'on s'était déplacés pour rien, rapport qu'elle savait déjà que sa fille allait ben. Pour Géraldine, on n'avait rien à se dire.

— Pauvre imbécile ! avait alors craché Irénée, toujours aussi direct dans sa façon de parler. Maudit calvaire de batince ! On aurait donc dû s'en douter que ça allait finir de même… Pis Anselme, lui, dans tout ça ?

— Malheureusement, il était pas là… Mais je sais pas si ça aurait changé quoi que ce soit. Je vous le dis, son père, Géraldine était remontée comme un cadran !

— Ah ouais ?

— C'est comme je vous dis. Elle a même pas voulu qu'on lui parle de ses deux petites-filles.

— Voyons donc, ça a pas d'allure ! Je comprends pas, maudit batince ! Ça devrait être le contraire, non ?

— Ça devrait, oui.

— Me semblait aussi. Sacrifice ! Pas besoin d'être la tête à Papineau pour comprendre que ces deux petites-là, c'est la plus belle preuve que les curés ont pas toujours raison.

— Ben d'accord avec vous, son père. Du moins, c'est ce qu'on comprend, vous pis moi, mais pas Géraldine. À l'entendre, le fait qu'ils ayent eu des enfants va alimenter encore plus les commérages, pis elle veut surtout pas de ça. « J'ai toujours marché la tête haute dans le village, qu'elle a dit, pis je compte ben le faire jusqu'à ma mort. » C'est là-dessus qu'elle nous a demandé de partir. Non, c'est pas vrai. En fait, elle nous a ordonné de partir, pis laissez-moi vous dire que le ton était sans réplique. Alors, c'est ce qu'on a fait… Vous connaissez mon mari, hein ? Il déteste les chicanes. Juste pour ça, Émile a pas insisté, pis on a viré de bord pour nous en revenir à Montréal. Mais laissez-moi vous dire que je comprends pourquoi Judith a peur de retourner chez elle, par exemple ! Pauvre enfant !

Cela faisait déjà trois mois que cette conversation avait eu lieu. Par la suite, Marie-Thérèse avait supplié encore une fois son frère d'intervenir. Son insistance n'avait rien donné. Jaquelin avait même tenté d'expliquer les choses avec son flegme habituel, mais cette intervention non plus n'avait pas touché le cœur de Géraldine, qui semblait ne pas avoir décoléré depuis.

— C'est ben dommage, murmura Irénée en déposant sa tartine sur une assiette, et le pot de mélasse sur une tablette. Pis en plus, c'est quasiment ridicule. Maudit batince ! Les deux jeunes peuvent toujours ben pas passer leur vie à se cacher des gens du village, rapport que c'est là qu'est installée une grosse partie de leur parenté… Pis c'est à Saint-Adèle-de-la-Merci que Cyrille pourrait être le plus utile, en aidant Anselme sur sa ferme… Ouais, c'est de même que les choses devraient se passer. En plus, le jeune, il aimerait ben ça, avoir la chance de travailler avec son oncle. Il me l'a dit.

Tout en parlant, Irénée s'était retourné face à la pièce, en inspirant de contentement. Il ne se lassait pas de détailler son chalet.

— Notre chalet, à Félicité pis moi, rectifia-t-il spontanément.

Irénée poussa alors un profond soupir.

— Dire que le pauvre Cyrille est jamais venu ici, constata-t-il sur un ton navré. Ça a juste pas d'allure… Va-tu falloir attendre que je soye mort pour qu'il se présente à la porte avec sa Judith pis ses filles, parce que ça va être mes funérailles ?

Cette possibilité lui fit serrer les poings.

— Sacrifice, c'est pas pantoute ce que je voudrais… Me semble que ça serait ben plaisant, une belle fête pour célébrer le retour de Cyrille pis de Judith. Comme celle que j'ai organisée pour Félicité.

C'est en repensant à cette réception et en imaginant celle qui pourrait éventuellement avoir lieu qu'Irénée prit sa décision. Il ébaucha un sourire malicieux sous sa moustache, tout en revenant vers la table pour y déposer son assiette.

— Pourquoi pas ? Après toute, c'est moi le plus vieux de la lignée des Lafrance, c'est à moi d'agir…

Un éclat de jeunesse impétueuse traversa le regard du vieil homme.

— La Géraldine est mieux de ben se tenir, parce que c'est moi qui m'en viens à Sainte-Adèle-de-la-Merci pour y jaser ! Si les apparences sont si importantes que ça pour elle, elle est mieux de se montrer polie envers un vieux comme moi, sinon, elle va voir de quel bois je me chauffe ! Pis j'vas aller voir le curé Pettigrew, tant qu'à y être. M'en vas y faire comprendre que ça serait peut-être une belle occasion pour lui de parler de charité chrétienne dans un de ses sermons... Ouais, c'est ça que j'vas faire, pas plus tard que c'te semaine. J'vas en discuter avec Émile, demain, quand il va être là pour le souper...

Tout en marmonnant, Irénée marchait de long en large dans la cuisine, comme il le faisait sur les berges du fleuve quand le temps le permettait.

— Après, quand tout mon monde sera ben casé, je pourrai peut-être penser à m'en aller, ajouta-t-il, songeur.

Sur ces mots, le vieil homme s'approcha de la fenêtre et il leva les yeux vers le ciel lourd de nuages gris qui filaient sur l'horizon, d'ouest en est. Il n'eut aucune difficulté à imaginer son épouse, assise à la droite de Dieu, comme on le disait à l'église.

— Hein, ma Thérèse, que c'est une bonne idée, de m'en mêler ? demanda-t-il, comme si elle allait lui répondre. Si je te dis ça, c'est juste pour que tu te tiennes prête au cas où ! Au besoin, je compte sur toi pour intervenir auprès du Bon Dieu. Après toute, c'est supposé être Lui qui décide de tout ce qui nous arrive, à partir de l'autre bord, non ? À nos deux, Thérèse, on va y arriver, parce que c'est comme rien que le Bon Dieu peut pas te dire non. T'es tellement une bonne personne !

Rasséréné par sa décision, Irénée revint à la table et, prenant sa tartine dégoulinante de mélasse, il croqua dedans à belles dents.

Le moral était revenu.

Un peu plus tard, quand il entendit au loin les cloches de l'église sonner l'angélus, le vieil homme se leva pour aller déposer son assiette dans l'évier et il décida sur un coup de tête qu'il allait aussi mettre la table. Depuis quelque temps, il aimait bien tous ces petits gestes du quotidien qui le rattachaient encore à la vie de façon bien tangible.

Puis, ça ferait plaisir à Félicité qu'il y ait pensé !

« C'est un peu décevant, mais il pleut sans arrêt depuis que nous sommes arrivés à Pointe-aux-Trembles. C'est bien la première fois que c'est le cas et j'avoue qu'à cause de ça, la maison de campagne a beaucoup moins de charme. Il n'y a pas de bibliothèque, ici, où je peux puiser à volonté, et les quelques livres que j'avais apportés ne me tentent plus. De toute façon, c'est bien beau, la lecture, mais je finis toujours par avoir les yeux fatigués, et monsieur Tremblay a oublié le jeu d'échecs dans sa chambre, au manoir ! Une chance que je t'ai pour passer le temps, cher journal, parce que sinon, je trouverais les journées pas mal longues !

Mais j'y pense... S'il pleut toujours autant, demain, je vais demander à madame Éléonore si je ne pourrais pas en profiter pour me rendre chez mes parents et leur donner l'argent du mois dernier. Ça ferait une belle surprise à ma mère parce qu'habituellement, monsieur O'Gallagher me donne les gages de tout l'été uniquement au mois de septembre. Sauf que cette année, je crois bien qu'il a compris à quel point cet argent-là était important pour ma famille, parce qu'il m'a payé le mois de juillet dès la semaine dernière. Malheureusement, je n'ai pas eu le temps d'aller chez mes parents avant le déménagement au chalet... Quelle idée aussi de trimbaler la moitié des ustensiles du manoir jusqu'ici ! La plupart du temps, ils ne servent à rien et on doit tout remballer pour les ramener à leur point de départ. Ça prend un temps fou pour absolument rien ! J'ai bien tenté de faire entendre raison à madame Éléonore, mais elle ne m'a pas écoutée... Tout ça pour dire que si demain elle me donne la permission de m'absenter, j'aimerais bien faire un aller-retour à Villeneuve avec Adam, s'il accepte, bien entendu. Sinon, ça va aller à beaucoup plus tard, parce que dans deux jours, je serai à Montréal, pour la fête de Louisa ! C'est Agnès qui m'a invitée au nom de Marie-Paul.

Je suis tellement excitée à l'idée de la revoir et de revoir Louisa !

De plus, avec Agnès, on s'est bien promis de retourner au casse-croûte de la rue Ontario. J'ai même gardé un peu d'argent pour acheter un petit cadeau à Louisa et pour m'offrir un gros plat de patates frites ! »

CHAPITRE 5

Le mardi 6 août 1929, dans la cuisine de la maison de campagne, louée par les O'Gallagher, en compagnie de madame Légaré, de monsieur Tremblay et de Marion

— Je suis tout à fait d'accord avec la proposition de Marion, affirma le majordome qui, désœuvré, prenait un thé à la cuisine, au moment où la jeune femme avait demandé la permission de retourner à Villeneuve pour quelques heures. Et si madame O'Gallagher n'y voit pas d'inconvénient, nous pourrions même l'accompagner !

Comme il n'y avait pas de pièce dédiée au personnel, à la maison de campagne, Théodule Tremblay « traînait » régulièrement à la cuisine depuis les deux derniers jours. Bien sûr, il aurait pu défier la pluie pour se rendre au pavillon qui leur était réservé, là où un petit, mais confortable salon avec foyer était mis à leur disposition. Toutefois, pour une raison inconnue de tous, le majordome semblait préférer, et de loin, la cuisine de madame Éléonore.

— Et nous pourrions en profiter pour faire un saut au manoir, ajouta-t-il dans la foulée. Je pourrais ainsi vérifier que tout est resté en ordre. Après tout, personne n'y habite, cette année ! Puis, il me semble que nous sommes partis dans la pagaille, samedi dernier. Ensuite, nous arrêterions un moment chez vos parents, Marion, comme vous en avez manifesté le désir, pour finalement nous diriger vers la ville afin d'effectuer nos emplettes. Qu'en pensez-vous ?

En prononçant ces derniers mots, Théodule Tremblay avait semblé consulter madame Légaré du regard. De son côté, Marion écoutait avec intérêt, visiblement en accord avec le programme suggéré. À tout le moins, ce projet occuperait la journée du lendemain. Toutefois, intriguée par le dernier propos du majordome, plutôt que de s'exclamer de joie, Marion osa demander :

— De quelles emplettes parlez-vous, monsieur Tremblay ?

— Oh ! De quelques bagatelles qui pourraient m'être utiles, esquiva-t-il avec une nonchalance étudiée. Vous donner le détail serait sans doute de peu d'intérêt pour une jeune fille comme vous.

— Monsieur Tremblay a raison, ajouta madame Éléonore, pour clore la discussion. Quant à moi, je souhaite me procurer un chapeau neuf, ne l'oublions pas !

Tout en parlant, Éléonore jetait un coup d'œil navré sur la cour gazonnée qui descendait en pente douce jusqu'à la plage. Le paysage était si lugubre qu'elle en perdit son sourire.

— En espérant pouvoir l'étrenner, cette année, fit-elle remarquer, sur un ton découragé. Avec toute cette pluie, les vacances commencent plutôt tristement.

— En effet ! acquiesça Théodule Tremblay. Moi qui me faisais une joie d'avoir le temps de ne rien faire, de profiter de la berge, du soleil... J'avoue qu'avec cette température détestable, je préférerais être occupé. En fait, il n'y a qu'Adam qui semble satisfait de son sort, parce qu'il ne sera probablement pas obligé de retourner au manoir afin d'arroser les plantes de Quincy.

— Je suis bien d'accord avec vous... Mais j'y pense, monsieur Tremblay ! Si jamais nous allions à Villeneuve, demain, nous pourrions récupérer votre jeu d'échecs et moi, celui de Parcheesi !

— Quelle bonne idée !

Une simple proposition et l'humeur du majordome sembla changer du tout au tout.

— Raison de plus pour mettre notre projet en branle ! lança-t-il joyeusement, en repoussant son thé refroidi. J'en parle tout de suite à madame, puisque monsieur est présentement absent, et je vous reviens dans quelques instants avec une réponse.

Celle-ci fut positive, et le mercredi matin, dès le déjeuner terminé, Adam s'installait derrière le volant de la Packard grise qui servait essentiellement aux déplacements de la famille. Sachant qu'elle partait pour une bonne partie de la journée, madame Légaré avait donc prévu un goûter, et une quantité appréciable de sandwichs en tous genres, plus un pot de thé glacé, attendaient au frais les convives restés à la maison de campagne. Elle pouvait donc partir l'esprit tranquille.

— Moi aussi, je vais profiter de l'occasion pour m'acheter quelques vêtements légers, annonça Adam avec entrain, tandis que l'auto tournait sur le chemin principal… Et peut-être un canotier ! Et vous, monsieur Tremblay, pourquoi désirez-vous aller en ville ?

— Exactement pour la même raison que vous, Adam, répliqua le majordome avec humeur, comprenant, à la suite de la déclaration faite par le chauffeur, qu'il aurait probablement à subir sa présence tout au long de la journée.

Et ce n'était pas précisément ce qu'il avait espéré de cette escapade en compagnie de la cuisinière.

— Maintenant, concentrez-vous sur la conduite de l'auto, voulez-vous ! ordonna-t-il un peu sèchement. S'il ne pleut presque plus, les routes me semblent toutefois encore bien hasardeuses. Ce serait tellement bête de terminer notre petit voyage d'agrément dans le fossé, vous ne trouvez pas ?

Ce timbre de voix agacé heurta l'oreille de madame Légaré, qui se rappela tout à coup l'embarras évident qu'avait ressenti le majordome, quelques semaines auparavant, quand il lui avait demandé de venir magasiner avec lui. Elle se souvint surtout de quelle façon il avait décliné promptement sa suggestion de faire appel à Adam pour le conseiller dans ses achats.

La cuisinière n'hésita donc pas. Se penchant, elle posa la main sur le dossier de la banquette avant et, d'une voix plutôt autoritaire, elle déclara :

— Une fois à Montréal, il me semble que ça serait une bonne idée de nous séparer. Les courses seraient ainsi faites plus rondement.

— Ah bon ? demanda le majordome d'une voix blanche, lui qui voyait ses derniers espoirs d'un peu de discrétion autour de ses achats fondre comme neige au soleil.

En effet, si madame Éléonore prévoyait diviser leur groupe, il devenait évident à ses yeux que la cuisinière allait se joindre à Marion, tandis que lui se verrait contraint de rester avec Adam.

— Et que nous proposez-vous, madame Légaré, en parlant ainsi ? fit-il avec une indifférence qu'il était loin de ressentir.

— Oh ! Je me disais tout simplement qu'on pourrait laisser les deux jeunes vaquer à leurs occupations, tandis que vous et moi, verrions à nos propres affaires. Qu'en dites-vous ?

À ces mots, Théodule Tremblay, soulagé, inspira profondément. Il avait instantanément retrouvé tout son entrain.

— Je n'en dis que du bien ! C'est là une excellente suggestion.

— Il me semblait aussi, apprécia finement la cuisinière. D'autant plus que j'aurais besoin de vos conseils pour l'achat d'un nouveau grille-pain électrique que nous pourrions installer dans la salle à manger, sur une table d'appoint. Qu'en pensez-vous ? Il me semble que les rôties seraient moins sèches, si chacun les grillait à sa convenance.

Comme si le majordome y connaissait quelque chose !

— Bien sûr, madame Légaré, bien sûr, approuva-t-il néanmoins, avec une exubérance rarement démontrée. Vous fourmillez d'heureuses inspirations, ce matin ! Nous irons donc fureter du côté des accessoires de cuisine, si cela vous fait plaisir...

— Je vous remercie, monsieur Tremblay. Toutefois, il va sans doute nous falloir un bon moment pour bien choisir.

— J'allais justement le dire.

— Dans ce cas...

Reprenant sa place au fond de la banquette, Éléonore ouvrit son sac à main pour y puiser son porte-monnaie.

— Tiens, Marion, c'est pour toi, dit-elle quelques instants plus tard, tout en glissant six pièces de vingt-cinq sous dans la main de la jeune fille.

— Pourquoi tout cet argent, madame Éléonore ? riposta celle-ci, tout en fixant la monnaie, sourcils froncés. J'ai bien retenu la leçon, vous savez ! Depuis que je suis de retour au manoir, je soustrais quelques sous, chaque fois que monsieur O'Gallagher me verse mes gages, et j'ai gardé le présent du jour de l'An au grand complet. Comme vous le dites si bien : c'est une question de principe ! Aujourd'hui, je suis d'accord avec vous, d'autant plus que je sais fort bien qu'avec ce que j'arrive à donner, ma mère peut acheter pas mal de choses pour la famille ! Du moins, jusqu'à maintenant, elle ne s'est jamais plainte qu'elle ne recevait pas assez. Ce qui fait qu'en ce moment, j'ai tout ce qu'il me faut pour acheter un cadeau à Louisa et me gâter un peu ! Tenez, madame Éléonore, reprenez vos sous, je n'en ai pas besoin, déclara la jeune fille avec fierté.

— Mais ça n'a rien à voir, Marion ! Je sais que tu gardes un peu d'argent chaque mois et je m'en réjouis. Ce que je viens de te donner, c'est uniquement pour qu'Adam et toi puissiez manger un petit en-cas, sur l'heure du dîner, puisque nous serons en ville durant quelques heures. Après tout, avoue que c'est à moi de vous nourrir, non ?

— C'est sûr que si vous le voyez comme ça, je ne peux pas vraiment refuser… D'accord, je vais partager cet argent avec Adam et un gros merci d'y avoir pensé !

La journée passa en coup de vent pour un peu tout le monde, en commençant par l'arrêt au manoir, qui ne fut qu'une formalité, ainsi que celui chez les parents de Marion.

— Ma mère et Ludivine étaient en train de préparer un bouilli de légumes, annonça la jeune fille, en s'engouffrant rapidement dans l'auto, car la pluie s'était remise à tomber de plus belle. Elles auraient bien aimé que je puisse les aider, mais je n'avais pas le temps. Heureusement, j'avais des sous à remettre à ma mère et elle n'a pas insisté... Savez-vous quoi, madame Éléonore ? Ça me fait vraiment plaisir de voir que ma mère et ma sœur tiennent compte de ce que je leur ai montré en cuisine... Ça sentait le bon bouillon de poulet quand je suis entrée dans la maison. Avant, quand j'étais petite, c'était souvent l'odeur du chou bouilli ou des patates qu'on remarquait ! Ou alors ça ne sentait rien du tout parce qu'on devait se contenter de soupane et de pommes ratatinées. C'est un peu grâce à vous, tout ça !

— Mais je n'y suis pour rien. Marion ! C'est toi l'unique responsable de ce mieux-être dans ta famille.

La jeune fille resta silencieuse un moment. À l'avant de l'auto, les deux hommes surveillaient la route, sans porter attention aux femmes.

— Vous croyez ? demanda alors Marion d'une voix songeuse. Pourtant, c'est vous, madame Éléonore, qui avez eu l'idée de donner des aliments à ma mère et...

— Ce que j'en dis, jeune demoiselle, va bien au-delà de quelques légumes et d'un peu de viande offerts à l'occasion...

— Pourtant, insista Marion, ma mère, elle, c'est ce qu'on lui donne qui a de l'importance. En fait, je ne suis que le messager et...

— Alors on va dire, dans le cas présent, que c'est le messager qui a de l'importance... Allons, Marion, ce n'est pas faire preuve de prétention que d'admettre certaines de nos qualités. Et toi, vois-tu, tu es généreuse. De tes sous, bien sûr, mais aussi de ton temps et de ton affection. Et je ne dis pas cela pour que ça te monte à la tête ! Donne-toi le temps de bien y penser, et tu vas voir que j'ai raison... Et maintenant, si tu me disais ce que tu as l'intention d'acheter pour Louisa !

En fin de compte, ce fut le majordome qui trouva que la journée avait passé trop vite, car il avait eu un grand plaisir à vivre ces heures en compagnie de madame Éléonore, dans un environnement différent de celui du manoir, et, comme tout le monde le sait, les moments agréables passent toujours très rapidement.

De toute évidence, monsieur Tremblay avait été très fier d'offrir le repas du midi à madame Légaré.

— À mon tour de vous régaler ! avait-il déclaré, en lui proposant de dîner dans la salle à manger d'un grand magasin. Après toutes ces années, il me semble que c'est de bonne guerre que vous acceptiez mon invitation.

Éléonore ne s'était pas fait prier.

— Et pourquoi pas ? avait-elle admis avec bonhomie. Il est vrai que les occasions de me faire servir un repas que je n'ai pas préparé sont plutôt rares. Il y a bien juste quand je vais chez mon père que je me vois obligée de rester assise sans lever le petit doigt ! Je vous avoue que je trouve cela plutôt agréable.

— Dans ce cas, nous renouvellerons l'expérience le plus souvent possible ! C'est un engagement de ma part. Maintenant, laissons-nous tenter par ce menu qui, ma foi, me semble bien alléchant !

La gourmande qui sommeillait en permanence dans le cœur de madame Légaré n'attendait que cette permission, et c'est avec célérité qu'elle avait baissé les yeux pour survoler la feuille de papier parchemin d'un regard critique, admettant aussitôt que les mets offerts semblaient tous plus appétissants les uns que les autres. C'est alors que le majordome avait ajouté, mettant un terme à son indécision :

— Après le repas, nous prendrons quelques instants pour aller voir la salle de concert.

Surprise, la cuisinière avait levé la tête, oubliant le menu pour un instant.

— Parce qu'il y a une salle de spectacle ici, dans le magasin ?

— Tout à fait ! Au cinquième étage. C'est à partir de là qu'ils enregistrent certains concerts et récitals diffusés à la radio, vous savez !

— Eh bien ! Vous m'en apprenez des choses, ce midi !

— Tant mieux ! Ensuite, promis, nous verrons à nous procurer le grille-pain dont vous avez parlé.

— Alors nous ferons comme vous l'entendez, monsieur Tremblay. Maintenant que j'ai mon chapeau et que vous me promettez d'aller voir les grille-pain, je m'en remets à vous pour organiser l'après-midi, avait alors déclaré Éléonore, tout en reportant les yeux sur le menu. J'irais jusqu'à dire que c'est même plutôt agréable de n'avoir rien à décider, sauf ce que je vais manger !

À ces mots, Théodule Tremblay s'était mis à rougir comme un gamin et, à son tour, il s'était concentré sur le papier qu'il avait à la main. Curieusement, même s'il avait très faim, il se demandait comment il allait réussir à avaler ne serait-ce qu'une bouchée, tellement il avait la gorge serrée, tout ému qu'il était de se retrouver en tête-à-tête avec la cuisinière !

Dès leur arrivée au chalet, le majordome s'empressa de filer vers sa chambre pour y ranger ses vêtements neufs, tout en priant le Ciel de modifier son humeur le plus rapidement possible. Il avait hâte d'étrenner ses chemisettes légères et ses souliers de toile, choisis avec soin par madame Légaré. Elle lui avait même déclaré qu'il était plutôt bel homme dans cette tenue décontractée. Que demander de plus, sinon de profiter de certaines occasions pour renouveler l'expérience de façon régulière ?

Quant à Éléonore, elle accrocha près de la porte un chapeau de paille garni de fleurs qui, de l'avis du majordome, lui allait à ravir.

— En espérant le porter bientôt ! souligna-t-elle en revenant vers la table.

— C'est bien certain qu'il ne pleuvra pas durant tout le mois d'août, voyons donc ! nota Marion en riant. Mais j'avoue que moi aussi, j'aurais bien hâte de porter un aussi beau chapeau !

— Vivement le soleil, alors ! Je vais espérer de tout mon cœur que la chance d'aller me promener soit imminente. Mais en attendant, jeune fille, à nos chaudrons ! Nous avons tout juste le temps de préparer un repas convenable pour tout le monde ! Mais quelle belle journée nous avons passée, n'est-ce pas ?

Les prières de tout un chacun furent probablement adressées au Ciel avec suffisamment de conviction, car au matin du samedi, le soleil était de retour et il brillait de mille feux sur les eaux calmes du fleuve.

— Enfin !

Marion était radieuse.

— Ça va être assurément plus agréable de nous promener à Montréal sous un beau soleil bien chaud plutôt que sous la pluie, comme mercredi dernier.

— C'est bien vrai, tu retournes à Montréal aujourd'hui ! souligna alors la cuisinière. Je suis heureuse pour toi, ma belle… Cette invitation est particulièrement gentille.

— Je sais ! Vous en souvenez-vous, madame Éléonore ? Quand je suis arrivée au manoir, je n'avais pas d'amies et je m'en désolais.

— C'est vrai, et moi, je t'avais répondu de faire confiance à la vie.

— Et vous aviez raison ! Aujourd'hui, j'en ai tout plein, et c'est grâce à Agnès ! Je suis vraiment chanceuse d'avoir rencontré cette fille-là.

— Tu es surtout chanceuse que vous vous entendiez si bien… Dire que tu ne voulais même pas lui parler, quand tu l'as croisée une première fois… Heureusement, c'est du passé, tout ça ! Alors ? Tu as bien tout ce dont tu as besoin ? Il ne faudrait surtout pas oublier la jolie bouteille de parfum que tu as achetée pour Louisa.

— Pas de danger que je l'oublie ! Le paquet est bien emballé, et il est déjà dans la petite valise que vous m'avez prêtée.

— Si c'est comme ça, il ne me reste plus qu'à te souhaiter un beau séjour chez Marie-Paul… Mais quand même, sois prudente, on ne sait jamais. Après tout, Montréal, c'est une grande ville. Tu n'as pas vraiment l'habitude, et cette fois-ci, tu n'auras pas Adam à tes côtés, en cas de pépin.

— Je sais tout ça. N'ayez crainte, madame Éléonore, je vais faire attention. De toute façon, nous ne nous promenons jamais très loin de chez Agnès et si jamais nous allons en ville, nous sommes toujours au moins deux…

— Dans ce cas, amuse-toi bien, et reviens-nous en bonne forme demain, en fin de journée !

— Promis ! À demain, madame Éléonore !

Comme elle s'était préparée un peu trop tôt et qu'elle avait congé pour la journée, Marion quitta donc la maison de campagne pour aller attendre l'arrivée de l'oncle Émile chez ses voisins.

Le premier arrêt en ville fut à l'appartement de la rue Adam, où les attendait Lauréanne, pour le repas du midi. Quant à Émile, il fit tout de suite demi-tour pour se diriger vers Sainte-Adèle-de-la-Merci en compagnie d'Irénée, qui avait juré qu'il ne reviendrait au chalet qu'au moment où Géraldine rendrait les armes. Fort de l'appui de Félicité, Irénée Lafrance avait hâte d'en découdre avec la mère de Judith.

— Ben d'accord avec vous, avait déclaré la vieille tante, une semaine auparavant, quand le patriarche des Lafrance lui avait parlé de la décision qu'il venait de prendre.

— Dans ce cas-là, si j'ai votre bénédiction, m'en vas lancer une bonne discussion avec Géraldine, avait-il affirmé avec aplomb. S'il y a quelqu'un dans la famille qui a le droit d'insister en faveur de nos deux jeunes, c'est ben moi !

— Bonne idée, Irénée ! De toute façon, vous ou un autre, ça va prendre quelqu'un pour en finir une bonne fois pour toutes avec cette histoire-là !

— Me semblait aussi. Ben heureux de voir que vous m'appuyez.

— Pour vous appuyer, je vous appuie, y a pas de doute là-dessus ! Faudrait être complètement imbécile pour penser le contraire. N'empêche que ça veut pas dire d'aller faire un fou de vous, par exemple.

— Sacrifice, Félicité ! Que c'est ça encore ?

— Oh ! Rien de particulier, à part le fait que vous montez souvent le ton pour pas grand-chose, pis que vous vous gênez pas pour lâcher une couple de gros mots qui plairaient sûrement pas à Géraldine.

— Ouais, c'est un peu vrai que je fais ça... Savez-vous que vous m'embêtez, vous là !

— Pourquoi ?

— Batince, Félicité, me semble que c'est pas dur à comprendre ! C'est un peu comme si vous me demandiez d'être pus moi-même. Pas facile, ça là !

— Ben voyons donc ! Je vous fais confiance, Irénée. Il y a pas plus tête dure que vous, pis ça, dans le cas présent, c'est juste une bonne affaire ! Je vous conseille seulement de toujours prendre le temps de respirer un bon coup avant de parler, pis ça devrait ben aller.

Et c'était justement ces quelques mots qu'Irénée se répétait en boucle, tandis que l'auto d'Émile s'éloignait de la rue Adam, et que Marion et Agnès grimpaient joyeusement l'escalier menant à l'appartement.

— Agnès !

Lauréanne arrivait déjà à l'autre bout du long corridor.

— Heureuse de te revoir. Et toi aussi, Marion ! Entre, fais comme chez toi... Pis, Agnès, comment s'est passée la semaine ? Je me suis ennuyée, tu sais !

— Moi aussi...

Tout en lançant cet aveu, Agnès s'étira longuement. Puis elle ajouta en riant :

— C'est ben beau, les vacances, pis j'aime ben gros matante pis grand-père, faudrait surtout pas se méprendre sur mes sentiments, mais toute une semaine en leur compagnie, ça userait la patience de n'importe qui !

— Ça se défend, ma belle ! approuva Lauréanne, en éclatant de rire à son tour. J'ai toujours eu pour mon dire que ces deux-là, c'est préférable de les prendre séparément ! Quand ils sont ensemble, ça vient vite épuisant, t'as ben raison. D'autant plus qu'il a plu des cordes durant toute la semaine !

— Comme vous dites... Bon, astheure, vous allez devoir m'excuser. Ça fait une semaine que je me lave à la serviette dans le petit lavabo caché par un paravent, au bout du corridor des chambres. C'est pas vargeux pour l'intimité, ça là ! J'ai envie d'un bon bain.

— Gêne-toi surtout pas, Agnès ! approuva Lauréanne. De toute façon, le repas est pas encore tout à fait prêt. Marion pis moi, on va aller t'attendre dans la cuisine. Comme on se connaît pas tellement, on va en profiter pour jaser un peu.

Puis, se tournant vers la jeune fille, tandis qu'Agnès se dirigeait vers sa chambre, au fond du salon, Lauréanne proposa :

— Que c'est tu dirais d'un bon verre de limonade ? Ça a été plus fort que moi, pis dès que j'ai vu le soleil, à matin, ça m'a donné envie d'en faire un gros pot !

— Comme madame Éléonore ! souligna Marion... Oui, j'en prendrais bien un verre, s'il vous plaît. Il fait déjà pas mal chaud dehors !

— Dans ce cas-là, suis-moi dans la cuisine, pis assis-toi au bout de la table. J'vas nous en servir chacune un bon verre !

Lauréanne avait toujours été une femme capable d'écoute et sa gentillesse naturelle faisait en sorte qu'on avait spontanément envie de se confier à elle, de discuter avec elle. Marion n'échappa nullement à cette règle. En moins de dix minutes, elle était déjà en train de décrire les siens, alors qu'en temps normal, elle était plutôt discrète sur le sujet.

— ... C'est comme ça qu'Agnès et moi, on a vite compris que nos deux familles se ressemblaient beaucoup. Sauf que chez moi, c'est un peu particulier.

— Pourquoi tu dis ça, ma belle ?

— Tout simplement parce que c'est la vérité. Quand j'étais petite, je ne pouvais pas imaginer que c'était différent dans les autres maisons. Chez nous, depuis toujours, c'est les parents qui décident vraiment de tout et on n'a pas le droit de contester leurs décisions. Ni même d'en discuter, comme je peux le faire avec madame Éléonore. J'ai été élevée comme ça, à ne jamais rien dire, et pour moi, ça allait de soi. Comme il était naturel aussi de toujours avoir un peu faim, de devoir laisser les parents tranquilles quand vient le soir et qu'ils veulent se détendre en prenant de la bière, et que ce soit les filles qui travaillent pas mal plus que les garçons.

À l'énoncé de cette dernière règle, Lauréanne esquissa une moue de désaccord.

— Drôle d'idée ! Même si on fait pas les mêmes affaires, c'est quand même normal de travailler, dans la vie. Autant pour les garçons que pour les filles !

— Oui ! Maintenant, je pense comme vous, madame Lauréanne, parce que j'ai connu autre chose en arrivant au manoir. Mais quand j'étais petite...

Marion se tut brusquement. Elle était en train de revoir son enfance, qui avait été une période difficile, et subitement, elle n'avait plus vraiment envie d'en parler. C'était le passé et elle s'était juré de ne plus jamais y revenir. Pas même en pensée, parce qu'il n'y avait pas vraiment de souvenirs heureux.

C'est alors que le joli minois de sa petite sœur Carmen s'imposa et elle poussa un long soupir.

— Le pire, à cause de ce que j'avais vécu quand j'étais plus jeune, c'est que je n'ai jamais osé parler franchement à mes parents, même quand j'ai compris que la vie que je menais chez eux était bien différente de celle des autres. Pourtant, j'aurais dû le faire, du moins pour les plus petits.

— Il est jamais trop tard pour avoir ce genre de discussion-là, argumenta Lauréanne. Donne-toi du temps, apprends à te faire confiance et ça viendra.

— Je l'espère, oui. C'est drôle, madame Éléonore me dit exactement la même chose. Mais le jour où je vais finalement me décider, et malgré ce que vous venez de me dire, j'ai peur qu'il soit trop tard pour que ça puisse servir à qui que ce soit et ça me fait de la peine.

— Veux-tu en parler ?

Marion hésita. Jamais, elle n'avait raconté sa famille comme elle venait de le faire, sauf avec madame Légaré et encore ! Elle n'était pas entrée dans les détails. En ce moment, et bien qu'elle fût soulagée de l'avoir fait avec Lauréanne, elle regrettait un peu son geste.

S'il fallait que ses parents l'apprennent...

Cette crainte permanente que Marion ressentait à leur égard ne se cachait jamais bien loin, même quand elle était sans fondement ou qu'elle se trouvait loin d'eux. Encore une fois, ce furent les rires de Léon que Marion entendait à volonté, quand elle s'ennuyait, et les sourires si rares que la petite Carmen lui offrait timidement qui firent la différence.

— Oui, j'aurais envie de parler, affirma-t-elle. Même si c'est difficile, j'y suis bien arrivée avec madame Éléonore, et encore maintenant, avec vous. On dirait que ça m'aide à mieux réfléchir, comme quand j'écris dans mon journal.

— Ah oui ? Tu fais ça, toi ?

— Oui, avoua Marion, toute rougissante, depuis le printemps… Je me dis que c'est peut-être un peu grâce à ça si je vais pouvoir, un jour, discuter calmement avec mes parents. D'écrire les choses comme je les ressens, ça m'aide à mettre mes idées en place. Mais il faudrait que ça serve à quelque chose, par exemple ! Dans le fond, je le sais bien, que c'est à mes parents que je devrais parler comme je viens de le faire… Mais j'ai peur ! Je ne sais pas d'où me vient cette crainte, mais elle est là ! Pourtant, ma sœur Ludivine, elle, trouve toujours le courage de dire tout ce qu'elle pense. Je l'envie, vous savez, d'autant plus que le pire qu'il pourrait m'arriver, c'est que je reçoive une claque…

En prononçant ces derniers mots, Marion était songeuse. Le bruit des gifles distribuées libéralement chez elle n'était pas encore mort dans son esprit.

Le serait-il un jour ?

Marion secoua la tête et reporta les yeux sur Lauréanne.

— Non, ce n'est pas ça le pire, déclara-t-elle avant que Lauréanne ait pu intervenir. Le pire, c'est de faire rire de moi. Oui, ça, c'est quelque chose qui me terrifie. Je ne sais pas pourquoi, mais ça m'enlève tous les mots de la bouche. C'est comme si subitement mon cerveau se vidait de toutes ses pensées, tandis que je me mets à trembler… Oui, quand mon père me traite de niaiseuse ou que ma mère dit que je suis juste une insignifiante pas de cervelle, j'ai l'impression de rapetisser, comme un chandail de laine qu'on lave dans l'eau chaude.

— Ah ça, Marion, c'est quelque chose que je peux comprendre sans la moindre difficulté.

— Ah oui ?

— Tout à fait…

Marion dévorait Lauréanne des yeux. Si madame Éléonore avait pu lui prodiguer tendresse et conseils, son intervention n'avait pas débordé de ce cadre, alors qu'en ce moment, l'attitude de Lauréanne laissait présager autre chose. Comme si elle revêtait un statut particulier.

Marion prit une longue inspiration. Se pouvait-il que quelqu'un d'autre ait connu le même genre d'existence que celle qu'elle-même avait vécue chez ses parents ?

— Je n'aurais pas cru qu'un jour j'entendrais quelqu'un me dire qu'il comprenait très bien ce que j'essayais d'expliquer, avoua-t-elle bien franchement. Mais comment est-ce possible ? Vous êtes toujours si joyeuse, vous avez souvent de bons conseils à donner et surtout, vous ne semblez pas gênée du tout d'en discuter.

— Aujourd'hui, c'est peut-être l'image que je projette, expliqua Lauréanne d'une voix grave. Mais quand j'étais petite, laisse-moi te dire que c'était ben différent, ouais, pas mal différent. Tu connais Irénée, non ?

— Un peu, oui.

— C'est vrai que tu l'as pas vu très souvent, admit alors Lauréanne. Pis, en plus, tu dois l'avoir rencontré dans ses bons moments… N'empêche ! T'as ben dû remarquer qu'il a son franc-parler et qu'il est pas toujours de bonne humeur, non ?

— Pour l'humeur, je ne sais pas trop. Mais pour le caractère, il me semble en effet un peu irritable et impatient… Et il dit vraiment beaucoup de gros mots !

Sur ce, un éclat malicieux traversa le regard de Marion.

— Les rares fois où j'ai eu la chance de voir monsieur Lafrance au chalet, j'avoue qu'il m'a intimidée, poursuivit-elle. Et quand il est venu manger au manoir avec madame Félicité, l'hiver dernier, il n'a pas dit grand-chose. Du moins, quand j'étais là. En fait, c'est Agnès surtout qui m'en a parlé. Elle l'aime beaucoup, mais en même temps, elle dit qu'il a un fichu caractère.

— C'est le moins qu'on puisse dire ! Alors imagine de quoi avait l'air ma vie si je te dis que c'est lui qui m'a élevée.

— Comment avez-vous fait, d'abord, pour devenir une femme aussi souriante ? Je trouve que vous ressemblez à madame Éléonore.

— Ah oui ? Ben là, c'est tout un compliment que tu me fais ! Ta madame Éléonore, c'est une femme dépareillée ! Veux-tu que je te dise de quoi ? Je trouve un peu curieux de voir que finalement, c'est avec la tante Félicité qu'elle a développé une amitié sincère, parce que dans le fond, on doit avoir à peu près le même âge, madame Éléonore pis moi. Mais c'est pas vraiment important. On sait jamais ce qui peut adonner entre deux personnes, hein ? Ben des fois, c'est juste une question de personnalité ! Toujours est-il, pour répondre à ta question de tout à l'heure, si je suis aussi heureuse, dans la vie, c'est beaucoup grâce à mon Émile.

— C'est vrai qu'il est très gentil.

— Gentil, tu dis ! En plus, il est juste envers tout le monde, pis toujours de bonne humeur... C'est lui qui m'a appris, finalement, qu'on doit toujours se faire confiance, pis oser dire tout haut ce qu'on pense.

— Facile à dire, ça là... Je ne suis pas du tout certaine que mes parents apprécieraient tout ce que j'aurais envie de leur avouer... Pourtant, il faudrait quand même que je me décide à leur demander de ne plus jamais empêcher les filles d'aller à l'école de monsieur Chartrand jusqu'au bout.

— Parce qu'ils font ça, eux autres avec ?

— Euh... Oui ! Pourquoi vous dites ça, madame Lauréanne ?

— Parce qu'on dirait ben qu'encore une fois, on a connu la même affaire, toi pis moi !

— Ah oui ?

— Laisse-moi te raconter... Mais avant, on va refroidir nos limonades. À force de jaser comme ça, les glaçons sont tout fondus !

Le temps de servir un peu de jus bien froid, et Lauréanne revenait s'asseoir à la table.

— C'est triste à dire, commença-t-elle, mais ma mère est morte le jour où mon frère Jaquelin est venu au monde. Ça a été tout un choc pour mon père pis pour moi, comme tu dois ben t'en douter. Par contre, j'étais trop petite pour la remplacer. C'est ben certain, j'avais tout juste six ans ! Ça fait qu'à la demande de mon père, une religieuse du couvent est venue chez nous pour lui donner un coup de main. Faut savoir que le pauvre homme y arrivait pas avec deux enfants en bas âge, une grande maison à entretenir, pis la cordonnerie qui fonctionnait à plein régime. Tout ce que je me souviens de ce temps-là, c'est que la religieuse était pas ben ben fine avec Jaquelin pis moi, mais en même temps, je comprenais que mon père avait pas eu le choix de l'engager ! Par contre, laisse-moi te dire que c'était un vrai soulagement de pouvoir sortir de la maison pour aller à l'école. Mais dès que j'ai eu à peu près dix ans, la bonne sœur est partie, mon père m'a sortie de l'école, pis je me suis retrouvée obligée de faire la plupart des corvées de la maison.

— Eh ben, murmura Marion, qui en avait presque oublié les bonnes règles de la langue française tant elle était surprise. J'vas dire comme vous, madame Lauréanne : nos deux vies d'enfant se ressemblent beaucoup… Moi aussi, je venais d'avoir dix ans quand mon père m'a annoncé que dorénavant, l'école c'était fini pour moi, parce que ma mère avait besoin d'aide à la maison.

Le temps d'une réflexion, d'un soupir, puis Marion se redressa sur sa chaise.

— Mais je dis quand même que ce n'est pas normal, des situations comme celles-là, affirma-t-elle d'une voix ferme. Dix ans, c'est beaucoup trop jeune pour arrêter l'école. Les études, c'est important. C'est madame Éléonore qui le répète souvent, et moi, j'y crois vraiment ! C'est pour ça que je lis des tas de bouquins avec elle, pour parfaire mes connaissances, comme elle dit… Tous les soirs, je prends au moins une demi-heure pour lire… Malgré ça, si vous saviez à quel point j'envie Agnès !

— Pourquoi ?

— Pour ses études, voyons ! C'est justement de ça qu'on parle ! À l'automne qui arrive, Agnès va aller à l'école normale pour devenir institutrice, elle m'en a longuement parlé, la dernière fois qu'on s'est vues. Alors oui, je la trouve chanceuse… Enseigner dans une classe, c'est un bon métier et ça doit être très intéressant. Au manoir, c'est monsieur James que je trouve chanceux. Lui, c'est à l'université qu'il doit entrer dans un an. Heureusement, moi, j'ai madame Éléonore pour m'aider à m'améliorer dans tout ! Et depuis quelque temps, le majordome aussi s'en mêle !

C'est mieux que rien… Madame Éléonore connaît pas mal de choses, vous savez !

— Ah oui ? Comme ça, madame Légaré serait allée à l'école longtemps ? J'avais vite remarqué qu'elle s'exprimait pas mal bien, mais pas au point de conclure qu'elle avait fait des études et…

— Non, même pas ! interrompit Marion avec fougue. Ses parents n'avaient pas assez d'argent pour les grandes études. Mais elle a beaucoup lu, par exemple ! Depuis qu'elle est toute petite, à part de ça. C'est elle-même qui me l'a dit et c'est grâce à la lecture si elle est aussi savante aujourd'hui. Alors, je fais comme elle et je lis. Par contre, mes trois petites sœurs n'ont pas de madame Éléonore dans leur vie et c'est pour cette raison que je dois parler à mes parents. Sinon, elles vont devenir des servantes, comme Lisa au manoir ! D'après ce que je peux voir, ce n'est pas la vie la plus agréable qui soit, loin de là ! La pauvre Lisa n'arrête pas de frotter du matin au soir.

— Je peux comprendre… Mais rien ne dit que c'est un sort comme celui-là qui attend tes petites sœurs. Peut-être ben qu'elles vont finir par se marier avec quelqu'un de gentil. Il y a pas juste un seul Émile sur la Terre, tu sais !

Cette affirmation fit sourire Marion.

— Tant qu'à ça…

— Me v'là ! lança Agnès, qui arrivait dans la pièce, interrompant bien involontairement la conversation entre Marion et Lauréanne.

Sur ce, elle fronça les sourcils.

— Bonté divine, Marion ! T'as ben l'air jongleuse, tout d'un coup !

— Moi ? Pas vraiment... On faisait juste jaser de choses et d'autres, madame Lauréanne et moi, précisa Marion qui, pour l'instant, n'avait surtout pas envie de poursuivre la même conversation avec Agnès. Alors ? Qu'est-ce qu'on fait après le dîner ?

— On va magasiner. C'est pas au chalet que j'ai pu trouver un cadeau pour la fête de Louisa. Ça fait qu'il faut que je me reprenne aujourd'hui. Pis après, que c'est tu dirais d'aller manger des patates frites ?

— Miam ! J'allais justement te le proposer !

Tout comme Marion l'avait fait la veille, Agnès trouva en fin de compte un petit présent chez Dupuis Frères.

— Des gants en dentelle, c'est toujours pratique, estima-t-elle, lorsque les deux filles ressortirent du magasin, bras dessus bras dessous.

— Et du parfum, c'est toujours agréable à recevoir ! nota Marion, pour ne pas être en reste. Louisa devrait apprécier les cadeaux qu'on va lui offrir. Et moi, bien, je suis très contente de me retrouver ici, en ville, deux jours d'affilée. C'est pas mêlant, j'aime tellement Montréal que c'est ici que je voudrais m'établir plus tard !

— À Montréal ? Eh ben... C'est vrai qu'on a toutes les commodités à portée de la main, observa

Agnès en regardant tout autour d'elle… Mais ton travail, lui ?

— Il n'y a pas seulement un manoir dans la région ! rétorqua vivement Marion.

— Et ta madame Éléonore ? renchérit Agnès. Tu dis toi-même que tu l'aimes comme une vraie mère.

— Et alors ? Ce n'est pas le fait d'aimer nos parents qui va nous empêcher de vivre notre vie d'adulte, n'est-ce pas ?

— Tant qu'à ça…

— C'est pourquoi je dis que plus tard, j'aimerais m'installer en ville. J'ai même appris que la famille de monsieur O'Gallagher vient de Westmount, et que c'est une ville pas trop loin d'ici, où il y a beaucoup de familles à l'aise, comme le dirait monsieur Tremblay, et donc des manoirs ! Justement, en parlant de lui… C'est là qu'il est né, tu sais !

— Monsieur Tremblay est né à Westmount ? Ça se peut pas, voyons !

— Puisque je te le dis !

— Comment ça se fait, d'abord, qu'il soit majordome ?

— Parce que son père l'était avant lui et que sa mère était femme de chambre dans la même maison ! Laisse-moi te répéter ce que monsieur James et madame Éléonore m'ont raconté ! Tu vas vite comprendre que la vie de notre cher majordome est tout ce que l'on veut sauf banale !

Ce fut ainsi que les deux filles revinrent vers l'est de la ville, assises dans un autobus un peu poussif, qui grinçait effroyablement à chaque arrêt.

— Pis maintenant, les patates frites ! lança Agnès en descendant du véhicule qui crachait une fumée grisâtre. Magasiner, ça m'a creusé l'appétit, fit-elle en plissant le nez.

— Et moi aussi !

Toute à sa joie de se « payer la traite », comme le disait si bien Agnès, Marion entra dans le casse-croûte d'un bon pas, survolant des yeux les tables du restaurant pour en repérer une qui serait libre.

Ce fut à cet instant qu'elle l'aperçut.

Marion porta machinalement la main à sa poitrine parce que son cœur s'était mis à battre comme un fou. Le souffle lui manqua, et, d'une main crispée, elle tira sur la manche du chemisier d'Agnès.

— On s'en va, souffla-t-elle précipitamment.

— Ben voyons donc, Marion ! Que c'est qui t'arrive, tout à coup ?

— Là-bas, la table du fond… C'est mon frère. Il est de dos, mais je ne peux pas me tromper pour une affaire comme celle-là. Je suis certaine que c'est lui.

Agnès, curieuse de nature, se tourna aussitôt vers le fond de la salle.

— Ton frère ? demanda-t-elle en même temps. Ovide, tu veux dire ?

— Bien sûr… Quel frère voudrais-tu que ce soit ? Les autres sont beaucoup trop jeunes pour être ici…

Viens-t'en, Agnès, vite ! Je veux m'en aller avant qu'il se retourne et qu'il me voie, murmura Marion en détournant la tête vers la porte.

Sans ajouter quoi que ce soit, Agnès emboîta le pas à son amie. Cependant, une fois sur le trottoir, ce fut elle qui la retint par la manche pour l'empêcher de s'éloigner.

— Deux menutes, Marion... Je comprends pas pourquoi tu veux filer comme une voleuse.

— Parce que je ne saurais pas quoi lui dire... Ça fait tout de même deux ans qu'on ne s'est pas parlé, lui et moi.

— Pis ça ? J'suis ben allée jusqu'à Québec pour relancer Cyrille.

— C'est pas pareil.

— Ben oui, c'est pareil ! s'entêta Agnès. Dis-toi ben que moi aussi, j'étais gênée en s'il vous plaît ! Au bout du compte, c'est Fulbert qui a réussi à me raisonner... Pis là, on dirait ben que c'est moi qui vas être obligée de le faire avec toi.

— Même pas, Agnès. Ne perds surtout pas ton temps avec ça ! Pour moi, c'est clair comme de l'eau de roche : je ne serai pas capable d'ouvrir la bouche devant lui... Je viens de le dire : je ne sais même pas de quoi on pourrait jaser, lui et moi ! À part peut-être lui reprocher d'avoir volé mes gages, ajouta Marion avec amertume.

— Ben là ! Si tu commences par lui lancer des bêtises par la tête, c'est sûr que ça ira pas ben...

Commence donc par lui dire bonjour, à la place ! On verra ben pour la suite ! Si jamais il te répondait, pis je vois pas pourquoi il le ferait pas, la balance devrait suivre tout seul...

— Facile à dire, ça !

— Ben non, voyons ! C'est ton frère ! Viens pas me faire accroire que t'as pas au moins un petit peu envie d'aller le voir ?

Depuis qu'elle avait reconnu Ovide, Marion éprouvait la sensation qu'un poids immense dans la poitrine l'empêchait presque de respirer. Néanmoins, Agnès n'avait pas tort.

— C'est certain que je suis quand même un peu curieuse, avoua-t-elle.

— Bon ! Enfin un peu de bon sens !

— Malgré tout, je ne me sens pas du tout à l'aise... Tu ne connais pas Ovide comme moi. Il n'est pas toujours facile, tu sais.

Néanmoins, tandis qu'elle discutait à voix basse avec Agnès, Marion sentit son regard glisser bien malgré elle jusque dans le restaurant. Là-bas, à la dernière table, Ovide semblait manger de bon appétit. Penché sur son assiette, il ne faisait pas du tout attention à ce qui se passait autour de lui. Mais curieusement, ce que Marion remarqua surtout, c'était le fait que son frère portait des vêtements qu'elle ne reconnaissait pas. Puis, il avait une carrure et des épaules de lutteur qui n'avaient rien à voir avec le souvenir qu'elle gardait de lui.

Se pourrait-il qu'elle se soit trompée et que ce jeune homme-là n'ait rien à voir avec son frère Ovide ?

L'indécision dura le temps d'une interrogation, et, tout doucement, Marion se mit à hocher la tête. Son instinct lui soufflait qu'elle avait raison et l'envie de parler à Ovide se fit plus intense. Après tout, Agnès n'avait pas tort en prétendant qu'elle n'avait qu'à marcher jusqu'au fond du restaurant pour lui dire bonjour. Ce qui s'ensuivrait n'appartenait qu'à Ovide.

Marion comprenait aussi que si elle lui en avait beaucoup voulu de s'être enfui, emportant ses gages, c'était du passé. Présentement, les liens familiaux se substituaient aux rancunes. Elle avait commencé par le détester, puis, le temps aidant, elle l'avait aussi admiré d'avoir eu le culot de se sauver loin des parents. L'ennui, les non-dits entre eux, les suppositions, et quelques rares, mais beaux moments reliés à l'enfance s'étaient occupés d'effacer lentement sa colère, comme le maître du village effaçait le tableau noir avant de passer à une autre matière.

Et les années avaient filé inexorablement.

En ce moment, Marion était partagée entre l'envie soudaine d'aller au-devant de son frère et la gêne tout aussi indomptable qui la paralysait.

La jeune fille poussa un long soupir, puis, elle redressa les épaules.

— Tu as raison, Agnès. Si je ne fais rien aujourd'hui, je vais le regretter jusqu'à la fin de mes jours.

— Me semblait aussi ! Tu m'as souvent dit que tu m'enviais d'avoir retrouvé mon frère.

— C'est vrai !

— Et voilà ! Que c'est que t'attends, d'abord ? Fonce, Marion ! Il peut rien arriver de dramatique, voyons donc ! Le pire que je peux voir, pour astheure, c'est qu'Ovide décide de pas te parler. C'est pas ben méchant, ça là !

— Tu as raison, répéta Marion, en soupirant une seconde fois. Je serais déçue, c'est certain, mais je finirais bien par m'y faire... Oui, je devrais au moins aller le saluer.

— Tu veux que je vienne avec toi ?

Cette fois-ci, Marion hésita à peine.

— Non... Merci quand même, mais je pense que ça vaut mieux que je sois toute seule. Avec Ovide, on ne sait jamais sur quel pied on va devoir danser. Des fois, il est d'excellente humeur et tout va comme sur des roulettes, mais certains jours, il est tellement arrogant qu'on en perd ses mots ! Tu peux tout de même entrer dans le casse-croûte avec moi, trouver une table et commander. Je vais aller te rejoindre rapidement. Avec mon frère, qu'il soit de bonne humeur ou pas, les discussions ne sont jamais très longues.

Sur ce, Marion poussa la porte.

Combien de fois avait-elle espéré ou imaginé l'instant présent ? La jeune fille ne saurait le dire, tellement son imagination fertile avait élaboré de scénarios possibles. Toutefois, jamais elle n'aurait pu concevoir que cette rencontre se passerait dans le casse-croûte aux patates frites, sur la rue Ontario, à Montréal.

Comme quoi la vie avait souvent quelques surprises en réserve...

À cette pensée, Marion esquissa un sourire, qu'elle laissa flotter inconsciemment sur ses lèvres jusqu'au moment où elle arriva à côté de la table où était installé son frère.

— Ovide ? C'est bien toi ?

Le jeune homme resta de marbre durant un moment, comme s'il n'avait rien entendu, et, sans se retourner, il prit une autre bouchée de son plat. Marion présuma alors qu'Ovide aussi devait se faire à l'idée qu'elle était là, et cette hypothèse lui fut réconfortante. En un sens, ils étaient tous les deux sur un pied d'égalité. S'il persistait dans son mutisme, elle tournerait les talons et n'espérerait plus rien de lui. Jamais.

Le silence s'étira au point où Marion allait partir quand le jeune homme leva lentement la tête et se tourna vers elle.

— Voyez donc qui c'est qui est là !

Si les mots étaient malhabiles, le ton, lui, était amène et Marion en fut soulagée, sans savoir, cependant, qu'Ovide aussi avait imaginé une rencontre entre eux, une rencontre qu'il estimait surtout comme étant improbable. Après tout, Montréal était une grande ville, et, aux dernières nouvelles, Marion n'y avait jamais mis les pieds.

Mais depuis ce jour de septembre où, sur un coup de tête, Ovide avait fui Villeneuve et sa famille, beaucoup d'eau avait coulé sous les ponts, n'est-ce pas ?, et bien des choses avaient pu évoluer.

Ovide détailla Marion durant un bref instant. Sa sœur avait beaucoup changé au fil des mois, et il la trouva jolie. Elle dégageait une sorte d'assurance tranquille qui lui plut aussitôt.

— Salut, fit-il sans plus de façon. Je m'attendais pas à te voir ici.

L'intonation était sensiblement la même que celle qu'il employait jadis pour se montrer gentil et Marion se sentit tout de suite en terrain familier. La réplique lui vint alors spontanément.

— Moi non plus, je ne m'attendais pas à te voir. Qu'est-ce que tu crois ? Mais ça fait quand même plaisir.

— Pareillement, bougonna Ovide. Pis ? Quoi de neuf ?

La question était plutôt vague. Alors, pour être bien certaine de ne pas se tromper, Marion demanda :

— Quoi de neuf pour moi ou pour la famille ?

Le visage d'Ovide se referma aussitôt.

— Bof ! La famille, pour moi, tu sais…

— Je sais oui, interrompit Marion, qui ne voulait surtout pas indisposer son frère. On a une drôle de famille, c'est le moins qu'on puisse dire.

À ces mots, Ovide se retint pour ne pas cracher dans son assiette. Les souvenirs qu'il gardait des parents Couturier n'étaient pas particulièrement heureux.

— T'es polie en disant ça, fit-il, avec une lueur sombre dans le regard.

— Peut-être, admit alors Marion. Il n'en reste pas moins que...

— Je t'arrête tusuite ! coupa vivement Ovide. J'ai vraiment pas envie que tu parles des parents.

— Je n'en parlerai pas, non plus, s'empressa d'acquiescer Marion, dont le cœur s'était remis à battre à toute allure. Pourquoi t'embêter avec ça, n'est-ce pas ? De toute façon, en deux ans, pas grand-chose n'a changé chez nous. Malheureusement. Ça ne vaut donc pas la peine de s'étendre sur le sujet, sinon pour t'annoncer que les enfants se portent bien. Quant à moi, tu dois bien te douter que j'ai passé un bon six mois avec la famille, le temps que la mère mène sa grossesse à terme. Rien de bien drôle là-dedans. Par chance, je suis retournée au manoir dès que notre petite sœur est née. Elle s'appelle Carmen.

Ovide eut alors un geste de l'épaule, laissant croire qu'il s'en fichait un peu, et Marion en profita pour changer de sujet de conversation.

— Et toi ? questionna-t-elle alors. Qu'est-ce que tu deviens ?

— Je travaille sur les quais. Une sorte d'homme à tout faire... Comme le père, ajouta-t-il, sans trop savoir pourquoi ces mots-là lui avaient échappé. Sauf que moi, je passe pas mon temps à me lamenter… Ça paye pas pire. La preuve, c'est que j'suis ici, à m'offrir un repas au restaurant. Je le fais tous les samedis midi. Pour le reste, il y a rien à raconter. J'espère juste que je finirai pas ma vie à Montréal.

— Ah non ? Pourtant, moi j'aimerais bien m'installer ici dans quelques années.

— Ah ouais ? Tu travailles pus pour les O'Gallagher ?

— Ce n'est pas ça que j'ai dit. Je vis toujours au manoir.

— Ben c'est quoi d'abord ? T'aimes pus ça, travailler dans une cuisine ?

— Pas du tout. J'aime toujours autant apprendre avec madame Éléonore. Et j'adore cuisiner ! Par contre, depuis que j'ai connu Montréal, j'avoue que ça me plairait beaucoup de travailler dans une grande ville.

— Eh ben… J'aurais pas pensé ça de toi… T'as changé, la sœur ! Je me rappelle que dans le temps, t'étais pas ben ben jasante. On aurait dit que tu rasais les murs quand t'étais chez nous.

— Pour ça aussi, j'ai changé. Pas encore assez à mon goût, mais ça s'en vient… Bon bien… Je vais te laisser finir ton repas. Ça m'a vraiment fait plaisir de te revoir, Ovide, mais Agnès m'attend, là-bas…

Marion allait faire demi-tour, puis elle se ravisa.

— Je... J'ai souvent pensé à toi, tu sais, ajouta-t-elle précipitamment. J'espérais que tu mangeais à ta faim, que tu avais trouvé un logement, que t'en arrachais pas trop, comme on dit...

— Pas trop, non. Ça a pas toujours été facile, c'est sûr, mais en bout de ligne, je m'en tire pas pire... Pis moi avec, j'ai pensé à toi, tu sauras.

Cette précision gentille, mais dite sur un ton bougon, fit sourire Marion.

— On pourrait peut-être s'écrire, non? proposa-t-elle spontanément.

À ces mots, le visage d'Ovide se durcit, au point où la jeune fille lui trouva une étrange ressemblance avec leur père, le grand Tonin.

— Me semble, ouais, qu'on va s'envoyer des lettres, cracha Ovide. Des plans pour que tu donnes mon adresse aux parents!

— Il n'en est pas question! rétorqua Marion, offusquée... Pour qui tu me prends?

— Je le sais-tu moi, ce que tu pourrais avoir envie de faire? Je me méfie, c'est toute. C'est la vie qui m'a appris à être de même.

Ces quelques mots furent suffisants.

— C'est beau, Ovide, je peux comprendre, accorda Marion. Personne ne l'a facile sous le toit d'Antonin et Josette Couturier. C'est pas moi qui vais essayer de te convaincre du contraire. Même Ludivine, qui n'a pas la langue dans sa poche, est en train de... Mais ce n'est pas ça l'important pour l'instant... Par contre, si je te disais que maintenant, je garde une partie de mes gages sans le dire aux parents, est-ce que ça serait suffisant pour que tu me fasses confiance ?

Un long regard silencieux unit alors le frère et la sœur. Puis Ovide esquissa un sourire moqueur.

— Tu fais ça, toi ?

— Parfaitement ! Comme le dit madame Éléonore, c'est une question de principe.

Le vague sourire d'Ovide s'élargit et éclaira tout son visage et la ressemblance avec leur père disparut. À son tour, Marion admit que son frère était devenu un bel homme.

— Je l'aime ben, moi, ta madame Éléonore ! lança alors le jeune homme.

— Et elle le mérite largement !

— Pis elle fait du sapré bon manger !

— À qui le dis-tu ! Tu ne peux pas t'imaginer à quel point je me suis ennuyée d'elle quand j'étais chez les parents... Alors, ma proposition ? On s'écrit ou pas ?

— On s'écrit... J'vas t'envoyer une première lettre au manoir, pis je te donnerai mon adresse dedans.

— Ça me convient. Toutefois, je ne pourrai pas te répondre tout de suite, parce qu'en ce moment, je suis à la maison de campagne. Jusqu'à la fin du mois d'août... Bon, là, c'est vrai, il faut que je rejoigne Agnès, sinon je vais manger des patates frites toutes froides... À bientôt, Ovide.

— Ouais, c'est ça, à bientôt.

Le jeune homme suivit Marion du regard, leva la main pour saluer Agnès, qui s'était tournée vers lui, puis il commanda un second café.

La journée ne se déroulait pas exactement comme il l'avait escompté, mais il dut reconnaître que c'était peut-être pour le mieux. Après son repas, il irait au cinéma, tel que prévu, et ce soir, quand il serait de retour à la pension, il déciderait s'il allait ou non écrire à Marion.

Après tout, maintenant qu'il savait que tout le monde se portait bien, était-il vraiment obligé de donner suite à sa promesse ?

Ovide hésitait encore.

Quand, du coin de l'œil, il aperçut les deux filles qui quittaient le restaurant, il s'empressa de lever le doigt pour demander l'addition, puis, il partit à son tour, sans tarder. Le programme double de l'après-midi, projeté au cinéma du quartier, commençait dans quelques minutes à peine. Ovide ne voulait surtout pas rater les informations internationales qui précédaient toujours les films.

Il traversa la rue en courant, leva le poing devant un automobiliste, qui freina brusquement en le klaxonnant, puis il sauta sur le trottoir et poursuivit sa route d'un pas rapide.

Ce qui se passait de par le vaste monde l'avait toujours intéressé, car le maître du village était un conteur magnifique. Athanase Chartrand leur avait parlé avec enthousiasme de guerres anciennes et d'inventions modernes ; de découvertes importantes et de pays nouveaux ; de peuples oubliés et de monuments historiques, comme s'il avait lui-même participé aux expéditions ou visité tous les recoins du monde.

Quand Ovide avait découvert le cinéma, qui lui avait confirmé certaines de ces histoires entendues à l'école, cela avait été une révélation pour lui.

Maintenant qu'il était un homme libre, il se disait que rien ni personne ne pourrait l'empêcher d'aller voir comment les choses se passaient ailleurs. Le temps d'économiser suffisamment d'argent, et il partirait.

Quand il se faufila dans la salle où l'on venait de fermer les lumières, Ovide avait déjà presque oublié sa rencontre avec Marion.

« Notre séjour à la maison de campagne tire à sa fin, mais cette année, ça ne me déçoit pas trop. Le mois d'août a été plutôt frisquet et je n'ai pu me baigner qu'une seule fois. Dire que je m'étais acheté un beau maillot tout neuf ! J'espère ne pas trop grandir pour qu'il me fasse encore l'an prochain… En fin de compte, je vais être contente de retrouver ma petite chambre sous les combles pour pouvoir écrire autant que j'en ai envie. Ici, comme je partage ma chambre avec madame Ruth, je ne me sens pas à l'aise. Puis, entendre quelqu'un ronfler dans la même pièce que moi me donne l'impression d'être de retour chez mes parents, et ça me rend de mauvaise humeur. Comme l'a déclaré monsieur Tremblay, l'autre matin : « Vivement le manoir ! » J'ai vraiment hâte de reprendre le train-train quotidien, c'est tout dire !

Mais ce qui me fait compter les jours avec impatience, c'est le retour de James. Monsieur Quincy et lui reviennent dans moins de deux semaines ! Je me demande bien s'il a donné suite à sa promesse de tenir un journal, comme je le fais moi-même depuis quelques mois. Bien sûr, comme je vais pouvoir le lire, le journal de James ne ressemblera pas à toutes ces pages où je raconte ma vie et mes pensées, mais j'ai très hâte de le voir quand même. Grâce à lui, je vais avoir la chance de découvrir l'Irlande et l'Angleterre à travers les photos que James a promis de prendre et les cartes postales qu'il a sûrement achetées. J'ai surtout très envie qu'il me parle de la vie sur un bateau, parce que ça m'intrigue toujours autant.

Aujourd'hui, c'est encore un peu le branle-bas de combat dans la cuisine parce que madame Éléonore et moi, nous sommes invitées à un grand repas de réjouissances au chalet de nos voisins, et notre trop gentille cuisinière est allée promettre à madame Félicité de préparer toutes sortes de plats pour nourrir la foule des invités qui devraient être là. « La fête de notre bonne Félicité, c'était rien à côté de ce qui s'en vient », nous a dit monsieur Irénée. « Cette fois-ci, c'est vrai que ça va prendre du manger pour une armée ! Maudit batince que j'ai hâte ! »

Ça me fait tout drôle d'écrire des gros mots comme ceux-là, mais ce sont exactement ceux que monsieur Irénée a employés quand il nous a invitées, l'autre dimanche. C'est à ce moment-là que madame Éléonore a proposé son aide pour le repas qui aura lieu sur l'heure du midi, ce à quoi le grand-père d'Agnès a répondu que ça ne serait pas de refus.

« C'est pas des farces, mais on va être proche vingt-cinq pour fêter le retour de Cyrille pis de sa petite famille ! C'est du monde en s'il vous plaît, ça là », comme l'a répété madame Félicité au moins trois fois !

Je suis tout à fait d'accord avec elle : cela fait beaucoup de personnes en même temps ! Même monsieur et madame O'Gallagher n'organisent pas de réception avec autant de gens. Je n'oublierai jamais le regard affolé que madame Éléonore a promené autour d'elle quand elle a entendu ce nombre-là, pour finalement regarder son amie droit dans les yeux et lui demander si quelqu'un avait envisagé la possibilité qu'il pleuve le jour prévu pour la réception. Avec l'été que l'on connaît, je considère que c'était une question tout à fait sensée. Mais la pluie ne semblait pas inquiéter monsieur Irénée, qui a haussé les épaules. « Je le sais que c'est petit, chez nous, qu'il a dit, mais c'est pas ça qui va nous arrêter. Si jamais le temps décidait de faire des siennes, ben on s'entassera, maudit batince ! Hein, Félicité, c'est ça qu'on va faire ? »

Et madame Félicité était d'accord avec lui. Alors, madame Éléonore a répété qu'on pourrait compter sur elle.

C'est pour ça que, depuis hier, notre cuisine a l'air d'un champ de bataille. Et les préparatifs ont rejoint tout le monde, même chez les O'Gallagher ! Quand mademoiselle Béatrice a su, par sa mère, que nous allions manger chez nos voisins et qu'elle a connu la raison de cette fête, paraîtrait-il qu'elle a porté les mains à son cœur, tout émue, en disant que c'était une trop belle histoire d'amour et qu'elle voulait faire sa part !

C'est Adam qui me l'a raconté, car il était dans le salon à ce moment-là, en train de préparer un feu, à cause de ce fichu été pluvieux et humide.

C'est vrai que c'est une belle histoire que celle du frère d'Agnès. Depuis que son grand-père a décidé d'aller faire un tour à son ancien village, on en a beaucoup jasé, Agnès et moi. Chaque fois qu'on s'est retrouvées durant l'été, elle en a parlé. Personne ne sait exactement ce que monsieur Irénée a pu dire à la mère de Judith, mais Agnès aurait entendu sa tante Félicité confier à sa mère Marie-Thérèse que Géraldine n'avait pas résisté longtemps. Il semblerait, du moins selon ce que monsieur Irénée aurait déclaré à son retour, que ça n'avait pas été une discussion trop difficile, parce que le fruit était mûr et qu'il n'avait eu qu'à le cueillir. Ce à quoi la mère d'Agnès aurait répondu qu'elle s'y attendait un peu. En fin de compte, c'est Jaquelin lui-même, le père d'Agnès, qui est allé chercher son fils à Québec, en compagnie de l'oncle Émile.

Finalement, ça s'est tellement bien arrangé, cette affaire-là, que Cyrille pis Judith vont s'installer à Sainte-Adèle-de-la-Merci à la fin du mois d'août, juste à temps pour que Cyrille puisse faire les récoltes avec le père de Judith.

Ça, c'est Agnès qui me l'a confié. Paraîtrait-il que son grand-père a même discuté avec le curé de leur paroisse pendant une grosse heure, pis qu'il y aurait ben des affaires qui se seraient réglées à ce moment-là. Je n'en sais pas plus. Mais toujours est-il que, pour l'instant, Cyrille et sa famille sont à Montréal, chez les parents d'Agnès, parce que la chambre de la tante Félicité était libre, vu qu'elle-même passe l'été à son chalet. Pendant ce temps-là, son oncle Anselme, le père de Judith, fait des modifications dans sa maison pour accueillir la petite famille dans le sens du monde. Agnès a très hâte que je voie ses deux petites nièces qui, à son avis, ont l'air de deux poupées. Elle a même ajouté qu'elles lui faisaient penser à sa poupée Rosette qu'elle a perdue dans l'incendie de leur première maison.

Agnès était tellement rayonnante quand elle m'a annoncé le retour de son frère que ça m'a rendue heureuse moi aussi, même si je ne connais pas Cyrille personnellement. Toutefois, quand j'y ai repensé, tandis que je me promenais sur le bord de l'eau, un peu plus tard, cette journée-là, j'ai vite compris que la famille d'Agnès et la mienne, même si elles ont certaines ressemblances, ne sont pas si pareilles que ça. Je dirais même qu'elles sont très éloignées l'une de l'autre… Chez nous, jamais Ovide ne serait accueilli par mes parents à bras ouverts, comme les parents d'Agnès l'ont fait. Jamais ! Il serait plus juste de croire que ce sont les reproches et les accusations qui l'attendraient. Sinon, une bonne taloche en arrière de la tête ou une claque en plein visage…

D'en prendre conscience bien lucidement m'a donné envie de pleurer.

Toutefois, si j'oublie mes parents et que j'arrête de faire des comparaisons, c'est vrai que l'histoire de Cyrille et Judith est comme une sorte de conte de fées. Mademoiselle Béatrice avait bien raison d'en être émue. Au point où elle a proposé à madame Éléonore de préparer des petits roulés au jambon. Elle prétend que c'est sa spécialité, même si elle ne cuisine habituellement jamais. Toutefois, je dois admettre que ses petites bouchées sont excellentes !

Quant à mademoiselle Tiffany, elle a fait du thé glacé, parce que c'est la seule chose qu'elle sait faire dans une cuisine, et encore ! Il faut que ce soit madame Éléonore qui dose la quantité des feuilles ! Malgré tout, il y en a trois gros pichets dans le réfrigérateur.

Et ce n'est pas tout !

C'est peut-être difficile à croire, mais monsieur Tremblay lui-même a mis la main à la pâte. Non, je devrais plutôt dire que notre majordome s'est imposé pour nous aider. Je ne sais pas ce qui se passe avec lui, mais depuis hier matin, j'ai l'impression qu'il a pris racine dans la cuisine de madame Éléonore. Il s'informe de tout, pose des tas de questions, passe toutes sortes de réflexions, chaparde des petits morceaux à droite et à gauche, pour vérifier la qualité, comme il dit. Puis au besoin, il rejoint la famille O'Gallagher pour son service, mais il revient presque aussitôt… À un moment donné, il a même exigé un tablier ! Il était drôle à regarder : plein de bonne volonté, mais tellement malhabile avec un couteau ! J'attendais juste l'instant où il allait finir par se couper. Heureusement, il ne s'est pas blessé. Ce qui me surprend le plus, dans tout cela, c'est de voir avec quelle patience d'ange madame Éléonore tolère sa présence à nos côtés. Mais peut-être qu'elle n'ose pas lui montrer la porte ! Après tout, il est un peu comme une sorte de patron pour elle aussi !

Tout cela pour dire que malgré toute cette aide qui, en fin de compte, n'a fait que nous retarder, madame Éléonore et moi, on en a eu plein les bras. Mais on a quand même réussi à tout préparer ce qu'elle avait noté sur une liste.

Présentement, il faut que je me dépêche ! J'ai déjà pris trop de temps pour t'écrire, cher journal, et je dois me changer, car nous devons partir bientôt. Nous avons promis d'arriver avec les victuailles bien avant tout le monde. Heureusement, Adam s'est engagé à tout transporter dans l'auto de monsieur O'Gallagher. Ce n'est pas mêlant, à voir la table chargée de nourriture et d'assiettes de service qu'on va prêter à madame Félicité, j'ai l'impression qu'on va déménager quasiment la moitié de notre cuisine chez nos voisins ! »

CHAPITRE 6

Le samedi 31 août 1929, au chalet de Félicité et d'Irénée, par une belle matinée ensoleillée

Adam avait dû faire trois voyages pour tout transporter, tellement il y avait de plats et de bols remplis de salades, de canapés, de viandes froides et de pâtés !

— Dommage que je ne sois pas invité moi aussi ! avait-il noté. Vous vous êtes vraiment donné beaucoup de trouble, madame Légaré. Mais je me demande... Où est-ce que vous allez mettre tout ça, en attendant le repas ?

Par chance, Félicité avait prévu le coup, et, par l'entremise de l'épicier de Pointe-aux-Trembles, elle avait demandé que le vendeur de glace passe par le chalet.

— On va être ben du monde pour le dîner, lui avait-elle expliqué. Pas sûre pantoute que le petit frigidaire électrique qu'Émile a tenu à m'offrir pour le chalet va être assez grand pour mettre toutes les provisions dedans. Mais dans la *shed*, au fond du jardin, je pourrais installer une couple de caisses en bois avec du bran de scie pour conserver de la glace, comme dans le temps, avec les glacières. Avec ça, j'ai dans l'idée qu'on devrait arriver à se débrouiller pas pire. Pensez-vous que le marchand de glace pourrait faire une exception, pis passer par chez nous, vendredi prochain ?

— Inquiétez-vous pas, ma p'tite dame, m'en vas toute vous arranger ça !

Ce qui fut fait. La journée s'annonçait donc parfaite. Le vent qui avait soufflé une bonne partie du mois d'août était miraculeusement tombé durant la nuit et le fleuve brillait comme un coffret rempli de bijoux précieux.

Une fois les denrées mises au froid, Éléonore, qui n'en était pas à une réception près, proposa d'installer une table de fortune sur la pelouse.

— Je vois que vous avez trouvé pas mal de chaises, mais pour ceux qui n'aiment pas manger debout ou tout bonnement assis sur une petite chaise droite, il me semble qu'on pourrait ajouter une table, juste là, sous le gros érable, suggéra la cuisinière.

— Mais j'ai pas ça, moi, une deuxième table ! s'affola Félicité.

— Deux ou trois tréteaux, quelques planches, et ça suffit, vous savez ! Plus un drap propre, qui peut facilement remplacer la nappe. Même au manoir, il nous arrive de monter des tables comme celle-là, quand on veut manger à l'extérieur.

— Ah ouais, au manoir, vous faites ça ? J'aurais pas cru. Mais pour la nappe, par exemple, j'y aurais pensé toute seule. On utilise souvent des draps, durant les réceptions du temps des fêtes, quand on se retrouve à court de linge propre... Laissez-moi voir à ça !

Félicité regarda autour d'elle, claqua la langue d'impatience, puis, mettant ses mains en porte-voix, elle cria :

— Irénée ?

Il n'y eut aucune réponse.

— Veux-tu ben me dire où c'est qu'il se cache, lui là ? se demanda-t-elle, en prenant Éléonore à témoin. Chaque fois que j'ai besoin de lui, on dirait qu'il fait exprès pour disparaître ! Pourtant, me semblait l'avoir vu t'à l'heure en train de fumer sur la plage.

Se fiant à sa mémoire qui n'avait jamais de ratés, la vieille dame se tourna vers le fleuve, et elle répéta d'une voix forte :

— Irénée ?

— J'suis là, cria le vieil homme depuis la maison.

— Ben voyons donc ? Que c'est qu'il fait en dedans ? Je l'ai jamais vu passer ! marmonna la vieille dame à l'instant où Irénée entrouvrit la porte et glissa une tête hirsute surmontant des épaules frêles sous une camisole à demi attachée. À la main, il tenait un blaireau savonneux.

— Désolé, les femmes, si vous me voyez en p'tit corps, mais j'suis en train de raser mes joues, pis de tailler ma barbe, expliqua-t-il. Que c'est que vous avez à vous époumoner comme ça, Félicité ?

— On aurait-tu ça, nous autres, des tréteaux ?

— Nous autres non, mais Napoléon, oui. Il s'en sert pour faire sécher son poisson... Pourquoi vous voulez savoir ça ?

— Pour improviser une table dehors.

— Batince de bonne idée, ça là ! M'en vas appeler Napoléon tusuite ! C'est plaisant en sacrifice d'avoir fait installer le téléphone hein, Félicité ?

Le ton était narquois parce qu'Irénée avait dû beaucoup insister pour que son amie obtempère à sa demande, car elle prétendait venir en campagne pour se reposer des bruits de la ville, et, malgré sa grande utilité, le téléphone en faisait partie, selon ses dires.

Mais alors qu'il allait refermer la porte, le vieil homme ressortit la tête et demanda :

— Pensez-vous qu'on pourrait l'inviter en même temps ?

— Qui ça ? Napoléon ?

— Non, le pape ! Sacrifice, Félicité, vous en avez des questions, vous là, à matin !

— Je voulais juste vous faire étriver ! ricana la vieille tante, qui avait le cœur tout léger à l'idée que toute la famille allait enfin être réunie. C'est fou comme vous prenez vite le mors aux dents, mon pauvre Irénée, pis chaque fois, ça me réjouit le cœur de vous tirer la pipe... Quant à Napoléon, pourquoi pas ? Plus on est de fous, plus on rit. De toute façon, il y a pas d'inquiétude à avoir ! Avec la quantité de nourriture qu'Éléonore nous a apportée, plus ce que j'ai faite, pis ce que Lauréanne doit nous amener de la ville, on va en avoir en masse !

— Si c'est de même, je m'en vas l'appeler !

À midi, la plupart des invités étaient arrivés. Il n'en manquait que quelques-uns, dont ceux qui habitaient Sainte-Adèle-de-la-Merci.

— Mais ils devraient pas tarder ! expliqua Marie-Thérèse à Éléonore, tandis que les deux femmes mettaient la dernière main à la table du buffet. Mon frère Anselme m'a dit, pas plus tard qu'hier soir, qu'il avait réservé deux taxis pour la journée : un pour lui pis sa famille, pis un autre pour nos parents, qui viennent avec mon frère Ovila. Ils auraient pas voulu rater cette fête-là pour tout l'or du monde ! Il y a ben juste ma sœur Henriette qui sera pas là. Mais c'est pas faute d'avoir essayé de trouver quelqu'un pour rester avec sa belle-mère, par exemple ! Faut croire que la chance était pas de son bord, parce que tous ceux qui auraient été en mesure de l'aider étaient occupés, pis la pauvre vieille est pus tellement en âge de voyager ni de rester toute seule… Par contre, comme Henriette m'a dit, elle va se reprendre quand Cyrille va être arrivé au village, pis elle va l'inviter à souper avec sa famille. Laissez-moi vous dire que ma sœur avec a ben hâte de revoir les deux jeunes, pis de connaître leurs petites filles, comme de raison !

Les deux poings sur les hanches, Éléonore vérifiait la table une dernière fois, tout en écoutant Marie-Thérèse.

— Je vous avoue que ça m'impressionne, une belle grande famille comme la vôtre ! s'exclama la cuisinière en se tournant enfin vers elle. Chez moi, depuis le décès de ma mère, les rencontres entre nous se font plutôt rares. C'est comme si maman avait été la force vive qui tenait la famille soudée... Puis, mon frère a choisi de vivre en France après la guerre. Cette décision-là a changé bien des choses. Oh ! On s'écrit de temps en temps, et je sais fort bien que je peux compter sur le soutien de mes sœurs au besoin, tout comme je parle régulièrement à mon papa au téléphone, mais ce n'est plus vraiment pareil... Tout cela pour vous dire, madame Lafrance, que je vous envie ! J'aurais bien aimé avoir des enfants, moi aussi !

— C'est vrai qu'on est chanceux, Jaquelin pis moi ! C'est vrai aussi qu'on s'est toujours épaulés, dans la famille, pis qu'on aime ben se retrouver entre nous... Il y a peut-être eu un froid entre mon frère pis mon mari, quand les deux jeunes sont partis pour Québec, à la fine épouvante, sans prévenir personne, pis je serais malhonnête de prétendre le contraire. Mais j'ai toujours su au fond de moi que ça pourrait pas durer... La preuve, c'est qu'on se reparle comme avant, pis que dans quelques instants, on va être tous réunis. Chez les Gagnon, la rancune, on connaît pas ça !

À son tour, Marie-Thérèse jeta un coup d'œil avisé à la table que les hommes avaient poussée le long du mur pour libérer un maximum d'espace dans la pièce. Les assiettes bien garnies n'attendaient que la gourmandise des convives.

— On dirait ben que tout est prêt ! fit remarquer Marie-Thérèse. Le temps qu'Agnès, Émile et les gens du village arrivent, pis on va enfin pouvoir inviter le monde à venir se servir. J'ai faim ! C'est un peu fou, mais le bonheur, ça m'a toujours creusé l'appétit ! En plus, tout a l'air tellement bon !

— En effet, approuva Éléonore. Une table comme celle-là, c'est très alléchant. Avez-vous remarqué, tout à l'heure ? C'est monsieur Irénée qui avait l'air content de voir autant de bonnes choses. Il avait tellement peur d'en manquer, le pauvre homme !

— Pas de danger qu'on se retrouve à sec ! J'en reviens pas de voir autant de belles assiettes ! Tout le monde s'est vraiment dépassé. Je vous remercie beaucoup, madame Éléonore. Si on a autant de manger, c'est en grande partie grâce à vous…

— C'est tout à fait normal de s'entraider.

— Je vois qu'on pense pareil, vous pis moi… Maintenant, vous allez m'excuser, mais j'vas retourner dehors. Depuis que Cyrille est revenu chez nous, j'ai l'impression que j'ai ben du temps, pis des jasettes à rattraper…

— Si vous saviez à quel point je vous comprends ! acquiesça aussitôt la cuisinière. De mon côté, c'est

Marion qui m'a manqué durant six longs mois ! Alors, ce n'est pas moi qui vais vous retenir, Marie-Thérèse. Allez rejoindre les vôtres !

La mère de Cyrille retira donc son tablier et l'accrocha au clou près du comptoir, puis elle se dirigea vers la porte. Cependant, alors qu'elle s'apprêtait à en franchir le seuil, elle s'arrêta brusquement.

— Vous savez, dans toute cette histoire-là, ce qui m'a le plus touchée, c'est d'apprendre que Cyrille pis Judith avaient eu l'idée de faire baptiser leur fille aînée du prénom d'Albertine. Exactement comme la petite fille que Jaquelin pis moi, on a perdue, il y a quelques années. C'est à des délicatesses comme celle-là qu'on voit que le monde nous aime. Comment voulez-vous, après ça, qu'on puisse entretenir la moindre rancune ? Malgré tout ce qui a pu arriver, malgré les chicanes, la peine, pis les inquiétudes qu'ils ont suscitées, nos enfants, dans le fond, c'est des bonnes personnes, pis j'ai aucun doute que le Bon Dieu est avec eux autres. L'avenir saura ben nous le prouver !

Sur ces mots remplis d'espoir, Marie-Thérèse sortit de la maison et referma tout doucement la porte derrière elle.

Un fin silence se glissa dans la cuisine, soutenu uniquement par les voix joyeuses qui s'interpelaient à l'extérieur. Puis, madame Éléonore toussota pour attirer l'attention de Marion, qui, postée à la fenêtre, attendait l'arrivée d'Agnès.

— Maintenant, ma belle, tu vas me donner ton tablier, ordonna-t-elle gentiment.

— Mais pourquoi ? Vous ne voulez pas que je vous aide, madame Éléonore ?

— M'aider à quoi ? Tout est prêt ! Puis nous sommes suffisamment nombreuses pour voir au service et regarnir les assiettes au besoin. Allez, donne-moi ce tablier, jeune fille, et profite de la journée ! Je te déclare en congé à partir de tout de suite ! Change de fenêtre et regarde plutôt vers le bord de l'eau. Non seulement le paysage est-il plus joli, mais tu vas voir que tous les jeunes y sont. On dirait qu'ils font une partie à qui lancerait son galet le plus loin possible en le faisant rebondir sur l'eau. Pourquoi n'irais-tu pas les rejoindre ?

— Parce que ce n'est plus tout à fait de mon âge de lancer des roches sur l'eau. Puis ça m'intimide de m'imposer comme ça, répondit Marion, sans bouger d'un pas… Vous devriez le savoir, madame Éléonore : quand je me retrouve avec des inconnus, je suis toujours un peu gênée. Puisque Agnès n'est pas encore là et que je ne connais pas beaucoup ses frères, je vais donc l'attendre avant de rejoindre les autres.

— Ah bon…

Madame Légaré fit mine de chercher dans ses souvenirs.

— Ce n'est pas toi qui me parlais d'un certain Benjamin ? demanda-t-elle, sur un ton songeur. J'avais cru comprendre que tu le trouvais bien gentil.

— Mais ça fait deux ans de ça ! s'exclama Marion, tout en se tournant enfin vers Éléonore. L'an dernier, je ne l'ai pas vu de l'été parce qu'il travaillait beaucoup à l'épicerie de ses parents. Je ne sais même pas si je le reconnaîtrais.

— Je dirais que oui, car si ma mémoire est bonne, il a les mêmes cheveux roux que monsieur James ! Une tête comme celle-là, on ne peut pas l'oublier !

— Vous croyez ? Pourtant, voyez-vous, moi, je ne m'en souviens pas… Je peux bien ôter mon tablier, si ça vous fait plaisir, et ne rien faire du tout durant l'après-midi, je n'irai surtout pas m'en plaindre ! Mais je préfère attendre Agnès à l'intérieur.

— Et moi, je te dis : ouste ! Agnès saura bien te retrouver où que tu sois.

À ces mots, Marion poussa un long soupir.

— Doux Jésus, Marion ! Profite donc de l'occasion et va t'éventer les esprits, ça va te faire du bien !

Quand madame Éléonore prenait ce ton autoritaire, Marion n'avait plus qu'à lui obéir. Faisant contre mauvaise fortune bon cœur, elle retira son tablier et le lui tendit. Puis, sans rien ajouter, elle sortit de la maison. Avait-elle le choix ? Toutefois, elle le fit par la porte d'en avant.

Il n'était pas dit qu'elle irait rejoindre tous ces jeunes gens bruyants sans au moins avoir Agnès à ses côtés !

Boudeuse, Marion s'installa sur la première marche du perron, bien déterminée à rester là aussi longtemps qu'il le faudrait. Calant son menton dans la paume de ses mains, elle tourna les yeux vers la route principale.

Tel qu'annoncé par Marie-Thérèse, la parenté venue de Sainte-Adèle-de-la-Merci arriva dans les minutes suivantes. Heureusement pour Marion, la tante Félicité, qui était aux aguets, aperçut rapidement les deux grosses berlines noires et ce fut elle qui vint accueillir les invités. C'est à ce moment-là qu'elle vit Marion.

— Coudonc, ma belle ! Que c'est tu fais là, assise dans les marches ?

— J'attends Agnès.

— C'est bien que trop vrai, Émile pis elle sont toujours pas arrivés, constata la vieille dame. Mais ça devrait plus tarder. À moins que l'auto d'Émile aye eu une avarie de moteur… Si c'est trop long, Marion, t'auras juste à venir nous retrouver en arrière.

— Oui, promis !

Sur un dernier sourire, la tante Félicité alla donc au-devant d'Anselme et de Géraldine, qui venaient de sortir de l'auto, suivis par une jeune femme qui ressemblait vaguement à Judith, la femme de Cyrille. Probablement sa sœur. La jeune fille s'élança tout de suite vers l'arrière de la maison, tandis qu'Anselme, après avoir salué sa tante, se dirigea vers la seconde auto. Quant à celle qu'elle croyait être Géraldine, elle s'approcha de madame Félicité.

— Matante ! Ben contente de vous voir.

À sa manière, Géraldine venait de faire comprendre que pour elle, la rancune et les indécisions étaient chose du passé. Félicité, qui la connaissait bien, le comprit aisément à ces simples mots.

— Moi pareillement, Géraldine, moi pareillement… Ça fait juste trop longtemps qu'on a pas eu l'occasion de se jaser.

— C'est ce que je me dis… Mais avant d'aller rejoindre les autres, j'aimerais savoir… Comment c'est que ma petite Judith a l'air d'aller ? Elle doit ben m'en vouloir sans bon sens, non ?

— Si c'est le cas, elle en a rien dit… Mais coudonc, Géraldine, viens pas me faire accroire que tu lui as même pas parlé dans le téléphone ?

À ces mots, Géraldine se mit à rougir violemment.

— Ben non, matante, avoua-t-elle dans un filet de voix. Je me suis défilée à chaque fois que ma fille a appelé à la maison, pis c'est son père qui lui parlait. J'avais pour mon dire que les retrouvailles seraient plus faciles en personne. Mais à matin, j'en suis pus aussi certaine.

— Ben suis-moi ! M'en vas te régler ça, vite fait ! J'ai été à même de constater que ta fille est une vraie bonne mère. Tu vas passer par ses deux filles pour rejoindre Judith. C'est sûr qu'elle aura rien de plus à faire que de t'ouvrir les bras.

Témoin de cette discussion, Marion se sentait un peu mal à l'aise. Elle détourna les yeux pour les fixer sur l'autre taxi, où Anselme aidait un vieil homme et une dame aux cheveux tout blancs à sortir. À voir leur grand âge, Marion en déduisit qu'il devait s'agir des grands-parents d'Agnès. Un autre homme les accompagnait.

Marion retint un soupir.

La famille était si grande qu'elle s'y perdait, malgré les repères qu'Agnès avait tenté de lui donner.

À peine le temps de s'embrasser, de voir les taxis faire demi-tour, et tout ce beau monde partait en direction du bord de l'eau, Félicité en tête, avec un bras passé sous celui de Géraldine.

— Vous allez voir comment c'est beau le fleuve, vu à partir de chez nous ! lança la vieille dame, montrant l'horizon d'un large mouvement du bras, visiblement très fière de ce petit coin de terre qui lui appartenait.

Le groupe disparut au coin de la maison, puis le silence revint.

Cette fois-ci, cependant, l'attente fut très brève. À peine quelques instants, et Marion vit l'auto de l'oncle Émile qui approchait rapidement, laissant derrière elle un nuage de poussière brunâtre. Puis, Émile tourna sur le petit chemin de gravelle et il arrêta sa voiture pile devant la jeune fille. Sans attendre, Marion bondit sur ses pieds et commença à descendre l'escalier en sautillant quand elle s'arrêta soudainement sur la dernière marche.

Agnès et son oncle n'étaient pas seuls dans l'auto.

Mais qui donc accompagnait son amie ?

Marion fronça les sourcils.

En effet, en même temps qu'Agnès sortait du véhicule par la portière avant, celle d'en arrière s'ouvrit et un jeune homme qu'elle ne connaissait pas sortit de l'auto. Bien vêtu, plutôt beau garçon, il tendit galamment la main pour aider Agnès à le rejoindre sur le gravier de l'entrée. À peine redressée, la jeune fille dégagea sa main pour faire signe à son amie de s'approcher.

— Viens, il faut que je te présente Fulbert ! lança-t-elle joyeusement. Depuis le temps que je t'en parle… C'est un peu à cause de lui si on est arrivés en retard, mononcle pis moi. Imagine-toi donc que…

Agnès expliqua alors que le docteur Morissette, le père de Fulbert, avait eu une urgence importante à l'hôpital, privant ainsi son fils de l'automobile familiale.

— Ça fait qu'il a ben fallu aller le chercher dans le nord de la ville. Il était pas question d'avoir une réunion de famille autour de Cyrille sans qu'il soye là ! On a ben essayé de vous appeler, mais personne a répondu.

Tout en écoutant les explications d'Agnès, Marion esquissa un sourire qui alla en s'élargissant.

C'était donc lui, l'ami de Cyrille ? Comment ne pas être contente de le rencontrer puisque c'était grâce à lui si les retrouvailles avaient été rendues possibles ?

Et pourquoi, grands dieux, Agnès ne lui avait-elle pas dit qu'il paraissait aussi bien ?

— J'ai beaucoup entendu parler de vous ! fit-elle tout simplement, en guise de salutation, alors qu'elle s'approchait de lui.

— Ah oui ? En bien, j'espère, déclara alors Fulbert en décochant un clin d'œil malicieux à Marion.

Quiconque ne connaissait pas le jeune homme avait là tout ce qu'il fallait pour se sentir mal à l'aise ! Surtout une Marion Couturier plutôt réservée devant les inconnus.

Badin et nonchalant, Fulbert fixait intensément Marion, qui se sentit rougir jusqu'à la racine des cheveux.

– C'est sûr qu'Agnès parle de vous en bien, bafouilla-t-elle. Pourquoi vous dites ça ? Pis elle vous apprécie beaucoup, je pense. Après tout, c'est grâce à vous si on est tous ici aujourd'hui.

— En partie, c'est vrai ! admit Fulbert, flatté que la jeune fille reconnaisse les faits. Vous avez raison, j'y suis pour quelque chose. Et comme nous sommes pour passer tout l'après-midi de cette journée mémorable ensemble, je me présente dans les règles : Fulbert Morissette, fils de médecin, et futur médecin lui-même.

Et en plus, il allait être médecin !

Aux yeux de Marion, le charme du jeune homme allait croissant, même si, selon son habitude, Fulbert parlait fort et prenait beaucoup de place. Mais que voulez-vous ? C'était dans sa nature d'agir ainsi, sans s'imaginer un seul instant que cela pouvait intimider les gens autour de lui. Agnès n'eut même pas le temps d'intervenir que Fulbert saluait Émile, qui se dirigeait vers la maison tout en poursuivant son monologue, alors qu'il observait Marion toujours aussi intensément.

— Et moi, à qui ai-je l'honneur de parler ?

— Tu parles à Marion, lança enfin Agnès, agacée. C'est elle l'amie qui habite dans un manoir. Tu devais bien t'en douter, non ?

— Peut-être oui, concéda-t-il en jetant un bref regard à Agnès.

Le ton était moqueur.

Puis, Fulbert reporta les yeux sur Marion, un large sourire éclairant son visage.

— Alors, c'est toi, la fameuse Marion ! Bien heureux de faire ta connaissance.

Et, sans plus de cérémonie, le jeune homme prit une main de la jeune fille et la secoua avec énergie.

— Oui, je suis très content de te rencontrer, affirma-t-il avec cette assurance qui le caractérisait si bien. Moi aussi, j'ai entendu parler de toi... Du moins, quand j'ai la chance de croiser Agnès, fit-il sur un ton de reproche amical destiné à cette dernière.

Agnès leva les yeux au ciel, découragée. Depuis le retour de Cyrille, elle avait fini par reconnaître que les assiduités de Fulbert ne concernaient pas uniquement son frère, et elle ne savait trop ce qu'elle devait en penser.

À des lieues de cette réflexion, et toujours guidé par ce besoin irrépressible de faire bonne impression, le jeune homme continuait de sourire à Marion.

— Et maintenant, peux-tu me dire où est Cyrille ? demanda-t-il. Il me tarde de lui parler ! Depuis qu'il est arrivé à Montréal, c'est à peine si on s'est vus, lui et moi !

Ce fut à ce moment-là qu'Agnès prit les choses en mains.

— Si c'est comme ça, suis-moi, Fulbert, ordonna-t-elle avec autorité. Je me doute un peu que tous les jeunes doivent être sur la plage.

— Et tu crois que Cyrille considère qu'il fait toujours partie des jeunes ?

— Je sais surtout que ça lui a beaucoup manqué, précisa Agnès d'un ton à la fois très doux, mais décidé, tout en soutenant le regard de Fulbert. Il me l'a dit.

La réplique n'appelait aucune réponse et, se laissant guider par Agnès qui lui avait pris la main, Fulbert la suivit sans riposter.

Machinalement, Marion leur emboîta le pas.

Le trio de jeunes gens arriva sur le bord de la grève au moment où le grand-père Gagnon levait la main pour demander le silence.

— Un moment, tout le monde !

Assise à l'ombre d'un grand peuplier, Judith leva les yeux vers son grand-père. La petite Léonie, intimidée par tous ces gens qu'elle voyait pour une première fois, était pendue à son cou, tandis qu'Albertine était sur les genoux de sa grand-maman Géraldine. Si les retrouvailles entre la mère et la fille s'étaient faites sans heurt, il n'en restait pas moins que les deux femmes n'en étaient pas encore aux grandes effusions. Il faudrait du temps pour guérir toutes les plaies, elles en étaient conscientes toutes les deux. Marie-Thérèse, qui avait la chance de vivre avec son fils et sa belle-fille depuis plusieurs jours déjà, s'était discrètement éclipsée, laissant ainsi toute la place à sa belle-sœur.

Quand, dans un silence approximatif, la foule des invités se fut rassemblée autour de Victor Gagnon et de son épouse Lucienne, le vieil homme prit un moment pour scruter tous les visages. Il s'attarda un moment de plus sur ceux de ses propres enfants, Marie-Thérèse et Anselme, et il leur fit un sourire chaleureux. S'il ne s'était jamais immiscé dans leur bouderie, Victor en avait tout de même souffert. Il avait beaucoup prié et aujourd'hui, sa famille était à nouveau réunie. Il faisait confiance au temps et aux bonnes volontés pour que ce malheureux épisode dans leur vie à tous ne soit bientôt qu'un mauvais souvenir.

Puis, Victor fit signe à Irénée de venir le rejoindre.

— Ta place est ici, à côté de moi, expliqua-t-il en regardant son vieil ami droit dans les yeux, tandis que celui-ci s'approchait. On se connaît depuis ben des années, pis même si on a pas toujours été d'accord sur toute, j'ai toujours eu de l'estime pour toi. Mais une affaire pour laquelle on a jamais eu à discuter ben ben longtemps, c'est sur le fait qu'on devait présenter nos deux enfants l'un à l'autre. Ouais… On se disait que malgré leur différence d'âge, ton Jaquelin pis ma Marie-Thérèse étaient faits pour aller ensemble, pis on s'était pas trompés. Depuis, nos deux familles en forment seulement une. Pis deux fois plutôt qu'une, astheure que Cyrille pis Judith ont choisi de faire leur vie ensemble.

À ces mots, Judith et Cyrille, qui se tenaient côte à côte, échangèrent un long regard amoureux, puis ils reportèrent les yeux sur leurs grands-pères.

— Je peux-tu vous dire, les jeunes, que j'ai espéré de tout mon cœur qu'une journée comme celle d'aujourd'hui arrive ? C'est pas disable le nombre de fois où Lucienne pis moi, on a rajouté ça à notre prière du soir… Faut croire que j'suis pas trop mécréant, parce que le Bon Dieu nous a écoutés. Pis en plusse, Il a faite d'Irénée, Lucienne pis moi des arrière-grands-parents. Ça, c'est comme qui dirait, tout un privilège dans une vie… Ouais, tout un privilège… Ça fait que je pense pouvoir me faire le porte-parole de tout le monde pour vous dire qu'on est toutes ben contents de vous voir icitte, avec nous autres… C'est ça que j'avais à vous dire. Pis toi, Irénée, demanda alors Victor en se tournant vers son ami, t'aurais-tu quelque chose à rajouter ?

— Maudit batince, Victor ! Que c'est tu veux que je dise de plus ? T'as ben parlé en sacrifice... Mieux que je l'aurais faite... Astheure, moi, il me reste juste à vous inviter à aller vous servir. Les femmes ont travaillé ben gros, pis il y a du manger en masse ! Gênez-vous pas pour ben remplir vos assiettes.

Comme s'ils n'attendaient que ce signal, les invités s'égaillèrent sur la pelouse, certains se précipitant tout de suite vers la maison.

Émue aux larmes, Marion s'était tenue à l'écart, un peu plus loin sur la plage, le parallèle entre sa famille et celle d'Agnès s'estompant petit à petit. En effet, si en apparence les Couturier et les Lafrance se ressemblaient, il n'en demeurait pas moins que jamais Ovide ne serait accueilli à bras ouverts comme Cyrille l'avait été.

Instinctivement, Marion chercha madame Éléonore du regard. Discrète, la cuisinière était restée sur la galerie du chalet, mais, de toute évidence, elle était aussi très émue. Quand Irénée convia les invités à aller se servir, elle écrasa une larme avec le coin de son tablier et elle entra précipitamment dans la cuisine. Marion échappa un soupir, elle reporta les yeux sur le fleuve et, tout doucement, elle se laissa porter par la bonne humeur générale.

Au final, pour la jeune protégée de madame Éléonore, une fois sa tristesse apaisée, la journée fut en tous points mémorable.

D'abord, c'était bien la première fois de sa vie qu'elle se trouvait dans un bain de foule comme celui-là, entourée de jeunes de son âge qui, pour l'instant, semblaient n'avoir comme but dans l'existence que l'envie de s'amuser.

Puis, il y avait Fulbert !

Pourtant, dans un premier temps, la jeune fille s'était contentée d'observer.

— Va rejoindre tes cousines, Agnès, avait-elle proposé à son amie, quand elles étaient arrivées sur la plage, juste avant que Victor Gagnon ne prenne la parole.

— Ben voyons donc ! Tu viens avec moi, j'espère ! Tu vas voir, Judith pis sa sœur sont vraiment gentilles.

— Je n'en doute pas une seule seconde.

— Pourquoi tu donnes l'impression de pas avoir le goût de venir avec moi, d'abord ? Serais-tu gênée ?

— Pas du tout ! avait effrontément menti Marion, qui n'avait pas l'intention de discuter de ses états d'âme. J'irai tantôt, promis ! Pour l'instant, j'ai plutôt envie de me reposer… N'oublie pas que je travaille tout le temps, avait-elle improvisé. Avoir du temps à ne rien faire, c'est comme un cadeau pour moi.

— Ouais… Je peux peut-être comprendre ça. Moi avec, ça m'arrive d'avoir envie de rien faire… Dans ce cas-là, j'vas saluer mes cousines que j'ai pas eu l'occasion de voir souvent, ces dernières années, pis je reviens.

— Prends tout ton temps. Je reste ici.

Ce que Marion n'avait osé ajouter, cependant, c'est qu'elle voulait suivre Fulbert des yeux en toute tranquillité, et elle s'empressa de le faire dès que le discours fut terminé.

Présentement, le jeune homme discutait avec Cyrille un peu plus loin sur la plage, et l'éclat de leurs rires la faisait sourire. Marion n'en revenait toujours pas qu'Agnès ne lui ait jamais dit à quel point l'ami de son frère était un bel homme...

Ne l'avait-elle pas remarqué ?

Non, c'était impossible ! Aucune fille sensée ne pouvait passer à côté de Fulbert Morissette sans avoir envie de se retourner.

En un mot, Marion était sous le charme.

En fin de compte, ça avait été Benjamin qui avait interrompu sa rêverie.

— Eh, Marion ! Content de te voir ! Tu dois ben te souvenir de moi, non ?

La jeune fille ne l'avait pas vu arriver, alors elle avait sursauté, puis, agacée, elle s'était retournée.

Les quelques mots prononcés un peu plus tôt par madame Éléonore lui étaient alors revenus à l'esprit et Marion avait échappé un sourire. Effectivement, la cuisinière avait bonne mémoire : Benjamin rivalisait avec James quant à la couleur de ses cheveux. Sous le soleil, ils avaient l'air de briller comme de l'or !

— Bien sûr que je me souviens de toi, avait-elle répondu gentiment, oubliant momentanément Fulbert et son sourire ensorceleur.

— Me semblait aussi.

Puis, pour être polie, et faisant de gros efforts pour ne pas détourner les yeux en direction de Fulbert, dont elle entendait la voix en sourdine, Marion avait ajouté :

— Alors, que deviens-tu ? Ça fait quand même longtemps qu'on ne s'est pas parlé.

— Deux ans ! Ça fait deux ans qu'on s'est rencontrés, toi pis moi. Justement ici, sur la plage de mon grand-père. On avait parlé de nos familles pis ensuite, on avait chanté sur le bord du feu de camp.

— Tu as une excellente mémoire ! Moi, j'avais oublié ces détails-là.

— C'est pas ben grave ! Pis pour répondre à ta question, je dirais que dans ma vie, il y a pas grand-chose de changé : j'aime toujours autant le travail à l'épicerie de mes parents, pis j'espère ben prendre la relève un jour.

Sur ce, Benjamin s'était laissé tomber dans l'herbe aux côtés de Marion, sans pour autant cesser de discourir.

— Par contre, pour dire vrai, moi, j'arrêterais l'école tusuite pour travailler à temps plein, mais mon père veut pas. Il prétend que si je suivais un cours en comptabilité, ça serait ben utile pour tout le monde, rapport que lui, il est trop vieux pour retourner étudier. Paraîtrait-il que tenir les livres d'une épicerie, c'est pas mal plus compliqué que tenir ceux d'une cordonnerie. Comme mon père connaît les deux, il doit ben savoir de quoi il parle, hein ? Ça fait que je travaille fort à l'école pour avoir des bonnes notes, pis avec un peu de chance, je devrais pouvoir entrer à l'École des hautes études commerciales dans deux ans.

— À l'école de quoi ? avait demandé Marion, pour qui parler d'études avait toujours eu un intérêt certain.

— L'École des hautes études commerciales, avait répété Benjamin. C'est comme une sorte d'université pour apprendre le monde des affaires.

— Ah oui ? Ça existe, une école pour apprendre à brasser des affaires ?

— C'est sûr. Il y en a même plus qu'une à Montréal. Mais la plus importante, selon mon père, c'est celle dont je viens de te parler.

— C'est James qui devrait être content d'apprendre ça.

— C'est qui, lui ?

— James ? C'est le fils de mon patron, monsieur O'Gallagher, mais c'est aussi mon ami... Toujours est-il que lui, tout comme toi, devrait travailler dans le monde des affaires, plus tard. Du moins, c'est ce que son père voudrait qu'il fasse.

— Pis ?

— Pis quoi ?

— Ben, t'as dit « voudrait » en parlant du père de ton ami, avait noté Benjamin, qui avait l'esprit vif et le sens de la déduction bien aiguisé. Dans ma pensée à moi, quand on emploie le conditionnel, ça veut dire que c'est pas certain, non ?

— En un sens, oui, tu n'as pas tort. En fait, ça veut tout simplement dire que James, lui, préférerait devenir un ingénieur pour construire des ponts, avait alors précisé Marion, impressionnée par la répartie de Benjamin. Mais avant de partir pour son voyage en Europe, il n'en avait toujours pas parlé avec son père.

— C'est ben drôle, ça ! Pourquoi il agit comme ça, ton ami James ? Me semble qu'une affaire importante comme notre avenir, c'est d'abord et avant tout avec nos parents qu'on en discute, non ?

— J'aurais tendance à dire comme toi, c'est vrai, avait spontanément approuvé Marion, pensant alors à madame Éléonore, avec qui elle avait d'interminables discussions sur le sujet.

Toutefois, quand l'image de ses parents s'était imposée à elle, la jeune fille s'était aussitôt rembrunie.

— Mais ça dépend peut-être des familles, avait-elle alors ajouté, tout en restant vague. Tout le monde ne pense pas et n'agit pas de la même manière.

— Tant qu'à ça, t'as ben raison…

À la suite de ces quelques mots, Benjamin s'était longuement étiré, avant d'offrir le plus franc des sourires à Marion. Un sourire qui n'avait rien à envier à celui de Fulbert, mais Marion ne l'avait pas vu.

— Pis ? avait joyeusement lancé Benjamin. Ça te tente-tu de venir avec moi ? J'étais en train de monter vers la maison pour me servir une assiette quand je t'ai vue.

Comme Marion venait d'apercevoir Fulbert du coin de l'œil et qu'il montait lui aussi vers le chalet, elle avait accepté d'emblée.

— Pourquoi pas ? C'est vrai que j'ai faim, moi aussi !

Benjamin s'était alors levé d'un bond et il avait tendu la main à Marion.

— Si c'est comme ça, suis-moi ! On va se remplir deux grandes assiettes qu'on ira manger plus loin, là-bas, sur la plage. Agnès a installé des vieilles couvertes pour qu'on puisse s'asseoir.

Marion avait donc passé la journée en compagnie de Benjamin, qui ne l'avait pas lâchée d'une semelle. Toutefois, elle avait le regard tourné discrètement vers Fulbert qui, lui, était resté dans les parages de Cyrille et de sa famille.

Un peu plus tard, Agnès et ses cousines s'étaient jointes à eux et l'après-midi avait passé à la vitesse de l'éclair, au grand désespoir de Marion, qui voyait le temps filer sans qu'elle puisse avoir la chance de se rapprocher de Fulbert. Néanmoins, Benjamin était gentil, déluré, drôle, il faisait rire autour de lui, et, de toute évidence, il se plaisait beaucoup en compagnie de Marion, qui, elle, ne savait plus où donner de la tête. Elle était passée d'un rire franc devant une pitrerie de Benjamin à un regard inquiet en direction de Fulbert.

Puis, les gens commencèrent à quitter le chalet, les uns après les autres.

— C'est maintenant que je mets ma casquette de chauffeur ! lança Émile, en faisant tinter les clés de son auto. À qui la chance de faire le premier voyage en direction de Montréal ?

Cyrille demanda aussitôt la permission d'être de ce premier transport, car ses filles tombaient de sommeil. Fulbert en profita.

— S'il y a de la place dans l'auto, je me rendrais bien en ville tout de suite.

— Pas de problème, le jeune, il reste même une autre place.

Devant une si belle opportunité, Fulbert se tourna vivement vers Agnès.

— Et si tu nous accompagnais ?

— Bonne idée ! approuva celle-ci avec empressement, sans voir plus loin que le bout de son nez. Comme ça, je pourrais prendre la relève de monsieur Touche-à-Tout, qui a gentiment proposé son aide pour garder l'épicerie durant notre absence. Le temps de retrouver mon sac à main, mononcle, pis je suis prête à vous suivre.

Témoin silencieux de cet échange, Marion avait le cœur dans l'eau.

Mais qu'est-ce qu'elle avait aujourd'hui à être aussi sensible ? Un sourire éclatant, un regard soutenu et pétillant, et elle avait l'étrange sensation de ne plus être la même.

Et en ce moment, Marion enviait Agnès avec une intensité à tirer les larmes. Son amie ne voyait-elle pas à quel point elle était chanceuse ?

Il y eut cependant une belle éclaircie en cette fin d'après-midi, car juste avant de quitter le chalet, Fulbert vint rejoindre Marion sur la plage, là où elle s'était réfugiée.

— Ah te voilà, toi ! Je te cherchais partout. C'est dommage, mais en fin de compte, on ne s'est pas vraiment parlé. Pourtant, j'aurais bien aimé ça. Tant pis ! On se reprend la prochaine fois, affirma-t-il avec son aplomb habituel.

La prochaine fois ?

Le cœur de Marion s'emballa dans l'instant. Puis, sans la moindre retenue, Fulbert plaqua un gros baiser sonore sur sa joue.

— On se dit à bientôt.

Sur cette promesse et sans attendre la moindre réponse, le jeune homme tourna les talons et remonta vers le chalet au pas de course, tout à fait inconscient de l'émoi qu'il venait de provoquer.

Durant les heures suivantes, Marion eut l'impression de se mouvoir au ralenti, comme si l'air autour d'elle s'était subitement épaissi, et c'est l'esprit accroché à un merveilleux rêve éveillé qu'elle aida madame Légaré à se préparer afin de retourner à la maison de campagne des O'Gallagher.

— Allez, Marion, active-toi un peu ! gronda la cuisinière, devant le manque évident d'enthousiasme de la jeune fille. Je sais très bien que ramasser après un festin n'est pas très réjouissant, mais il faut tout de même que quelqu'un le fasse, n'est-ce pas ? Puis, il ne faut pas oublier que nous avons un souper à préparer. Ce n'est pas parce que toi et moi, on n'a pas très faim qu'il en va de même pour les gens restés à la maison de campagne ! Un petit coup de cœur, jeune fille, on a encore bien des choses à faire et le temps file ! Nous nous reposerons plus tard, devant un bon thé bien chaud.

— D'accord, madame Éléonore, soupira Marion.

Cependant, quand Marion accrocha enfin son tablier, quelques heures plus tard, elle était si partagée entre le ravissement d'imaginer une prochaine rencontre avec Fulbert et la certitude qu'une telle opportunité ne se présenterait jamais que la jeune fille préféra se retirer à sa chambre pour réfléchir en paix à ces curieux battements de son cœur. De toute façon, madame Éléonore ne comprendrait jamais ce qu'elle pouvait ressentir. Après tout, à l'âge qu'elle avait, la cuisinière était toujours seule dans la vie. Marion en conclut donc que madame Légaré ne devait rien connaître aux émois du cœur, sinon, gentille comme elle l'était, elle serait déjà mariée et elle aurait toute une marmaille autour d'elle, un peu comme madame Marie-Thérèse. Marion n'inventait rien, c'était madame Éléonore elle-même qui avait dit qu'elle aurait aimé ça.

Puis, dès le repas terminé, monsieur Tremblay s'était encore une fois invité à la cuisine. Il avait même pris un torchon pour aider madame Éléonore à essuyer la vaisselle.

« Curieux personnage que ce monsieur Tremblay ! s'était alors dit Marion, les deux mains plongées dans l'eau chaude. Un jour, il est l'intransigeance incarnée, et le lendemain, on dirait qu'il fond comme du chocolat au bain-marie. »

En un mot, en ce moment, la jeune fille ne se sentait pas à l'aise devant lui et elle demanda donc à être excusée.

— Je vais monter, madame Éléonore. Je suis épuisée.

— Ah oui ?

Prenant alors le majordome à témoin, Éléonore ajouta en riant.

— Cette jeunesse d'aujourd'hui me laisse parfois pantoise, monsieur Tremblay. Pas vous ? Il me semble qu'à cet âge, j'avais beau travailler toute la journée, j'étais prête par la suite à danser toute la nuit !

Tiens donc ? Madame Éléonore savait danser ?

Les sourcils de Marion grimpèrent jusqu'au milieu de son front. Décidément, elle allait de surprise en surprise. Mais elle décida de rester sur sa faim, et ce fut sur cette question sans réponse que la jeune fille regagna le pavillon des domestiques. Le temps d'une toilette sommaire, puis elle se glissa sous les draps.

Elle écrirait plus tard dans son journal, car pour l'instant, elle était fourbue.

L'effervescence des deux derniers jours autour d'un seul et unique repas et un cœur qui s'était affolé tout au long de l'après-midi avaient eu raison de la belle jeunesse de Marion.

Elle ferma les yeux et l'éclat d'un sourire polisson s'imprima dans sa mémoire. Fulbert ! Doux Jésus qu'il était beau ! comme l'aurait sans doute dit madame Éléonore.

Néanmoins, ce fut en pensant à James qu'elle échappa un long bâillement. Brusquement, il lui tardait de le revoir. Avec lui, tout était bon à dire. L'un comme l'autre, ils savaient pouvoir confier leurs envies, leurs espoirs, leurs déceptions. À lui, elle pourrait donc parler de Fulbert sans crainte d'être remise à sa place, ou ridiculisée. Après tout, James aussi était un garçon. Il pourrait sans doute lui expliquer ce que signifiaient un si gentil sourire, une promesse de se revoir et un baiser sur la joue.

Sur cette pensée réconfortante, Marion sombra dans un profond sommeil.

« James est enfin arrivé !

Tu le sais, cher journal, à quel point j'avais hâte d'écrire ces mots, n'est-ce pas ?

Maintenant, c'est fait depuis le début du mois de septembre. Je crois que jamais de toute ma vie, je n'ai été aussi contente de revoir quelqu'un. Même le jour de mon retour au manoir, après six mois pénibles chez mes parents, je n'étais pas aussi excitée. James, c'est vraiment quelqu'un que j'aime beaucoup. C'est au moment où il est venu nous rejoindre à la cuisine, madame Éléonore et moi, que j'ai pris conscience à quel point je m'étais ennuyée de lui et de nos rencontres en cachette.

Mais en même temps, j'étais intimidée par celui que j'avais devant moi, parce que James a beaucoup changé durant son voyage.

C'est drôle à dire, mais j'ai eu l'impression, en le voyant dans l'encadrement de la porte, que j'étais devant un étranger. Non, non, je n'exagère pas, c'est le bon mot : un étranger ! C'était un peu comme si, au moment du départ, James était encore un petit garçon, et que maintenant, c'est un homme qui vient d'arriver. J'avoue que ça m'a beaucoup troublée, parce que je ne m'attendais pas du tout à cela. Même madame Éléonore s'est rendu compte de quelque chose, parce qu'en le voyant, elle s'est écriée :

— Doux Jésus, monsieur James, c'est fou comme vous avez changé en si peu de temps ! On dirait que vous avez encore grandi, ma parole ! Et votre regard est plus sérieux. Et cette barbe que vous laissez pousser… Ça vous va bien. Allez ! Venez ici que je vous embrasse quand même. Comme avant !

Puis elle l'avait pris tout contre elle pour le serrer très fort, comme s'il était encore un petit enfant. James a été obligé de se pencher pour qu'elle puisse l'enlacer et il s'était mis à rougir. C'est à ce moment-là que j'ai reconnu le garçon qui était mon ami. Malgré une apparence différente, c'était bien le même James que celui qui était parti, six semaines plus tôt : malhabile par moments, un peu timide, mais le cœur grand comme le monde.

Par contre, moi, je n'aurais jamais osé l'embrasser comme madame Éléonore l'a fait, même si j'en avais envie. En fait, j'étais encore un peu mal à l'aise devant James. Plus encore que devant Ovide, quand je l'ai croisé au restaurant…

Justement, en parlant d'Ovide ! Ça doit être à cause de lui s'il m'arrive encore parfois d'avoir la désagréable sensation d'être une nigaude. Il faut dire, cependant, qu'il passait son temps à nous reprendre ou à rire de nous autres. Quand je pense à lui, je me sens toujours toute croche, comme si je n'étais qu'une empotée. Je ne sais pas ce qui cause ça, et ça m'agace beaucoup. Après tout, c'est juste mon frère, non ? Je n'ai pas à me sentir niaiseuse devant lui comme si j'étais devant mes parents ! Ce qui ne change rien au fait que finalement, c'est lui l'imbécile, parce qu'il n'a pas écrit la moindre lettre ! Je trouve que c'est triste de ne pas être capable de respecter sa parole mieux que ça. Mais en même temps, je ne veux surtout pas m'en faire pour une stupidité comme celle-là. J'ai bien vécu deux ans sans avoir de ses nouvelles, je devrais être capable de continuer de la même manière. Heureusement, j'ai eu la bonne idée de ne pas parler de notre rencontre avec ma mère. J'attendais la lettre pour me décider. Bien sûr, j'aurais fait semblant de ne pas connaître son adresse, mais je lui en aurais parlé quand même, parce que je sais qu'elle s'inquiète pour lui. Au bout du compte, j'ai eu le bon réflexe en me taisant. Quoi qu'il arrive, maintenant, ma mère ne sera pas trop déçue…

Mais face à James, c'est autre chose, et mon embarras n'a pas vraiment duré. Malgré sa voix plus grave et son visage amaigri, j'étais trop contente de le voir pour faire des chichis, comme le dit parfois madame Éléonore.

Dès le lendemain, quand James est revenu de l'école, on a trouvé un peu de temps pour aller à la rivière.

Il avait un cadeau pour moi, parce qu'il a dit que durant tout le voyage, je n'étais jamais bien loin dans ses pensées. Ça m'a fait plaisir de l'entendre. Moi aussi, j'ai beaucoup pensé à lui, finalement. Quand il a attaché la petite chaîne en or autour de mon cou, j'ai eu l'impression d'être quelqu'un d'autre, quelqu'un de plus important. Ça aussi, c'était quand même un peu troublant.

Ensuite, on a feuilleté son journal de voyage, qui n'a absolument rien à voir avec le carnet à la tranche dorée, où j'essaie d'écrire le plus souvent possible. Mais c'est comme ça que James appelle le grand cahier de papier brouillon dans lequel il a gribouillé toutes sortes de notes, avec des petits dessins rigolos dans la marge. J'ai été vraiment surprise, parce que je ne savais pas du tout que James dessinait aussi bien ! À d'autres pages, il a collé les photos qu'il a prises avec l'appareil Kodak tout neuf que ses parents lui avaient offert au moment de son départ, et il y avait aussi quelques cartes postales. En fin de compte, je m'inquiétais pour rien, car James a tenu sa promesse : il m'a ramené plein d'images pour que je puisse me fabriquer des souvenirs, moi aussi. C'est au moment où on regardait les photos que, tout d'un coup, j'ai eu la sensation de revenir dans le passé. On était assis dans l'herbe, l'un à côté de l'autre, comme on l'a si souvent fait, et James m'a raconté son voyage, passant d'une image à une autre et d'une anecdote à une autre. D'après ce que j'ai pu constater, ces pays-là sont beaucoup plus vieux que le Canada, comme nous l'avait enseigné monsieur Chartrand, à l'école du village… C'est vrai qu'à l'exception de Villeneuve et de Montréal, je ne connais pas grand-chose de mon pays et du monde entier. C'était donc difficile pour moi de pouvoir vraiment comparer. Mais là, à regarder les photos et les cartes postales, j'ai bien vu que le maître avait eu raison de nous expliquer le monde comme il l'avait fait, et j'ai envié James d'avoir eu cette chance de voir les vieux pays de ses propres yeux. Les maisons là-bas ont l'air de vrais châteaux, encore plus que le manoir de monsieur O'Gallagher. Devant tant de belles choses, je me suis dit que James et Quincy avaient dû faire un très beau voyage, et je ne me suis pas gênée pour le dire. « Mais moins beau que si tu avais été là », m'a alors avoué James. Je ne sais pas si c'est vrai, parce que c'est un peu difficile à croire, mais j'ai trouvé gentil qu'il me le dise aussi spontanément. Et en plus, mademoiselle Olivia a pris de mes nouvelles quand ils se sont vus. C'est très agréable d'apprendre qu'une personne que vous appréciez beaucoup pense à vous ! J'ai hâte de la revoir, elle aussi.

Quant à Quincy, paraîtrait-il qu'il a passé ses journées à rencontrer sa parenté. Et selon James, il en connaît, du monde ! Presque autant en Angleterre qu'en Irlande, à part de ça. Je pense que James a un peu exagéré, car c'est vraiment particulier que quelqu'un d'aussi timide que Quincy connaisse autant de gens et qu'ils soient tous ses cousins. Notre jardinier en a aussi profité pour visiter plein de jardins. Ça, par contre, je suis certaine que c'est vrai, parce que, depuis son retour, on ne le voit presque plus. Il passe ses journées et ses soirées à soigner ses fleurs comme s'il s'était ennuyé d'elles ou qu'il devait les présenter à un concours !

Toutefois, James m'a déclaré que ça ne l'avait pas dérangé du tout de se retrouver seul par moments, parce qu'il y avait tellement de choses à faire et à voir qu'il n'avait pas eu le temps de s'ennuyer… sauf de moi, bien entendu ! Ça a été plus fort que moi et j'ai levé les yeux au ciel quand il a répété ça. Alors, on s'est mis à rire tous les deux. Un vrai de vrai fou rire, comme on en a souvent ensemble.

Ensuite, à mon tour, j'ai parlé de l'été que j'avais vécu, mais il n'y avait pas grand-chose à raconter. À part ma rencontre avec mon frère, il ne s'est rien passé. Un petit deux jours à Montréal, c'est vraiment rien à comparer avec le voyage que James a fait.

Et à l'exception de quelques journées, il n'a même pas fait vraiment beau de tout l'été !

Quant au sujet de Fulbert, après avoir un peu hésité, je n'ai rien dit. Malgré tout ce que j'avais espéré et préparé, en écrivant dans tes pages, cher journal, quand est venu le temps d'en parler, j'ai ouvert tout grand la bouche, mais les mots ne se sont pas présentés. C'est fou de voir que dans mon cas, je trouve nettement plus facile d'écrire que de parler… Pourtant, je savais exactement ce que je voulais demander à James. Curieux ! C'est bien la première fois que je n'ose pas lui confier quelque chose d'important.

En fin de compte, avec tout ça, on n'a pas eu le temps de parler de la vie sur un bateau. Il faut dire qu'il y en avait, des photos à regarder ! Alors, j'ai complètement oublié le bateau. Tant pis. On se reprendra la prochaine fois qu'on pourra jaser ensemble.

Avant qu'on retourne au manoir, James a insisté pour me laisser le grand cahier. Il dit que je vais pouvoir le regarder bien tranquillement dans ma chambre avant de m'endormir, et que si j'ai des questions, il y répondra la prochaine fois qu'on se verra. Je trouve que c'est une excellente idée. »

CHAPITRE 7

Le vendredi 25 octobre 1929, dans le petit salon du manoir, alors que monsieur O'Gallagher épanche ses déboires dans l'oreille de son majordome, Théodule Tremblay, juste avant l'heure du souper

— Je suis désolé de vous embêter avec mes problèmes, mais je ne sais trop à qui en parler sans susciter de drame.

Patrick O'Gallagher parlait d'une voix retenue, comme s'il avait peur d'être entendu.

— Je ne peux rien dire aux enfants, poursuivit-il en soupirant, car ils risqueraient de paniquer. Jamais ils n'ont connu autre chose que l'aisance et j'ai bien l'intention que cela continue. De toute façon, savoir que j'ai des problèmes financiers ne les regarde pas. Quant à ma chère épouse, ma si douce Stella, je la connais bien, et je sais qu'elle en perdrait le sommeil. Cela me déchirerait le cœur de la savoir angoissée. Alors, je ne vois que vous pour…

— Ne suis-je pas là pour ça aussi, monsieur ? interrompit calmement le majordome.

Patrick O'Gallagher tourna la tête vers lui.

— Peut-être un peu, oui, admit-il avec une sobriété surprenante chez celui qui, en temps normal, avait l'exubérance facile, faisant ainsi honneur à ses ancêtres irlandais.

Ce fut à cet instant que le majordome prit conscience qu'une infinie lassitude creusait les rides du visage de son patron. Il lui trouva l'air vieux, autant qu'à la fin de la guerre, alors que tous les hommes avaient cette gravité au fond des yeux et les traits émaciés.

Étranger à l'examen qu'il subissait, Patrick O'Gallagher s'étira longuement, puis, afin d'éviter le regard de Théodule Tremblay, habituellement sévère et pénétrant, ce qui risquait de le mettre mal à l'aise, il lui tourna le dos et se dirigea vers l'armoire aux alcools pour se servir un verre de porto.

— Comme par le passé, nous savons pouvoir compter l'un sur l'autre, était en train d'ajouter monsieur Tremblay, attristé par la situation. Nous nous l'étions promis, monsieur, rappelez-vous.

— En effet, je m'en souviens.

— Alors, pourquoi vous tourmenter ? Nous avions juré, là-bas sur les champs de bataille, alors que les balles sifflaient autour de nous, que lorsque l'un d'entre nous aurait des tracas, l'autre serait là pour lui. C'est ce qui nous a aidés à rester vigilants, vous et moi : on le faisait pour l'autre autant que pour soi. À mon avis, c'est exactement ce qui se passe aujourd'hui, monsieur Patrick.

Quand Théodule Tremblay utilisait le prénom de son patron, c'est que le moment était grave. Pourtant, ce « monsieur Patrick », il l'avait employé à profusion lorsqu'ils avaient fait la guerre ensemble et qu'ils n'étaient pas en service. Puis, à quelques jours de l'Armistice, Patrick O'Gallagher lui avait sauvé la vie. Les liens puissants qui s'étaient créés ce matin-là allaient bien au-delà d'une amitié de convenance, et le temps qui avait passé depuis n'y changeait rien. Théodule Tremblay, de par sa nature et son éducation, savait qu'il lui serait redevable de sa propre vie jusqu'à la fin de ses jours. Voilà pourquoi, à leur retour au Canada, le soldat Tremblay avait accepté ce poste de majordome en signe de reconnaissance. Pourtant, plus jeune, il s'était bien juré de ne jamais ressembler à son père, qui avait servi la même famille tout au long de son existence. Aujourd'hui encore, malgré son grand âge et le fait qu'il soit au repos, le père de Théodule habitait toujours la même maison et la même chambre, qu'il partageait avec son épouse. Avec sagesse, toutefois, le majordome se disait que dans une vie, il pouvait y avoir pire qu'une situation comme celle-là. Après tout, ses parents vieillissaient heureux, ensemble. C'était déjà beaucoup mieux que lui, célibataire et sans attache.

Néanmoins, depuis leur retour de la guerre, la relation s'était quelque peu modifiée, entre le lieutenant O'Gallagher et le soldat Tremblay. Sans jamais faillir à son devoir, Théodule se pliait de bonne grâce aux impératifs de sa charge, comme il avait vu son père le faire durant tant d'années, et il évitait toute marque de familiarité entre son patron et lui.

Sauf quand les événements l'exigeaient, comme en ce moment.

— Merci de voir la situation sous cet angle, disait justement monsieur O'Gallagher, qui, de toute évidence, semblait soulagé d'avoir le majordome à ses côtés. C'est réconfortant, vous savez, de ne pas se sentir seul dans la tourmente… Je vous sers un porto ?

Malgré la tentation, monsieur Tremblay hésita. Il aimait bien certains alcools vieillis, comme le porto et le cognac, il ne s'en cachait pas. Cependant, il les dégustait avec modération et il n'était pas dans ses habitudes de trinquer avec le maître de la maison.

En effet, la guerre était finie depuis longtemps !

Mais une fois n'est pas coutume, n'est-ce pas ? et il fallait tout de même reconnaître que la situation présente était hors du commun.

— Pourquoi pas ? concéda-t-il, se laissant facilement convaincre. Mais alors, juste un doigt, s'il vous plaît.

Le temps que le patron serve le verre et que le majordome brasse le feu, et les deux hommes se retrouvèrent côte à côte, bien campés sur leurs jambes, à regarder les flammes dansantes. Ils étaient aussi grands l'un que l'autre. Toutefois, monsieur O'Gallagher était plutôt robuste alors que Théodule Tremblay était svelte. Il n'en restait pas moins que l'ombre de leurs silhouettes envahissait la pièce jusque sur le mur.

Pendant quelques instants, ils écoutèrent le crépitement du feu, présence rassurante en ces jours difficiles, puis Patrick O'Gallagher reprit la parole.

— Alors, que feriez-vous, à ma place ? demanda-t-il tout bonnement à son majordome, sachant qu'il pouvait compter sur sa vivacité d'esprit et son bon jugement.

Patrick O'Gallagher était aussi conscient que Théodule Tremblay était un homme à l'affût des nouvelles et s'il avait une opinion quelconque sur ce qui se passait en ce moment à travers le monde, il saurait l'exprimer clairement.

— Je me battrais, bec et ongles !

À la fougue entendue dans le propos et la voix, monsieur O'Gallagher ne put s'empêcher de sourire.

— Je vous reconnais bien là ! C'est la formule consacrée, j'en conviens, et laissez-moi vous dire que je n'ai jamais lésiné ni sur mon temps ni sur mes efforts.

— Je le sais, monsieur ! Et je n'ai jamais prétendu le contraire. Mais dans l'adversité, quand il semble que les compromis ou les arrangements soient impossibles, il ne reste qu'à prendre la situation à bras-le-corps, jusqu'à ce qu'elle demande grâce.

— Inutile de dire que je suis d'accord avec vous. Je suis un battant dans l'âme. Mais encore faut-il avoir les moyens de ses ambitions.

— Que dois-je comprendre dans ces propos ?

— Rien de plus que ce que vous avez entendu. Me voilà démuni, monsieur Tremblay. Je n'ai rien vu venir, comme tant d'autres, et je vous avoue que je ne sais trop avec quoi je vais devoir composer à partir de demain. On a besoin de munitions, pour pouvoir se battre, comme vous semblez vouloir que je le fasse, et je n'en ai plus.

— Et si vous étiez un rien plus précis, monsieur ? J'avoue que j'ai un peu de difficulté à vous suivre.

Patrick O'Gallagher resta silencieux un moment, comme s'il avait besoin de bien jauger la situation avant de l'expliquer. Mais la charge était lourde en ce moment et l'inquiétude très vive. Les mots s'imposèrent donc à lui dans un grand besoin de partager son angoisse.

— Les placements sur lesquels je comptais pour renflouer la caisse, au besoin, se sont envolés en fumée hier ! Le temps d'un claquement de doigts et je n'avais plus rien. Qui aurait cru qu'une telle chose puisse arriver ?

— En effet, monsieur. Ce que j'ai lu dans le journal, ce matin, dépasse l'entendement. Personne n'aurait pu prédire un tel cauchemar… Mais sans vouloir me montrer indiscret, n'auriez-vous pas, à travers tous ces clients que vous approvisionnez depuis tant d'années, quelques comptes en souffrance dont vous…

— Évidemment que j'ai des comptes en souffrance, comme vous dites ! rétorqua Patrick O'Gallagher, un peu plus sèchement qu'il l'aurait voulu. C'est la logique d'une entreprise comme la mienne que de voir l'argent circuler jour après jour. J'achète, je reçois et je paie ; je vends, je livre et je suis payé. Chez O'Gallagher and son, depuis l'inauguration faite au siècle dernier par mon père, on appelle ça : *business as usual !,* mon cher Tremblay. J'offre même le crédit, ce qui nous a plutôt bien servis jusqu'à maintenant. Sauf qu'à présent, ces quelques comptes en souffrance risquent de se transformer en douloureuse épine dans le pied ! J'ai toujours eu une pensée de reconnaissance pour mon père, qui m'a légué une entreprise en bonne santé financière. Et je rêvais de pouvoir faire la même chose avec James. Je suis donc doublement désolé devant la situation actuelle. Malheureusement, je n'ai plus ce qu'il faut pour faire le dos rond en attendant que la tempête se calme.

— Mais vous n'y êtes pour rien, dans cette débâcle !

— Il est vrai que je suis une sorte de victime, et ce n'est pas pour me plaindre que j'invoque ce prétexte, et encore moins pour me dérober à mes responsabilités. Mais ça ne change rien au résultat que nous connaissons aujourd'hui, n'est-ce pas ? Peut-être aurais-je dû mieux prévoir, diversifier mes investissements ? On ne le saura jamais. Mais n'ayez crainte, je vais appeler tous ceux qui me doivent ne serait-ce que quelques dollars, et ce, dès lundi en arrivant au bureau. Mais je devine à l'avance que je devrai me montrer satisfait si on daigne me répondre.

— C'est à ce point, monsieur ?

— Je ne me fais aucune illusion. J'ai lu le même journal que vous, en prenant mon café du matin, et on parle de banqueroute à la grandeur de l'Amérique.

— Et votre banque ? Que dit-elle de…

— Inutile de préciser que mon réflexe premier a été d'appeler ma banque, justement ! coupa d'emblée Patrick O'Gallagher, comme s'il sentait le besoin de se justifier. Qu'est-ce que vous croyez ? Malheureusement, nul réconfort n'est venu de ce côté. Le pire que j'anticipais était justement en train de se produire ! Alors, si je me retrouve dans la gêne, à cause de ce qu'ils appellent le krach de Wall Street, pourquoi en serait-il autrement pour les autres ?

— En effet, c'était à prévoir.

— Alors maintenant, vous comprenez l'étendue de mes inquiétudes, n'est-ce pas ?

— Je la comprends très bien, monsieur, fit le majordome avec une voix de circonstance.

— Je n'ai plus rien, constata alors Patrick O'Gallagher en ouvrant les bras devant lui, au risque de renverser son porto. Il ne me reste qu'une petite liquidité que je garde dans un coffre pour voir aux menues dépenses, et un peu d'argent à la banque qui sera disponible dans quelque temps. De quoi subvenir à nos besoins les plus pressants pour quelques semaines encore. Quant au reste…

Sur cette confession lourde de conséquences, un long moment de silence enveloppa le petit salon, tandis que le feu crépitait toujours, rappel d'un temps plus insouciant. Ne sachant que répondre ou que dire pour réconforter son patron, le majordome mira la robe grenat de sa boisson à la lueur des flammes.

— Oh ! J'ai bien un entrepôt rempli de marchandises, reprit alors Patrick O'Gallagher, sur le ton de quelqu'un qui ferait l'inventaire de son commerce. Normalement, ces produits auraient dû remplir les tablettes des grands magasins en prévision des fêtes de fin d'année. Mais quel commerçant en voudra, aujourd'hui, puisqu'il n'y aura probablement plus personne pour acheter sa marchandise ?

— Allons, monsieur, ça ne durera pas !

— Si c'est ce que vous croyez, moi, j'émets de sérieux doutes. Puis, il y a ce manoir à entretenir et tous ces gens qui dépendent de moi. Il n'y a rien de pire pour un patron que de devoir mettre à pied certains de ses employés. Tant ici qu'à l'entrepôt, d'ailleurs.

— Pour votre entreprise, je ne sais quoi vous dire, je n'y connais rien. Mais en ce qui a trait au manoir, en revanche, je crois pouvoir déclarer sans me tromper que vous n'avez pas à vous inquiéter pour la domesticité. La loyauté des gens d'ici vous est acquise depuis des années, et tous seront à vos côtés durant ce passage plus difficile. Moi, à votre place, je garderais mes énergies pour les employés de l'entrepôt. Ce sera probablement eux qui souffriront le plus de ce grand vent de panique qui souffle sur le monde.

— Si vous le dites, soupira Patrick O'Gallagher, sans grande conviction.

Le soir même, alors que le personnel avait déserté le sous-sol pour vaquer à ses occupations de la soirée, Théodule Tremblay, en compagnie de madame Légaré, répétait cette même conversation et les quelques mots qui avaient suivi.

— Parce que je sais pouvoir compter sur votre discrétion, fit-il en guise de conclusion.

— Bien sûr, monsieur Tremblay, bien sûr. Je n'ai jamais trahi ma parole. Quand on me demande le secret, je le garde.

— Et c'est bien parce que je le sais et que j'ai une confiance absolue en vous si j'ai eu l'audace de vous livrer les déboires de monsieur. Quel drame pour quelqu'un qui a tant travaillé !

— En effet, c'est terriblement triste !

Sur ce, le majordome et la cuisinière échangèrent un regard consterné.

— Bien entendu, ajouta alors Théodule Tremblay, devant le désarroi évident de monsieur O'Gallagher, je l'ai rassuré quant à la fidélité du personnel, comme il se doit. J'espère seulement ne pas avoir outrepassé mes droits en agissant de la sorte.

— Pas du tout ! Et je parle ici au nom de Marion et de moi-même. Jamais nous ne laisserions tomber la famille O'Gallagher, quoi qu'il puisse arriver.

Éléonore avait l'air on ne peut plus sérieuse et déterminée. Elle sirota une gorgée de thé, grignota un bout de biscuit, puis elle poursuivit.

— Et tout comme vous, je suis persuadée que tous les membres du personnel penseront exactement la même chose…

— Heureux de vous l'entendre dire… C'est pour cette raison que j'ai cherché à rassurer monsieur. À moins que notre patron voie la situation d'un autre œil, change d'idée et décide subitement de faire table rase de ses vieilles habitudes, en l'occurrence ses serviteurs, j'estime pour ma part qu'il vaut mieux conserver un emploi qui ne paie que des broutilles durant quelque temps, plutôt que de se retrouver à la rue, et c'est ce que nous devrions faire valoir devant les domestiques.

— Bien dit ! lança Éléonore Légaré. Après tout, nous sommes tous logés et nourris. Que pourrions-nous demander de plus, par les temps qui courent ?

— Pas grand-chose, j'en ai bien peur !

— Alors, il faut parler au personnel, monsieur Tremblay.

Une lueur de soulagement traversa le regard du majordome.

— Vous croyez vous aussi, n'est-ce pas ?

— Sans aucun doute. Et si vous voulez mon avis, le plus vite sera le mieux...

— J'en avais justement discuté avec monsieur O'Gallagher. Sans savoir comment s'y prendre, il était d'accord avec le principe, et il se fie à moi pour prévenir tout le monde. Comme il l'a si bien souligné, au point où en sont les choses, il ne sert à rien de jouer à l'autruche, car la vérité qui le concerne va inévitablement finir par éclater au grand jour, qu'on le veuille ou pas !

— Je suis du même avis que vous.

— J'envisage donc de parler quand tous les employés seront réunis pour le déjeuner, demain matin. Mais de là à savoir jusqu'où je dois aller dans ma déclaration, sans tomber dans les confidences, il y a tout un monde !

— La vérité, monsieur Tremblay, dites la vérité, trancha la cuisinière. Nous traversons une période difficile et nous devons nous serrer les coudes, en acceptant les compromis. Un point, c'est tout. Si vous n'expliquez pas les choses franchement, les employés, eux, vont vous questionner, ou pire, ils vont s'adresser directement à monsieur O'Gallagher.

— Ce qui ne serait pas l'idéal, j'en conviens, car le pauvre homme en a déjà plein les bras.

— C'est aussi ce que je me dis… Mais j'y pense… Et la famille O'Gallagher, elle ?

— Quoi, la famille O'Gallagher ?

— Si vous parlez au personnel, ce que j'estime être essentiel, puisque nous sommes tous concernés, vous ne pensez pas que le risque qu'il y ait des fuites à l'étage soit grand ? À ce que j'ai cru comprendre, monsieur O'Gallagher aimerait mieux que les siens soient tenus dans l'ignorance.

— C'est ce qu'il aurait préféré, oui. Néanmoins, quand je l'ai laissé, James venait tout juste de nous rejoindre au petit salon. Paraîtrait-il que les professeurs avaient déjà parlé de ce qui s'est passé à New York hier, et le pauvre garçon, inquiet, venait aux renseignements. J'ai vu dans le regard de monsieur O'Gallagher qu'il avait compris qu'il n'y échapperait pas et qu'il ne pourrait passer la situation sous silence. Quoi qu'il en soit, dans quelques jours, on ne parlera plus que de cela, dans les journaux, à la radio, et ce que monsieur aurait voulu taire par souci de protection envers sa famille sera le sujet de l'heure. Tout le monde à l'étage lit le même journal que nous, n'est-ce pas ? Non, il valait mieux que le maître de la maison aborde lui-même le sujet, il lui sera ainsi plus facile à contrôler.

— En effet, vous avez raison.

— Je sais… Et à l'heure qu'il est, ça doit être la consternation en haut !

À la suite de quoi, madame Éléonore enchaîna :

— Et comme les domestiques ont par définition les oreilles qui traînent un peu partout, ils doivent sûrement avoir compris qu'il se trame quelque chose d'inhabituel.

— En effet ! Toutefois, connaissant les femmes de chambre, Adam et madame Donatienne, ils auront la discrétion d'attendre que j'aborde moi-même le sujet pour en connaître les tenants et les aboutissants. Il ne me reste plus qu'à trouver le courage d'informer les autres de ce revers qui nous tombe dessus.

— Le courage, monsieur Tremblay ? Est-ce bien vous qui parlez ainsi ? Vous êtes habituellement si digne, si sûr de vous.

— Ah oui, vous trouvez ?

— Doux Jésus ! D'où vous viennent cette mine abattue et ce manque de confiance en vos moyens ?

— Un changement évident et marquant dans nos habitudes, peut-être ?

— Est-ce là suffisant pour chambouler jusqu'à sa façon d'agir ?

Un silence embarrassé fut l'unique réponse du majordome. Éléonore leva alors les yeux et le fixa intensément, sans dire un mot.

Elle avait toujours flairé une grande émotivité chez cet homme rigide et à cheval sur les principes, comme s'il voulait cacher une fragilité qu'il devait sans doute juger déplacée. De le voir aussi indécis la toucha profondément.

Présentement, le grand homme avait les yeux baissés et il tournait sa tasse entre ses doigts tremblants, comme un enfant pris sur le fait d'une bêtise. La cuisinière sentit son cœur se serrer. Elle appréciait beaucoup Théodule Tremblay, et depuis trop longtemps, pour rester indifférente à cette vulnérabilité qu'il osait enfin montrer devant elle. Elle pressentait que l'instant était de la toute première importance entre eux, sans pouvoir dire cependant d'où lui venait cette étonnante intuition ni jusqu'où elle pourrait mener.

— Et si vous m'expliquiez ce qui vous préoccupe autant ? demanda-t-elle d'une voix très douce, pour ne pas heurter la sensibilité du majordome. À deux, on y verrait peut-être plus clair.

— Ce qui me préoccupe ? Si peu de choses, et tout à la fois, soupira monsieur Tremblay. Voyez-vous, madame Légaré, je déteste décevoir les gens, leur faire de la peine et leur causer du souci. Et je suis cruellement conscient que ce que je vais annoncer demain matin va susciter tout ça en même temps.

— Pourquoi broyer du noir à ce point ?

— Parce que je ne vois que du négatif autour et devant nous. Du moins à court terme. La situation est grave, ne le comprenez-vous pas ? En fait, je me sens un peu comme au matin où j'ai annoncé à mes pauvres parents que leur fils unique partait pour la guerre.

— Allons donc, monsieur Tremblay ! Il me semble qu'il y a une légère exagération, ici... On ne parle pas de guerre ni de mort d'homme ! On parle plutôt d'un revers de fortune inopiné qui, si on y met le temps et nos efforts conjugués, va finir par se résorber de lui-même. La Terre ne cessera pas de tourner cette semaine, à cause de profits envolés on ne sait pas trop où !

Tout en expliquant sa vision des choses, Éléonore Légaré avait machinalement tendu le bras par-dessus la table, et tout comme elle le faisait parfois avec Marion ou James, elle tapota la main du majordome pour le réconforter. Surpris, celui-ci arrêta son regard sur cette main un peu ronde, très douce, dont il sentait la chaleur apaisante. Il dut admettre qu'il avait longtemps espéré cette familiarité. Voilà pourquoi, sans chercher à se dérober, il mit son autre main sur celle d'Éléonore et il intensifia la pression.

Un ange passa, tandis que le cœur de madame Légaré faisait un drôle de contrecoup. Puis, elle leva les yeux et croisa le regard du majordome au-dessus des tasses de thé refroidi. Elle aurait dû se sentir embarrassée par ce geste d'intimité, il y en avait eu si peu dans sa vie, mais ce n'était pas le cas. Elle aurait dû retirer sa main, les convenances le voulaient ainsi, mais elle n'en avait pas envie. Au lieu de quoi, elle esquissa un sourire, découvrant un charme inattendu dans l'audace du majordome. Lui aussi, il avait les mains douces et chaudes.

Ils restèrent ainsi tous les deux durant un long moment, oubliant tout ce qui n'était pas l'instant présent. Les mots auraient été inutiles ou déplacés. Puis, une porte claqua à l'étage et il y eut une course de petits pas feutrés le long du corridor. Probablement Lisa, qui s'affairait à vérifier le chauffage dans le petit salon avant de monter aux chambres pour faire la même chose. C'était elle qui, jour après jour, veillait au confort de la soirée et de la nuit de la famille O'Gallagher.

Éléonore soupira et Théodule toussota. Le charme était rompu, mais la chaleur au cœur, elle, perdurerait longtemps.

— Si nous regardions tout ça ensemble ? proposa enfin la cuisinière, tout en retirant tout doucement sa main emprisonnée sous celle du majordome. Il y a sûrement une façon de dire les choses pour ne mettre personne dans l'embarras. Ni les employés ni monsieur O'Gallagher non plus.

Le majordome haussa les épaules, visiblement en désaccord.

— Il n'y a pas trente-six façons d'annoncer les mauvaises nouvelles, énonça-t-il sur un ton fataliste. Quoi que l'on dise, elles resteront toujours mauvaises !

— Et si je vous confiais que je ne vois pas les choses tout à fait de la même façon que vous ?

— Alors il va falloir m'expliquer, Éléonore.

C'était la première fois que Théodule Tremblay osait employer le prénom de madame Légaré pour s'adresser à elle. Pourtant, dans le contexte actuel, il semblait si juste, si correct, que la cuisinière se surprit à sourire. Prononcé par le majordome, son prénom paraissait joli. Elle décida donc de lui répondre sur le même ton.

— Vous allez voir, Théodule, que c'est bien simple… J'ai toujours eu pour mon dire que dans toute situation, il y a deux facettes, comme pour une médaille. On peut, oui, montrer le côté sombre de ce déboire financier, ce ne serait que vérité, et je vous donne raison sur ce point. Mais vous ne sèmeriez que de l'inquiétude et de la désolation. Toutefois, on peut aussi faire valoir la chance que l'on a de pouvoir unir nos forces et nos compétences pour passer à travers ce moment difficile. Et là aussi, ce serait tout à fait exact, et c'est moi qui aurais raison en ajoutant un peu d'espoir à ces circonstances malheureuses. Au bout du compte, on va tous écoper, d'une façon ou d'une autre, comme le dirait mon père. L'important, c'est de s'en sortir avec le moins de plumes arrachées possible ! Pour l'instant, personne n'a besoin de connaître l'étendue de la catastrophe qui frappe notre patron. Savoir que les salaires seront temporairement baissés, ou même suspendus de temps à autre, comme vous me l'avez expliqué tout à l'heure, sera sans doute suffisant pour faire comprendre le sérieux de la situation.

— Et ainsi, compléta le majordome, avec une pointe de sarcasme dans la voix, il n'y aura que monsieur O'Gallagher, vous et moi qui saurions la réelle ampleur du problème.

— Pourquoi pas ? répliqua alors Éléonore, mais toujours avec un calme olympien.

— Parce que les choses ne sont jamais aussi simples que vous semblez le croire.

— Et si moi, je les vois ainsi ? Et si moi j'ai décidé que, dans ma vie, le positif l'emporterait toujours sur le négatif et que la lumière triompherait sur l'ombre ? Dites-vous bien, Théodule, qu'on a toujours le choix ! Allons ! Ne vous découragez pas ! Soyez ferme, donnez l'apparence d'un homme confiant en l'avenir, et tout va bien se passer. Je peux même me tenir à vos côtés, demain matin, si ça peut vous rassurer. Sans vouloir empiéter sur votre autorité, bien entendu.

Ces derniers mots furent suffisants pour que Théodule Tremblay retrouve une partie de son sang-froid coutumier. Il prit alors un moment de réflexion, puis il leva les yeux.

— Mon autorité ? répéta-t-il sur un ton las. Je ne crois pas qu'elle serait mise en péril par votre présence. Non, pas du tout, parce que, dans les faits, il n'est pas question d'autorité, en ce moment, mais bien d'humanité. Et personne, sous ce toit, n'est plus généreux ni plus charitable que vous, Éléonore. Alors oui, j'espère que vous vous tiendrez à mes côtés, mais ce ne sera pas demain matin.

— Ah non ?

— Non ! J'ai décidé que je passerais tout de même une bonne nuit, malgré la catastrophe. Je vais donc parler aux domestiques dès maintenant.

— Sage décision ! Je vous reconnais bien là ! Ainsi, tout le monde va mieux dormir ! Je vais de ce pas rejoindre madame Donatienne pour lui faire part de la tenue d'une petite réunion exceptionnelle pour qu'elle prévienne les autres, puis je vais mettre du lait à chauffer. Un bon chocolat devrait convenir à la situation.

— Du chocolat chaud ?

— Pourquoi pas ? Une bonne tasse de chocolat chaud, c'est comme une pointe de tarte au sucre : ça réconforte les cœurs tristes ou inquiets ! De toute façon, quoi qu'il puisse arriver au cours des prochaines semaines, ou des prochains mois, sait-on jamais, il n'est pas dit que l'on va souffrir de la disette dans la cuisine d'Éléonore Légaré. Vous allez voir ce que vous allez voir ! J'ai beaucoup plus d'un tour dans mon sac, monsieur Tremblay.

Monsieur Tremblay…

Spontanément, le protocole reprenait ses lettres de noblesse et l'allusion à un peu de discrétion autour de ce qui venait de se passer entre eux était à peine voilée. Le majordome esquissa un sourire, parfaitement en accord avec ce principe. Décidément, cette femme avait tout pour lui plaire !

— J'ai bien hâte de voir ça, madame Légaré, même si je ne doute nullement que vous allez encore nous surprendre avec vos bons petits plats.

— Mais j'y compte bien !

Dans l'heure, tous les employés furent réunis dans la salle à manger du personnel, où le majordome, calme et posé, leur annonça les décisions prises par Patrick O'Gallagher.

— Pour l'instant, personne n'est congédié ! Monsieur va continuer de calculer vos gages et, quand la situation sera revenue à la normale, il va faire tout en son possible pour vous les verser, en totalité ou en partie. J'estime que c'est très généreux de sa part.

— Mais...

— Non, madame Donatienne, il n'y a rien à ajouter. Malheureusement, c'est à prendre ou à laisser.

À ces mots, les employés comprirent et acceptèrent la situation, malgré quelques grimaces. Avaient-ils le choix ?

— C'est embêtant, je vous le concède, mais que voulez-vous qu'on y fasse ? rétorqua le majordome. Monsieur O'Gallagher n'est pas responsable de la Bourse new-yorkaise, n'est-ce pas ?

— Quant à moi, laissa tomber Quincy, ça me laisse indifférent. Le soleil et la pluie ne coûtent rien et c'est ce dont j'ai le plus besoin. Vous allez donc m'excuser, mais je retourne tout de suite à mes occupations.

— Je vais dire comme vous, monsieur Tremblay : nous n'avons effectivement pas le choix, déclara sèchement madame Donatienne, dès que le jardinier eut quitté la pièce.

Insultée de ne pas avoir été mise dans la confidence avant que le majordome s'adresse à l'ensemble du personnel, elle affichait son petit air hautain habituel.

— Heureux de vous l'entendre dire, madame Donatienne, répliqua le majordome sur un ton glacial. Dans notre malheur, nous sommes quand même chanceux.

— Vous trouvez ?

— Je trouve, en effet. Libre à vous, cependant, de ne pas accepter la proposition de monsieur O'Gallagher. Le manoir n'est pas une prison, que je sache.

Puis, se tournant vers les femmes de chambre, Ruth et Pascaline, Théodule Tremblay ajouta :

— Je compte sur vous deux pour ne montrer aucun changement dans votre attitude envers les dames de la maison, et cela vaut aussi pour toi, Lisa. Nous ne parlons sous aucun prétexte de ce qui s'est dit ici, ce soir, dans notre salle à manger. C'est bien compris ?

— Oui, monsieur.

— Dites-vous plutôt que nous avons la chance d'avoir de bons patrons, répéta le majordome, sans la moindre considération à l'égard de madame Donatienne, qui aurait été en droit de s'adresser elle-même aux femmes de chambre. Dans le contexte actuel, nous aurions pu facilement perdre nos emplois, ce qui ne sera pas le cas… Et maintenant, je vous prierais de monter. La soirée n'est pas terminée pour nous.

De toute évidence, madame Donatienne était outrée par l'attitude du majordome. Elle se retourna vivement et, bousculant Lisa au passage, elle quitta la pièce.

— Quant à moi, monsieur Tremblay, déclara Adam un peu précipitamment, comme s'il espérait ainsi désamorcer les tensions, si j'osais, je proposerais à monsieur de le suivre à l'entrepôt. Je suis jeune, costaud, et je sais comment me rendre utile. Je pourrais lui rendre mille et un services sans qu'il ait le souci d'un salaire supplémentaire. Qu'en pensez-vous ?

Le majordome lui jeta un regard reconnaissant.

— C'est une excellente idée, Adam, et c'est très généreux de votre part. Je vais de ce pas en glisser un mot à monsieur pour qu'il…

— Non ! Je m'excuse de vous interrompre, monsieur Tremblay, mais j'aimerais bien en parler moi-même à monsieur O'Gallagher. Après tout, c'est mon idée. Comme je dois préparer sa chambre, j'en profiterais pour lui offrir mon aide.

— Ah bon… Si c'est ce que vous souhaitez…

Madame Éléonore fut probablement la seule à voir à quel point le majordome était froissé par cette prise de position qui faisait fi de son autorité habituelle, mais elle ne passa aucune remarque. Il valait mieux laisser le temps faire son œuvre tout doucement.

Elle pressentit que bien des choses allaient changer sous le toit du manoir.

Au final, il n'y eut que Marion pour devenir blême comme un drap à l'annonce des restrictions qui prévaudraient pour le temps où cela serait nécessaire. Dès que Quincy s'était retiré, elle en avait profité pour filer à la cuisine.

— Mais qu'est-ce que je vais devenir, moi ? lança-t-elle en état de panique, à l'instant où madame Éléonore l'eut rejointe. Les parents vont bien m'arracher la tête !

— Doux Jésus, Marion ! Quelle drôle d'expression… C'est le cas de le dire : elle n'a ni queue ni tête. Ceci étant dit, quoi que tu sembles en penser, et aussi sévères tes parents puissent-ils être, ils ne peuvent exiger de toi un salaire que tu ne recevras pas.

— Ça, madame Éléonore, c'est vous qui le dites !

— Non, c'est un fait, Marion… On ne peut donner à autrui ce que l'on n'a pas… Veux-tu que je leur parle, moi ?

La proposition était rassurante, mais Marion n'eut même pas la tentation de l'accepter. Elle n'avait pas oublié un certain affrontement entre son père, madame Éléonore et le majordome, sur le pas de la porte chez ses parents, et sous aucun prétexte elle ne voulait que madame Éléonore revive un moment aussi difficile.

— Je vous remercie, mais je vais m'en occuper moi-même, déclara-t-elle avec fermeté. Ce n'est pas à vous d'essuyer une bordée de jurons et de bêtises pour quelque chose dont vous n'êtes pas responsable.

— Oh ! Les bêtises, tu sais, ça ne me dérange pas plus que ça. En autant qu'elles ne sont pas justifiées, elles me coulent dessus comme l'eau sur le dos d'un canard. Allons ! Laisse-moi t'aider, Marion.

— Quand bien même vous me supplieriez, madame Éléonore, je refuse. Vous ne méritez surtout pas ça ! Je n'ai qu'à bien me préparer.

Ce que la jeune fille fit rigoureusement chaque soir, prenant de longues minutes avant de se coucher, pour mettre par écrit ce qu'elle allait dire à ses parents. Puis, avant de s'endormir, elle eut une pensée réconfortante pour le sourire de Fulbert, et elle sombra finalement dans un sommeil profond et sans rêve.

Quelques jours plus tard, sachant que, malgré toutes les meilleures intentions du monde, elle ne pourrait jamais être parfaitement prête à affronter son père et sa mère, Marion profita d'une journée froide, mais ensoleillée, pour faire la route menant à la maison familiale des Couturier.

— Tu es bien certaine que tu ne veux pas que je t'accompagne, ma belle ? insista la cuisinière pour une dernière fois. Il me semble qu'une longue promenade à l'air vif me ferait le plus grand bien !

Cette proposition eut l'heur de détendre Marion. Elle éclata de rire, alors que madame Légaré prenait sa mine offensée.

— Mais pourquoi ris-tu de moi ? J'ai dit quelque chose de drôle ?

— Mais non ! Par contre, expliqua la jeune fille, comme vous l'avez fait remarquer à monsieur Tremblay, le jour où il est venu chaparder un bout de fromage, en prétextant avoir besoin de sel pour la salle à manger : je vous vois venir avec vos gros sabots !

— Et après ? Il est interdit de s'inquiéter pour quelqu'un qui va délibérément se jeter dans la gueule du loup ?

— Madame Légaré, quand même !

— Bon, bon... Je ne dis plus rien... Mais promets-moi de ne pas t'obstiner si jamais ça tournait mal.

— Promis ! De toute façon, je n'arrive pas les mains vides.

— Comment ça ?

Marion se mit à rougir.

— J'ai pris un peu d'argent dans ma réserve, avoua-t-elle d'une toute petite voix, connaissant à l'avance quelle serait la réaction de la cuisinière.

Effectivement, celle-ci fronça les sourcils.

— En quel honneur ? Cet argent-là, il est à toi, Marion. Dois-je le répéter ? Tu as travaillé fort pour le gagner !

— Je sais, mais j'y ai beaucoup réfléchi et je crois quand même que c'est précisément ce que je dois faire.

— Et moi, je n'en suis pas du tout certaine.

— S'il vous plaît, ne me rendez pas la tâche encore plus difficile ! Je vous jure que j'ai très bien compris le principe. Ça m'a pris pas mal de temps pour le reconnaître, c'est vrai, mais aujourd'hui, j'admets que je mérite de garder quelques sous chaque mois.

— Alors, pourquoi vas-tu te délester de...

— Laissez-moi finir, madame Éléonore ! interrompit fermement Marion, qui n'avait pas son pareil pour convaincre les gens avec qui elle se sentait à l'aise, surtout quand elle savait sa position justifiée. En temps normal, vous avez raison, il est correct que je garde un peu d'argent. Même si je suis obligée de le faire en cachette de mes parents, pour éviter les conflits. Mais en ce moment, je suis d'avis que ce n'est pas tout à fait pareil, parce qu'on fait face à une situation exceptionnelle. Vous ne trouvez pas, vous ?

— Si on veut, oui.

— C'est pour ça que je vais leur offrir l'argent que j'ai. Ça fait quand même un beau petit montant parce que ça fait plus d'un an que j'économise.

— Tu vas tout donner ?

— Oui, tout. Pour que les petits chez nous puissent manger à leur faim. Surtout que mon père non plus ne doit pas travailler autant que de coutume. Il n'échappe certainement pas au vent de privation qui souffle un peu partout.

— Un vrai cœur sur deux pattes, murmura alors la cuisinière, émue par la belle générosité démontrée par sa protégée envers des gens qui n'apprécieraient probablement pas le geste à sa juste valeur.

Néanmoins, Marion était loin de faire un tel constat. Pour elle, il n'était que normal d'agir ainsi.

— De toute façon, comment voulez-vous que je me gâte avec l'argent que j'ai économisé tandis que des gens souffrent à cause de la crise ? ajouta-t-elle calmement. Je lis les journaux, moi aussi, et je sais qu'ils sont des milliers à ne plus avoir d'ouvrage et que des familles entières ont à peine de quoi se nourrir. Non, madame Éléonore, je ne serais pas à l'aise de m'acheter des babioles, sachant que des gens autour de moi ont tout perdu. Nous, ici, au manoir, nous sommes privilégiés : on a un toit sur la tête et si on ne mange peut-être plus du rôti tous les jours, nous avons quand même des assiettes bien garnies, grâce à vous.

— Ça, vois-tu, ça découle de mon petit côté écureuil... Oh ! Tu peux bien sourire, Marion, j'y suis habituée ! Quand arrivent l'automne et le temps des conserves, tout le monde rit de moi lorsque je sors mes gros chaudrons. On me répète qu'avec un caveau aussi bien garni que celui dont on a l'usage au manoir, ce n'est pas nécessaire. Peut-être bien. Mais si j'aime ça, moi, faire des confitures et mettre quelques légumes en pots ?

— Je ne ris pas de vous, madame Éléonore ! C'est juste l'image de l'écureuil qui m'a amusée... Vous voilà, comme moi, à inventer des comparaisons.

Sinon, vous avez le droit de cuisiner toutes les conserves que vous voulez ! Je dirais même que vous avez raison d'en faire autant : ça permet un peu de variété durant l'hiver et le printemps.

— Tu as bien retenu la leçon, Marion. Toutefois, cette année, ma prévoyance va valoir son pesant d'or, avant que nous reviennent le potager et les produits frais.

— Là encore, je suis d'accord avec vous... Mais avant d'aller plus loin dans la conversation et de nous mettre à élaborer le menu de la semaine, je vais vous dire bonjour, madame Éléonore. J'aimerais bien faire la route de jour.

— Ah oui, c'est vrai. Tu t'en vas chez tes parents... Sois prudente, veux-tu !

— Bien sûr. De toute façon, si j'arrive avec quelque chose en échange de ma mauvaise nouvelle, mes parents ne regarderont pas plus loin. Ils sont faits comme ça ! En autant qu'on met de l'argent sur la table, ils sont contents.

— Que Dieu t'entende, Marion !

— Bien sûr qu'Il va m'écouter, le Bon Dieu ! Ça fait une semaine que je Lui parle de cette visite-là... À tout à l'heure, madame Éléonore. Je devrais être de retour à temps pour vous aider à préparer le souper ! lança joyeusement la jeune fille.

Et elle quitta la cuisine avant que la cuisinière ne trouve quelque recommandation supplémentaire à formuler.

Ce que Marion n'avait pas dit, cependant, c'est qu'elle avait conservé un peu d'argent, pour le mois suivant. Elle connaissait trop bien ses parents pour agir autrement. Le risque de les voir tout dépenser rapidement était très réel et ce n'était pas ce qu'elle voulait, parce qu'alors, son sacrifice ne serait qu'un pansement sur une jambe de bois. L'argent qu'elle allait donner, c'était d'abord et avant tout pour que les petits mangent à leur faim, comme elle l'avait mentionné à madame Éléonore. Puis, l'espoir d'un autre gain, le mois prochain, même s'il était moins substantiel que de coutume, atténuerait la déception de sa mère.

Tout en marchant d'un bon pas, Marion souhaita avec ferveur que son père soit absent de la maison quand elle y serait. Depuis maintenant plus d'un an qu'elle se présentait régulièrement chez ses parents, elle avait facilement constaté que sa mère n'était pas tout à fait la même en l'absence du grand Tonin. Elle l'avait même entendue rire, alors qu'elles faisaient un gâteau ensemble. Depuis ce jour-là, Marion prenait un certain plaisir à retourner chez elle pour quelques heures chaque mois. Sa sœur Ludivine lui avait même confié, tandis qu'elle accompagnait Marion jusqu'au village pour faire des commissions, que cela arrivait de plus en plus souvent d'entendre leur mère s'amuser quand leur père n'était pas là.

— Il est tellement de mauvaise humeur quand il revient du travail, à cause de son dos qui lui fait mal, qu'on dirait que notre mère aussi est soulagée de le voir partir, le matin.

— Ah oui ?

— C'est comme je te dis. Pis le fait qu'elle soye pas encore en famille, ça doit jouer pas mal sur son humeur. Dans le bon sens, je veux dire !

— Ça, par contre, c'est facile à comprendre. Elle en a déjà beaucoup à faire avec tous ceux qui sont là.

— Ouais... Mais toujours est-il que la mère arrête pas de répéter que c'est fini, le temps des bébés. J'sais ben pas ce qui lui fait dire ça, mais ça a ben l'air que ça marche, rapport que Carmen a déjà un an et demi, pis qu'il y en a pas un autre en cours de route...

— À mon avis, on est déjà suffisamment nombreux !

— À qui le dis-tu ! Astheure, il y a juste quand elle boit de la bière avec le père que la mère redevient impatiente comme avant. Sinon, ça va pas trop pire. Je pense que le petit six mois que t'as passé avec nous autres à la maison y est pour quelque chose !

— Tu crois ?

— Ouais... Toi, t'es toujours calme, pis ça, ça aide en s'il vous plaît pour garder la mère de bonne humeur ! Moi, j'sais pas le diable pourquoi, mais j'arrive jamais à tenir ma langue. Faut tout le temps que je m'ostine avec tout le monde, pis ça arrange pas pantoute les choses, quand vient le temps de discuter avec les parents.

Ludivine avait l'air tellement découragée en faisant cette constatation que Marion lui avait entouré les épaules d'un bras protecteur.

— Si jamais tu en sens le besoin, tu n'auras qu'à me le dire et je viendrai plus souvent à la maison.

— Tu ferais ça pour moi ?

— Pourquoi pas ?

Devant cette promesse, Ludivine avait eu un de ses rares, mais si lumineux sourires. Malheureusement, elle n'en avait jamais reparlé.

C'est en se remémorant cette conversation vieille de plusieurs mois que Marion arriva enfin chez ses parents. Il n'y avait ni neige ni grand vent, mais on se sentait déjà en hiver, et, malgré le froid mordant de la journée, aucune fumée ne montait de la cheminée. La jeune fille poussa alors un long soupir oppressé. Antonin et Josette devaient encore une fois ménager le bois de chauffage ! Après avoir frappé un petit coup sur la porte, Marion entra sans attendre.

Debout devant le comptoir, sa mère se retourna illico pour voir qui s'amenait chez elle, comme ça, au beau milieu de la semaine.

— Ah ben, ah ben ! Regardez-moi qui c'est qui est icitte aujourd'hui ! Veux-tu ben me dire ce que tu fais chez nous ? On est pas le premier du mois, me semble. Ça serait-tu que ton patron t'a remis tes gages en avance ?

— Malheureusement, non. Mais il fallait que je vous parle.

Un simple regard et Josette se douta de ce que sa fille allait lui annoncer.

— T'as ben l'air sérieuse, tout d'un coup !

— C'est sérieux, oui.

— Ben si c'est de même, on va aller dans ma chambre. On va être plus tranquilles, si jamais il arrivait quelqu'un.

— Ludivine est sortie ?

— Elle est en haut, avec les petits. Le plancher de la cuisine est trop frette pour se traîner à terre, pis ton père veut ménager le bois. Ça fait deux jours que ta sœur s'occupe des plus jeunes à l'étage.

— Et en parlant du père... Il n'est pas là lui non plus ?

— Non. À matin, comme tous les matins, il est parti en ville pour essayer de trouver de l'ouvrage. Comme tu dois t'en douter un peu, pour un homme à tout faire comme lui, les jobines se font plus rares... On est peut-être isolés dans notre maison au bout du rang, on est quand même au courant de toute. C'est ton père qui me revient de la ville avec les nouvelles. On espère seulement que la neige tardera pas trop, cette année, parce que la Ville va quand même être obligée de faire déblayer les rues principales, pis ça, c'est du travail sûr pour lui. Par contre, s'il est pas revenu à l'heure qu'il est, c'est probablement qu'il a dû dégoter quelque chose pour aujourd'hui. Ça serait tant mieux, parce que ça doit faire un bon six jours qu'il a pas travaillé. Depuis la semaine dernière, on dirait que tout le monde a décidé de garder ses cennes.

— Compte tenu de ce qui se passe, c'est peut-être normal, vous ne croyez pas ?

— Je dis pas le contraire. Si j'avais un peu d'argent, je ferais pareil, pis j'étirerais mes avoirs au maximum. On a beau dire, mais c'est encore le pauvre monde comme nous autres qui va en pâtir le plus, comme d'habitude.

Sur ce, Josette ferma la porte de la chambre derrière elle.

— Pis, ma fille, que c'est que t'as de bon à me raconter ?

— C'est justement à propos de la crise, fit cette dernière, avec une visible hésitation dans la voix.

— La crise ? En quoi ça peut ben te regarder, une affaire de même ?

— Ça regarde tout le monde. Quand les parents ne travaillent plus, ce sont les enfants qui ont faim.

— Tant qu'à ça, t'as pas tort… Mais toi, dans ton manoir, ça doit pas vous toucher ben gros. Ton monsieur O'Gallagher, il est riche comme c'est pas possible.

— Il l'était, oui.

— Pourquoi tu dis ça ?

— Je ne pourrais pas vous donner les détails, je ne connais pas ça, mais ce que je sais, par exemple, c'est que nous autres aussi, on va devoir se serrer la ceinture.

— Les domestiques, tu veux dire ! constata Josette avec assurance et une pointe de mépris dans la voix. C'est les domestiques qui vont devoir se priver, parce que les riches, eux autres, ils vont ben continuer à manger normalement ! s'entêta-t-elle.

— Non, non, ça touche vraiment tout le monde, insista Marion, soulagée de voir que, pour l'instant, le ton n'avait pas monté. Même que madame Légaré a commencé à faire des repas différents pour en haut et pour nous, les employés.

— Ben voyons donc, toi ! Si je m'attendais à ça !

— Personne ne s'attendait à ça, comme vous dites. En un mot, si je suis ici, c'est pour vous prévenir que mes gages aussi vont baisser, et peut-être même disparaître pour le temps que ça va durer. Mais avant d'en arriver là, j'ai ça pour vous.

Et pour éviter les cris, ce qu'elle détestait pardessus tout, et avant que sa mère se mette à protester, Marion se dépêcha de sortir de sa poche une liasse de billets de un dollar, qu'elle tendit à Josette. La jeune fille entendait son cœur battre jusque dans ses oreilles, tellement elle était tendue.

— Tenez ! C'est pour vous. Et je devrais en avoir encore un peu le mois prochain. Mais pour la suite, je ne le sais pas.

La main de Josette fondit sur le petit paquet de billets comme les serres d'un vautour agrippent leur proie.

— Ben contente que ton père soye pas là, fit-elle en guise de remerciement, tout en glissant l'argent dans la poche de sa jupe. Comme ça, il pourra pas en réclamer une partie pour aller boire à l'hôtel, sous prétexte que c'est là qu'il trouve de l'ouvrage… Bon ben, si c'est toute ce que t'avais à me dire, j'vas retourner à mes patates.

Josette fit quelques pas dans la chambre, puis elle se retourna.

— Ta nouvelle, c'était une maudite nouvelle plate, mais que c'est tu veux que j'y fasse ? constata-t-elle, donnant ainsi raison à madame Éléonore, qui avait prédit que ses parents ne pourraient pas lui en vouloir. C'est pas en te criant par la tête que ça va changer de quoi. On va juste continuer à manger des patates, avec peut-être des œufs, pis un peu de poulet de temps en temps. Avec l'argent que tu m'as donné, je pourrai pas faire de miracles, précisa-t-elle sur un ton de défi, mais c'est quand même mieux que rien pantoute.

— Vous saurez qu'au manoir aussi, on mange des patates plus souvent qu'avant… Comme le dit madame Éléonore, à défaut d'avoir du rôti, ça soutient l'estomac… Mais avant que vous retourniez dans la cuisine, j'aurais autre chose à vous annoncer…

Josette tourna un regard suspicieux vers Marion.

— Coudonc, toi, t'as ben un drôle d'air, tout d'un coup… Viens pas me dire qu'en plus, t'aurais faite une grosse bêtise ?

— Ben non, ça ne serait pas mon genre. Je suis plutôt tranquille et vous le savez. Ce que j'ai à vous dire, ça ne me concerne pas vraiment, et je pense que c'est une nouvelle qui va vous faire plaisir.

— Ah ouais ? Ça se peut, ça, une affaire qui pourrait me faire plaisir ? Eh ben… Par les temps qui courent, ça me surprendrait beaucoup. Envoye, crache le morceau, que je retourne à mon ouvrage !

Marion avait beau avoir tourné et retourné la question des dizaines de fois, il n'en restait pas moins qu'elle ignorait comment sa mère allait réagir. Toutefois, comme elle en était venue à la conclusion que maintenant ou plus tard ne changerait pas grand-chose à la donne, elle lâcha effectivement le morceau d'une voix précipitée.

— C'est juste que j'ai rencontré Ovide, l'autre jour, débita-t-elle, sans crier gare, tout en scrutant le visage de sa mère pour percevoir sa réaction, afin d'y répondre de la meilleure façon possible.

Quand Josette entendit prononcer le nom de son fils, elle blêmit puis se redressa vivement.

— Ovide ?

La voix était neutre, mais l'éclat qui traversa le regard de Josette Couturier ne pouvait mentir : elle était soulagée. Heureuse et soulagée.

À cet instant, Marion comprit qu'elle s'en était fait pour rien.

— Comme ça, t'as vu Ovide, répéta sa mère, sur un ton songeur.

Josette resta silencieuse un moment, puis elle posa un regard presque bienveillant sur Marion.

— Pis ? Comment c'est qu'il va ?

— Pas pire.

Marion parlait maintenant avec plus d'assurance. Toutefois, c'est bien volontairement qu'elle resta le plus vague possible, pour éviter les questions embarrassantes.

— Pis où c'est que tu l'as vu, ton frère ? Toujours ben pas au manoir. Avec le sparage qu'il a faite quand il s'est sauvé, pas sûre qu'il serait le bienvenu.

— Pour ça, vous avez raison. Il est mieux de ne pas se montrer le bout du nez chez monsieur O'Gallagher ! Non, je l'ai croisé à Montréal. Par hasard.

— Parce que tu vas à Montréal, toi ?

— Ben… oui, des fois. Mais pas trop souvent, par exemple. C'est mon amie Agnès qui m'invite chez elle.

— Agnès ?

— Vous le savez bien, la nouvelle amie que je me suis faite à la maison de campagne. J'en ai parlé une couple de fois.

— Astheure que tu le dis, je m'en rappelle… Comme ça, t'as vu Ovide… Ça parle au diable ! Je pensais justement à lui pas plus tard qu'hier… Pis tu dis qu'il se porte bien ?

— Oui, vraiment. Je sais pas trop où il demeure ni même où il travaille, mais ça doit être un bon emploi, parce qu'il avait l'air en forme.

— Ben coudonc…

Josette se tut encore une fois. Son regard était absent et un vague sourire flottait sur ses lèvres. Elle resta ainsi sans parler durant un très long moment, puis elle se tourna vers Marion.

— J'suis contente d'avoir eu de ses nouvelles, tu sauras. Même si j'y en ai voulu ben gros de s'être sauvé comme il l'a faite, deux automnes passés, astheure que je le sais en vie, pis en bonne santé, m'en vas mieux dormir la nuit… Je te demanderais juste de pas en parler à ton père. Des fois que l'idée d'aller le chercher à Montréal lui traversait l'esprit… Il en serait ben capable.

Josette secoua alors la tête vigoureusement.

— Non, affirma-t-elle sans hésitation, c'est mieux que Tonin sache rien parce que ça serait pas une bonne affaire qu'ils se rencontrent, ces deux-là. L'important, c'est que mon garçon va ben, pis pour le moment, on va garder ça entre nos deux. Pour le reste, on va s'en remettre au destin. C'est encore la meilleure chose à faire… Bon ben… Là, c'est vrai, faut que je retourne à mes patates. Mais je pense qu'à soir, elles vont être ben meilleures que celles d'hier… Ah oui ! Avant que je l'oublie, merci pour l'argent, Marion. Malgré ce que j'ai dit t'à l'heure, ça va m'être utile pour mettre un peu de viande sur la table.

Ça va faire plaisir à tes frères, pis à ton père avec, parce qu'ils se plaignent de toujours avoir faim. Astheure, tu peux t'en aller.

— C'est exactement ce que j'allais faire ! J'ai promis à madame Éléonore de préparer le souper avec elle. Moi aussi, je vais probablement avoir une montagne de patates à peler ! Le temps de monter dire bonjour à Ludivine, et je m'en vais.

TROISIÈME PARTIE

Printemps 1930

« Il s'est passé tellement de choses depuis l'automne dernier que chaque fois que j'essaie d'y penser calmement, je ne sais jamais par quel bout commencer ! Même si j'ai tenté de tout écrire pour ne rien oublier, ça reste quand même difficile de m'y retrouver. Mais aujourd'hui, comme ça fait à peu près un an que je tiens mon journal, je vais chercher à résumer les derniers mois, pour tourner la page pour de bon avant de commencer une autre année.

Comme les chapitres dans les romans que je lis !

Je vais donc y aller avec ma famille. Après tout, pour moi, c'est le début de beaucoup de choses.

En fin de compte, alors que je ne m'y attendais plus du tout, j'ai reçu une lettre d'Ovide, un peu avant Noël. J'ai tout de suite remarqué que ça paraissait qu'il avait suivi les cours de monsieur Chartrand pendant longtemps, parce qu'il n'y avait presque pas de fautes dans sa lettre. Je me suis dit que ça pourrait peut-être lui être utile un jour. Si Ovide s'était finalement décidé à m'écrire, c'était pour m'annoncer qu'il partait vivre à l'autre bout du Canada. Paraîtrait-il que par là, il y a plus d'ouvrage qu'à Montréal. Il a ajouté qu'il ne voulait pas que je m'inquiète pour lui. C'est gentil de sa part d'y avoir pensé. Ensuite, il m'a expliqué qu'il avait été un des premiers à perdre son emploi sur les quais, parce qu'il n'avait aucune compétence, et avec le chômage qu'on connaît depuis un bout de temps, il n'a pas réussi à se faire embaucher ailleurs. Alors, ses affaires se sont mises à dégringoler. Je ne sais pas trop de quelles affaires il voulait parler, mais peu importe. Comme il avait mis un peu d'argent de côté pour faire un voyage, il a été obligé de l'utiliser pour s'en sortir. Il s'est trouvé un lit dans une maison de chambres, où les propriétaires ont décidé de changer leur salon en dortoir, pour le temps que la crise va durer. Mais pour manger, Ovide devait se présenter à la soupe populaire. C'est vrai que ça ne devait pas du tout être agréable. On est peut-être pauvres, dans notre famille, mais je n'ai jamais vu mes parents s'abaisser à demander la charité. Mais pour Ovide, accepter de l'aide a fait sa chance parce que c'est à un de ces repas qu'il a rencontré un monsieur qui cherchait des hommes jeunes et en bonne forme physique pour une compagnie qui fait du forage dans l'ouest du pays. Ovide a spécifié que c'était pour trouver du pétrole. Je ne connais rien du tout dans ce domaine-là, mais quand j'en ai parlé à monsieur Tremblay, il a dit que mon frère avait eu raison de partir, parce que le pétrole, c'est l'avenir. Alors tant mieux pour Ovide, même s'il s'en va à l'autre bout du monde !

Ma mère a été contente d'apprendre que, malgré les temps difficiles, mon frère donnait l'impression de pouvoir s'en sortir pas trop pire. Après avoir lu la lettre, elle m'a demandé de la garder pour la montrer à mon père, en disant qu'il n'y avait plus de danger qu'il veuille aller chercher Ovide à Montréal puisqu'il était déjà parti. Elle a ajouté, en souriant, comme si elle était en train de faire une bonne blague, que l'autre bout du pays, c'était beaucoup trop loin pour que mon père aye l'idée de se rendre jusque-là. Je lui ai répondu sur le même ton qu'elle avait bien raison et je lui ai laissé la lettre. C'était bien la première fois de ma vie que j'avais l'impression de partager quelque chose avec ma mère et ce soir-là, j'y ai longtemps pensé avant de m'endormir. Ça m'a fait chaud au cœur, comme quand je parle parfois avec une amie. Puis, de voir qu'Ovide est débrouillard va peut-être aider mon père à moins lui en vouloir, et ça aussi, ça me faisait plaisir. Après tout, c'est courant de voir des garçons de son âge partir vivre leur vie loin de leur famille et mon père va devoir l'admettre.

Au manoir aussi, il y a eu pas mal de changements. À commencer par madame Ruth, qui est rentrée dans sa famille. « Tant qu'à pas avoir de salaire, qu'elle a dit, autant m'en retourner par chez nous, où je connais tout le monde. En plus d'aider mes vieux parents, je saurai me rendre utile à bien des endroits. »

Fin de la citation, comme j'ai déjà vu d'écrit dans les livres !

Dès le lendemain, madame Ruth a quitté le manoir. On était au début du mois de novembre, et depuis, on n'a pas eu de ses nouvelles. C'est Pascaline, maintenant, qui s'occupe de mademoiselle Tiffany et de mademoiselle Béatrice. En plus de faire les lavages avec Lisa, comme avant. Tout ça pour dire que depuis l'automne, personne ne chôme sous le toit de monsieur O'Gallagher, même si avec tout le chômage qu'il y a un peu partout, ça fait un peu drôle de dire ça ! Quant à madame Donatienne... Je ne sais pas vraiment quoi dire à son sujet. Sinon qu'elle aussi est partie. À peine quelques jours après Ruth, je l'ai entendue claquer la porte. Oui, oui, elle a claqué la porte... Et sais-tu quoi, cher journal ? Ça ne m'a pas surprise de la voir partir. Déjà que je trouvais que son métier avait été inventé surtout pour donner des ordres aux autres, en plus de voir à madame O'Gallagher... Je dois sûrement me tromper, mais j'ai toujours eu l'impression que madame Donatienne ne faisait pas grand-chose de ses journées ni de ses dix doigts, à part courir d'un bout à l'autre du manoir pour surveiller Lisa, Ruth et Pascaline. C'est probablement pour ça que monsieur O'Gallagher lui a demandé de partir. À cause des temps difficiles que nous traversons, la présence d'une gouvernante n'était plus aussi nécessaire. J'ai entendu monsieur Tremblay et madame Éléonore en parler à voix basse dans la cuisine. C'est sûr que ça va faire beaucoup plus d'ouvrage pour Pascaline. Pensez donc ! Ruth et madame Donatienne parties, presque en même temps... Pourtant, Pascaline reste toujours aussi souriante. Elle m'a même avoué, l'autre jour, qu'elle préférait travailler un peu plus plutôt que d'avoir madame Donatienne sur son dos, à tout surveiller. J'y ai beaucoup pensé et j'admets qu'elle doit avoir raison.

Il y a Adam, aussi, qui n'est plus de service au manoir. Lui, par contre, on continue de le voir tous les jours, matin et soir, car il travaille maintenant à l'entrepôt de monsieur O'Gallagher, qui a trouvé que son valet et chauffeur avait eu une très bonne idée d'offrir son aide ainsi. Tous les jours, ils partent donc ensemble et ils ne reviennent que pour le souper. C'est curieux de voir ça, mais certains matins, c'est monsieur O'Gallagher qui conduit l'auto et Adam s'assoit à côté de lui. Comme si Adam était devenu le patron ! Ce qui fait en sorte que monsieur Tremblay, en plus d'être toujours le majordome, est devenu le valet de James et de son père. C'est évident que ça lui fait des grosses journées, car il a un peu maigri. Néanmoins, je ne l'ai jamais entendu se plaindre et il continue de siffloter un peu n'importe quand.

Mais le plus gros changement, je crois, a été mademoiselle Tiffany. Et j'avoue qu'elle m'a vraiment impressionnée…

Il y a environ un mois, elle est venue à la cuisine pour parler à monsieur Tremblay, parce que, depuis quelque temps, quand on cherche le majordome et qu'on ne le voit nulle part, c'est toujours à la cuisine qu'on a le plus de chances de le trouver… C'est nouveau dans ses habitudes de venir flâner autour des chaudrons de madame Éléonore, et j'ai ma petite idée là-dessus, mais comme je ne suis pas certaine à cent pour cent, je préfère ne pas en parler, même à toi, cher journal. S'il fallait que je me trompe et que quelqu'un lise mon cahier, ça me mettrait franchement mal à l'aise ! Toujours est-il que mademoiselle Tiffany est entrée comme un coup de vent dans la pièce, et visiblement, elle n'était pas de bonne humeur. C'est à peine si elle a esquissé un tout petit sourire en voyant monsieur Tremblay. C'est à ce moment-là que, de but en blanc, elle a fait une annonce au majordome, tout comme à madame Éléonore et à moi, par le fait même, parce qu'on était toutes les deux dans la même pièce que monsieur Tremblay, en train de préparer un bouilli, avec une toute petite poule et une tonne de légumes. Donc, elle a marché tout droit vers monsieur Tremblay et elle lui a expliqué qu'elle avait proposé à son père d'aller travailler à l'entrepôt, elle aussi, pour l'aider à traverser la crise. C'était tellement surprenant comme idée que j'en suis restée bouche bée !

Sur ce, mademoiselle Tiffany s'est laissée tomber sur une chaise, l'air complètement découragé, parce que son père lui avait répondu qu'il n'en était absolument pas question. Puis elle a levé les yeux vers le majordome en disant qu'elle allait avoir besoin de lui pour convaincre son père de changer d'idée.

Je crois que je n'ai jamais vu monsieur Tremblay aussi embarrassé.

Par la suite, mademoiselle Tiffany a énuméré toutes les raisons données par son père pour expliquer son refus, à commencer par le fait que le monde des affaires ne s'adressait pas aux femmes. Paraîtrait-il que c'est une jungle et que sa fragilité de jeune fille n'y survivrait pas. Elle était rouge de colère quand elle a lancé qu'elle n'était pas une potiche vide incapable de réfléchir et qu'au contraire, elle pensait avoir d'excellentes idées pour redonner un peu de panache à l'entreprise. Après tout, beaucoup d'articles vendus par O'Gallagher and son sont conçus pour les femmes. C'est ce que mademoiselle Tiffany avait dit à son père. Mais malgré cela, la réponse était restée la même et monsieur O'Gallagher ne voulait plus en entendre parler. Il lui aurait plutôt suggéré de voir du côté de sa mère pour l'aider à ses bonnes œuvres, qui sont essentielles en ces temps difficiles. Puis, son père lui aurait montré la porte de la bibliothèque, car elle le dérangeait.

C'est là que mademoiselle Tiffany a demandé à monsieur Tremblay s'il ne pouvait pas parler à son père. Après tout, qu'elle a même ajouté, ils étaient comme des amis.

Je te jure, cher journal, qu'en entendant ces mots, le majordome a blêmi.

Il a bien tenté de se débarrasser de la corvée, mais mademoiselle Tiffany s'est faite tellement insistante qu'il a fini par céder.

C'est ainsi que la fille aînée de la famille O'Gallagher a pris le chemin de l'entrepôt, elle aussi. Personne ne sait ce que le majordome a bien pu dire pour faire changer d'avis monsieur O'Gallagher, mais il a réussi. Depuis, chaque fois que je la croise, elle a l'air de bonne humeur. Ce qui la change drôlement ! Quand j'en ai parlé à madame Éléonore, elle m'a répondu que c'est l'oisiveté qui rend les gens moroses. Maintenant que la jeune femme a un but dans la vie, ça la rend beaucoup plus agréable.

De son côté, mademoiselle Béatrice a appris à conduire une auto. Comme il n'y avait plus personne pour véhiculer madame O'Gallagher jusqu'à ses bonnes œuvres, Adam a pris quelques heures de son temps pour enseigner les rudiments de la conduite à mademoiselle Béatrice, et c'est elle maintenant le chauffeur attitré de la seconde voiture. Ce qui a fait dire à monsieur Tremblay que le monde était en train de devenir complètement ridicule. Et il avait l'air franchement découragé en affirmant cela !

Quant à James, il continue d'aller au collège de Villeneuve, même si, pour l'instant, son père n'est pas encore certain d'avoir suffisamment d'argent pour l'envoyer à l'université l'an prochain. Je crois bien que James est fatigué d'aller au collège, et je peux le comprendre. C'est bien beau, l'instruction générale, comme on dit, mais vient un temps où on a envie d'apprendre un vrai métier. James, lui, c'est toujours celui d'ingénieur en ponts qui l'intéresse, même s'il n'en a pas encore parlé avec ses parents. Mais comme je lui ai dit, l'autre jour, quand on était seuls tous les deux et qu'on regardait les glaces descendre la rivière, il n'a pas encore dix-sept ans, rien ne presse.

Moi, je continue à pratiquer ce que je sais faire le mieux, c'est-à-dire la cuisine. Je m'en viens pas mal bonne, et ce n'est pas pour me vanter que je dis cela ! C'est uniquement pour répéter ce que madame Éléonore radote à tout le monde. Mais laisse-moi te dire, cher journal, que ça me fait grandement plaisir de voir qu'elle est fière de moi.

La dernière chose à laquelle je pense de temps en temps, c'est la maison de campagne. Monsieur O'Gallagher nous a annoncé qu'on n'irait pas cette année. Ça me déçoit un peu, c'est certain, mais pas tant que ça, parce que je continue de voir Agnès régulièrement. En fait, on s'est vues à trois reprises durant l'hiver, soit chez elle, soit au manoir. Et la dernière fois que je suis allée à Montréal, devine qui était là ?

Fulbert !

Quand je suis arrivée chez l'oncle Émile et la tante Lauréanne, il discutait avec le grand-père Irénée. Je crois bien qu'Agnès et Fulbert sont devenus de bons amis, un peu comme James et moi, car j'ai cru comprendre qu'ils se voyaient assez souvent. Et c'est tant mieux pour eux, parce que c'est très agréable d'avoir un ami avec qui parler de tout ce qui nous passe par la tête.

C'est quand j'ai revu Fulbert avec qui, à mon grand bonheur, j'ai longuement jasé de son cours de médecine et de mon travail en cuisine que j'ai compris que j'étais amoureuse ! Depuis, je n'arrête pas de penser à lui. J'aurais fait la conversation avec lui durant toute la nuit, si Agnès n'avait pas décidé qu'elle en avait assez d'être dans la maison et qu'elle avait envie d'aller se promener.

Fulbert est tellement, tellement beau !

Et tellement intéressant quand il parle !

Et tellement gentil avec moi !

Peut-être bien que je devrais les inviter à manger, Agnès et lui ? Comme ça, James pourrait le rencontrer et me dire ce qu'il en pense.

Encore une autre chose à laquelle je vais devoir réfléchir sérieusement. Ça commence à faire beaucoup !

Maintenant, je dois me dépêcher. Madame Éléonore veut faire des brioches pour le Vendredi saint et elle attend après moi pour pétrir la pâte.

Alors je te laisse ici, cher journal. Mais ne crains pas ! Dès que quelque chose d'intéressant se passera autour de moi, je vais te l'écrire. »

CHAPITRE 8

Le jeudi 17 avril 1930, dans la cuisine du manoir O'Gallagher, à trois jours de la fête de Pâques

Une heure plus tard, la cuisine et une bonne partie du manoir commençaient à sentir très bon les brioches mises à cuire.

— Et tu pourras en porter une chez tes parents, ma belle !

— Ça, c'est gentil. Je suis certaine que ma mère va apprécier.

— Je l'espère bien... Sais-tu que j'ai l'impression que ça se passe un peu mieux entre elle et toi, depuis quelque temps. Est-ce que je me trompe ?

— Pas du tout. C'est vrai qu'on se parle de plus en plus, admit Marion, tout en rangeant les pots de farine et de sucre. Je crois qu'elle aime bien cuisiner, elle aussi. C'est même devenu un bon sujet de conversation entre nous.

— Tant mieux si tu lui as donné le goût de « popoter » un peu, comme l'aurait dit ma maman !

Vois-tu, Marion, quand une mère sait se débrouiller en cuisine, il est rare que les enfants souffrent de la faim !

— Ça c'est vrai ! Par contre, je crois qu'elle aurait toujours aimé ça, si on lui en avait donné la chance. Dans le fond, si elle ne faisait pas grand-chose du temps de mon enfance, c'était simplement parce qu'il n'y avait jamais rien dans la dépense. Aujourd'hui, ça a changé ! Même si, maintenant, je n'ai plus d'argent à lui remettre, chaque fois que j'arrive avec quelques provisions, elle est toute souriante.

— C'est tout à fait compréhensible, tu ne crois pas ?

— Oui, c'est sûr ! Mais en même temps, ça me donne la preuve qu'elle avait vraiment besoin de mes gages pour de la nourriture et que ce n'était pas uniquement un prétexte pour se débarrasser de moi, si elle a offert mes services à madame O'Gallagher. Parce que c'est ce que je croyais, au début. Plus maintenant. Elle a même avoué, la semaine dernière, qu'elle trouvait ça plutôt pratique d'avoir des aliments ou des plats à la place de l'argent, parce qu'elle n'a plus besoin d'envoyer Ludivine au magasin de monsieur Godbout, à tout bout de champ. Aussi, la facture à payer, à la fin du mois, est beaucoup moins élevée.

— Tant mieux pour elle… et pour toute ta famille ! Mais pour cela, on peut remercier la générosité de madame Stella. C'est elle qui m'a permis de piger de temps en temps dans nos réserves.

— C'est vrai qu'elle est gentille. Même si les temps sont durs pour tout le monde, elle continue à aider du mieux qu'elle peut autour d'elle… Et c'est bien utile de pouvoir compter sur mademoiselle Béatrice pour me mener jusque chez mes parents, chaque fois que j'en ai besoin. Je me demande bien ce que j'aurais fait si j'avais été obligée d'y aller à pied, avec les sacs de nourriture.

— Ça aurait été embêtant, c'est le moins qu'on puisse dire.

— Qu'est-ce qui aurait été embêtant comme ça ? demanda une voix féminine qui venait du corridor.

Depuis que madame O'Gallagher avait consenti à raccourcir l'ourlet de ses jupes, elle se déplaçait silencieusement, un peu comme le majordome. Au son de sa voix, Éléonore sursauta. Quand elle l'aperçut, elle éclata de rire.

— Doux Jésus, madame ! Je ne vous avais pas entendue venir. Me voilà bien avancée ! On dirait que j'ai quelque chose à cacher ou que j'ai peur de vous !

Stella O'Gallagher soupira, visiblement agacée.

— J'en suis désolée ! C'est à cause de ces vêtements trop courts, aussi ! Moi non plus, je n'arrive pas encore à m'y habituer. J'aimais bien le froufroutement de mes robes longues… Mais que voulez-vous ! Mes filles disaient que je faisais démodée et elles riaient de moi… Toutefois, je ne suis pas ici pour parler de la mode.

— Alors, que puis-je pour vous, madame ?

— J'étais venue pour discuter du menu de Pâques. Avez-vous une petite idée de ce que nous pourrions manger ? Avec toutes ces restrictions, je m'y perds un peu, et sans trop réfléchir, j'ai invité ma sœur et sa famille à se joindre à nous, comme ils le font chaque année. Je m'en excuse, Éléonore, j'aurais dû vous consulter avant.

— Vous n'avez pas à discuter de vos décisions avec moi, madame ! Et je dirais que vous avez eu une bonne idée !

— Vous trouvez ? Alors là, vous m'en voyez ravie. Je craignais que ma demande ne vous cause trop de soucis.

— Pas du tout ! Grâce à mon papa, nous allons manger du jambon, comme d'habitude. Il a eu la gentillesse de nous en réserver une belle fesse avec un os à moelle. Ainsi qu'un bon assortiment de légumes pour l'accompagner.

— Votre père a encore des légumes frais ?

— Bien sûr, comme de coutume. Même quand j'étais petite, on a toujours eu des légumes à l'année. Son caveau est encore plus grand que le nôtre, je crois bien !

— Alors tant mieux ! On va pouvoir ainsi s'offrir un peu de normalité pour Pâques… Laissez-moi vous dire que je commence à en avoir assez de tous ces problèmes financiers ! Mon mari a beau agir en gentleman et me tenir à l'écart de ses préoccupations, je vois bien qu'il est encore passablement soucieux.

— Nous le sommes tous un peu, vous ne croyez pas ?

— Tout à fait. Par contre, moi, je n'ai pas à me casser la tête pour les questions domestiques. Pour l'argent et tous ces comptes compliqués, c'est monsieur qui s'en occupe ; et pour les repas, je m'en remets à vous. Mais n'allez pas croire que je sois sans cervelle et sans inquiétude pour autant !

— Je n'ai jamais pensé ça, madame ! Et je sais que vous avez beaucoup de cœur aussi ! On voit bien que la situation vous préoccupe, avec toutes ces bonnes œuvres dont vous vous occupez.

— S'il n'y avait que cela ! Non, ce qui m'inquiète le plus, c'est ma chère Olivia.

— Pourquoi ? Olivia a des problèmes ? Il y aurait quelque chose qui nous échapperait, ici, à la cuisine ? Pourtant, l'autre jour, monsieur Tremblay nous a assuré qu'elle s'en sortait assez bien, même toute seule à l'autre bout du monde.

— Olivia se porte très bien. Du moins, c'est ce qu'elle nous écrit. Mais vous venez de le dire : elle habite au bout du monde ! Et dire que je ne pourrai pas la visiter. Vous connaissez ma fille, n'est-ce pas ?

— Bien sûr, je l'ai vue naître et grandir ! Voulez-vous que je vous dise, madame ? Entêtée et débrouillarde comme elle l'est, il n'y a pas de souci à se faire à son sujet.

— Je sais, je sais… Il n'en reste pas moins que j'aurais bien aimé me rendre à Paris pour voir de mes yeux, ce « charmant petit deux pièces sous les combles » dont elle nous parle sans arrêt dans chaque lettre. À la voir insister à ce point, comme si elle voulait nous convaincre, j'ai de gros doutes quant au charme de ce réduit... Malheureusement, nous n'aurons pas les moyens de voyager cette année. Ni même d'avoir une maison à la campagne... Quelle époque désagréable ! Mais je suis là à me lamenter... Je n'ai pas à vous embêter avec ces...

— Vous n'embêtez personne, et nous partageons vos inquiétudes, soyez-en assurée !

— Merci, Éléonore. C'est toujours réconfortant de venir vous voir. On dirait que vous attirez les confidences, et, au bout du compte, on repart rassuré. Vous avez raison : ma fille est tout sauf une tête de linotte. Je devrais lui faire confiance.

— C'est ce que je pense, moi aussi.

— Chère Éléonore, vous êtes irremplaçable !

— Allons donc ! Vous exagérez quand même un peu, madame ! La preuve, vous l'avez sous les yeux ! Le jour où je serai fatiguée de mes bols et de mes casseroles, il y a ici une jeune personne capable de me remplacer au pied levé.

À ces mots, madame O'Gallagher eut un charmant sourire à l'intention de Marion, puis elle quitta la pièce sans plus de cérémonie.

— Pauvre madame Stella, soupira la cuisinière, dès qu'elle entendit l'escalier émettre ses craquements habituels. Ça doit être terrible de s'en faire pour un de ses enfants… Mais qu'est-ce que je dis là, moi ? Je sais que c'est terrible. Je n'ai peut-être pas eu d'enfants, mais je connais une jeune fille que j'aime comme si elle était la mienne et je me suis fait bien du souci pour elle quand elle a dû nous quitter momentanément !

À ces mots, Marion se sentit rougir.

— Moi aussi, je vous aime, madame Éléonore, avoua-t-elle toute gênée, tandis qu'elle échangeait un regard affectueux avec la cuisinière.

Si Marion prenait de l'aplomb dans bien des domaines, en revanche, elle était toujours aussi timide dès qu'il était question de sentiments.

— Ma mère n'en avait sûrement pas l'intention, poursuivit-elle, mais le jour où elle est venue rendre visite à madame O'Gallagher pour offrir mes services, elle m'a fait le plus beau cadeau qui soit.

— Ah oui ? Un cadeau ? Tu es bien certaine de ce que tu avances ? Si je m'en souviens bien, tu as été de corvée de patates durant de longues semaines. À mon humble avis, c'était loin d'être une récompense !

— Et alors ? C'est vrai que, vu comme ça, de l'extérieur, peler des patates ne me changeait pas tellement de chez nous. Mais ici, j'étais avec vous, madame Éléonore. C'était vous, mon cadeau.

La cuisinière resta silencieuse un moment. Depuis le temps qu'elle travaillait avec Marion, elle connaissait les liens qui les unissaient toutes les deux. C'étaient ceux de l'affection, de la tendresse, du respect mutuel, et elle n'avait plus aucun doute quant à leur sincérité.

Mais de se le faire rappeler soulevait de belles émotions. Éléonore se répéta que, dans toute relation, il ne faut pas tenir ces choses-là pour acquises, et qu'elle ne devrait jamais l'oublier, tant avec Marion qu'avec...

La réflexion de madame Éléonore s'arrêta sur ce point de suspension. Si sa jeune assistante lui avait confié qu'elle réfléchissait souvent à tous les bouleversements survenus depuis l'automne, Éléonore, elle, pensait à son avenir comme si elle était encore une toute jeune femme. Avec cette belle entente entre le majordome et elle, et surtout ce baiser volé, l'autre soir, tous les espoirs étaient permis !

Éléonore rougit alors de plus belle, porta la main à sa joue et secoua vigoureusement la tête. Ce n'était ni le temps ni l'endroit pour penser à toutes ces choses qui semblaient lui être offertes sur un plateau d'argent, alors qu'elle ne s'y attendait plus du tout. Puis, elle repoussa sa coiffe de dentelle d'une chiquenaude adroite pour se donner une certaine contenance.

— Voyez-vous ça ! Tu n'as rien perdu de ton imagination, ma belle ! Quand tu es arrivée au manoir, tu disais que je ressemblais à une grand-maman, et maintenant, voilà que je me suis transformée en cadeau !

— Tout à fait... Ne vous moquez surtout pas, madame Éléonore, parce que dans le fond, une grand-maman, c'est une sorte de cadeau, non ? Sans papier ni ruban, bien sûr, mais il vaut son pesant d'or !

— Veux-tu bien te taire ! Tu vas me faire pleurer.

— Pourquoi pas ? Il me semble vous avoir déjà entendue dire que les larmes de bonheur étaient un doux chagrin. Ce n'est plus vrai ?

— Mais si…

Sur ce, la cuisinière tenta de renifler discrètement.

— Belle chouette, va ! murmura-t-elle d'une voix rauque.

Puis, après une longue inspiration, Éléonore se détourna, prit le coin de son tablier pour s'essuyer les yeux et ajouta :

— C'est toi qui as été un cadeau dans ma vie… Ne l'oublie jamais…

Sur ce, elle revint face à Marion.

— Trêve de compliments, il faut sortir les brioches du four avant qu'elles soient trop cuites, bougonna-t-elle, pour cacher un trop-plein d'émotions. Après, nous allons faire une razzia dans le garde-manger.

— On commence tout de suite à préparer le dîner de Pâques ?

— Pas exactement. Il est vrai que nous allons vérifier ce dont nous disposons pour tenter de proposer un menu qui soit à la hauteur d'une réception, et j'irai le présenter à madame dès ce soir. Mais avant toute chose, nous allons préparer un bon repas pour le souper. Quelque chose de réconfortant pour madame Stella.

— Ah oui ? Mais pourquoi ? Même si elle est toujours préoccupée par mademoiselle Olivia, madame O'Gallagher nous a dit qu'elle se sentait mieux.

— Nul doute là-dessus, Marion, parce que ça fait toujours du bien de parler de ce qui nous préoccupe. Mais selon moi, ce n'est pas suffisant... Vois-tu, ma belle, je considère que ça fait partie de mon travail de voir au bien-être de tous les occupants de la maison ! Et aujourd'hui, c'est madame Stella qui a besoin d'un peu de réconfort.

Marion resta songeuse un instant, puis elle passa son bras autour des épaules de la cuisinière.

— Vous voyez bien que madame O'Gallagher avait raison, observa-t-elle. Vous êtes irremplaçable, madame Éléonore, parce que vous êtes unique. Et maintenant, on sort les brioches et on s'en va dans la réserve ensemble !

Pendant ce temps, à Montréal, la compagnie de Patrick O'Gallagher s'apprêtait à prendre un tournant imprévu, sous la gouverne de mademoiselle Tiffany, mais personne ne le savait pour l'instant.

— Ce matin, vous semblez de meilleure humeur, annonça hardiment Tiffany, en entrant dans le bureau de son père.

Elle avait deux tasses de café dans ses mains.

— Est-ce que je me trompe ?

Sur ce, la jeune fille déposa une première tasse sur le pupitre à l'intention de son père et elle s'installa devant lui avec l'autre. Patrick O'Gallagher leva aussitôt les yeux du dossier qu'il lisait. Il aimait bien ces quelques instants passés en tête-à-tête avec son aînée. Il découvrait, à son grand étonnement, une jeune femme intelligente et travaillante. Il n'avait jamais mis en doute la vivacité d'esprit de sa fille, mais sa détermination et sa grande capacité de travail le laissaient médusé.

Jusqu'à maintenant, Tiffany lui avait toujours semblé plutôt frivole et un brin paresseuse.

— Tu trouves que j'ai l'air de bonne humeur ? demanda-t-il, en s'emparant de la tasse. Eh bien, qu'est-ce qui te fait dire ça ?

— Je ne sais pas trop. Vous avez l'air plus calme, plus serein... plus patient aussi. Vous avez jasé tout au long du chemin avec Adam. C'est plutôt inhabituel !

— Vous m'en direz tant... Il est vrai qu'en temps normal, je suis plutôt silencieux en auto. Mais est-ce suffisant pour prétendre que je suis marabout ?

Tiffany esquissa un sourire espiègle. Depuis qu'elle passait du temps seule à seul avec son père tous les matins, elle expérimentait une liberté nouvelle avec lui, une familiarité qui n'existait pas au manoir. À l'instar de ce dernier, elle aussi appréciait ces moments vécus ensemble.

Bien sûr, Patrick O'Gallagher restait un homme posé et sérieux, comme il l'était à la maison, mais

Tiffany le savait capable d'exubérance à l'occasion. Cependant, depuis l'automne, les affaires tournaient au ralenti et, plus souvent qu'autrement, c'était la morosité qui l'emportait chez lui.

Sauf peut-être ce matin.

Tiffany avait remarqué un petit quelque chose dans le regard de son père qui laissait présager une certaine légèreté. Pourquoi ne pas en profiter ? La jeune fille osa donc présenter les choses comme elle les pensait.

— Sans vouloir être impolie, je dirais que oui, cela arrive de temps en temps que vous soyez marabout, comme vous dites... Disons que vous ressemblez parfois à James.

— Normal, c'est mon fils, bougonna Patrick O'Gallagher, pris au dépourvu par une telle franchise. Tant que je n'aurai pas son côté boudeur, il va falloir apprendre à tolérer mes petites...

— Mais justement, père, cela arrive régulièrement de vous voir boudeur, comme refermé sur vos pensées, interrompit Tiffany. Toutefois, je ne vous en tiens pas rigueur. C'est probablement la conjoncture économique qui veut ça.

— Tiens donc... Tu as remarqué ça, toi ?

— En effet. Ça fait quand même près de six semaines que je viens ici tous les jours avec vous, je suis donc capable de faire la différence. Et ce matin, vous me semblez différent.

— Effectivement, je suis de bonne humeur.

— Qu'est-ce que je vous disais ! Alors ? Les perspectives économiques auraient-elles subitement changé ?

En quelques semaines à peine, Tiffany s'était familiarisée avec le langage des affaires. Grand livre comptable, bilan et recettes n'étaient plus du charabia pour elle. La jeune femme avait scrupuleusement complété l'inventaire des fournitures qui s'empoussiéraient sur les tablettes, y ajoutant quelques remarques personnelles. Un jour, bientôt, elle l'espérait, cela lui serait très utile pour convaincre son père de la pertinence de ses idées. Elle avait écouté attentivement les rares clients qui s'étaient présentés pour chercher quelque marchandise, elle en avait tiré certaines conclusions qui, à ses yeux, seraient peut-être la porte entrouverte sur une prospérité que son père ne voyait pas encore. Tout ce que Tiffany souhaitait, c'était que l'entreprise puisse s'en sortir élégamment, tout en faisant face adéquatement à ce monde nouveau qui s'ouvrait devant eux.

Depuis le tout premier jour où elle avait mis les pieds à l'entrepôt, Tiffany sentait les idées et les projets fourmiller en elle et, en moins d'une semaine, l'entreprise familiale était devenue son principal sujet de réflexion. Toutefois, connaissant le grand attachement de son père pour sa compagnie, elle attendait le bon moment pour discuter avec lui de tous ces projets qui l'empêchaient de s'endormir le soir.

D'autant plus qu'elle était une femme et face à Patrick O'Gallagher, cela était une partie importante de l'équation ! Ce que son frère James aurait pu dire en toute franchise, elle-même devait le présenter avec des gants blancs !

Toutefois, Tiffany ne s'avouait pas vaincue pour autant, et elle était surtout très patiente.

Elle se redressa sur sa chaise.

— Et puis-je savoir ce qui vous rend joyeux, père ? demanda-t-elle prudemment, avant d'entreprendre la moindre tentative.

— Mais parfaitement, ma fille, rétorqua ce dernier. C'est une rencontre prévue pour aujourd'hui et qui pique ma curiosité. Laisse-moi te raconter.

Patrick O'Gallagher expliqua donc qu'il attendait la visite d'un marchand ambulant, un certain Gédéon Touchette, surnommé monsieur Touche-à-Tout, qui avait une demande précise à formuler à son fournisseur de produits et denrées de luxe.

— M'en vas être là, jeudi matin sans faute, sur le coup de 10 heures, avait précisé le vendeur itinérant en début de semaine, quand il avait appelé à l'entrepôt. J'ai pensé sérieusement à nos affaires respectives, pis j'ai dans l'idée qu'on pourrait s'aider mutuellement !

— Je n'en sais pas plus, ma fille, conclut alors Patrick O'Gallagher. Sinon que je suis curieux. La moindre perspective d'amélioration, qu'elle vienne d'ici ou d'ailleurs, sera la bienvenue. Car pour l'instant, c'est tout juste si j'arrive à joindre les deux bouts.

— Je sais. Je consulte les mêmes livres que vous. Pourtant, si vous vouliez me prêter attention, j'aurais peut-être une idée à vous soumettre. Je crois que…

— Attendons la visite de ce monsieur Touchette et écoutons d'abord ce qu'il a de bon à nous dire, coupa Patrick O'Gallagher. Cet homme-là, même si je ne le vois pas souvent, je le connais depuis de nombreuses années et le moins qu'on puisse dire, c'est qu'il a réussi à très bien tirer son épingle du jeu. J'aurais donc tendance à lui faire confiance. Voilà pourquoi j'ai bien hâte de voir ce qu'il a à nous proposer. Nous examinerons ton idée après, si jamais il n'y avait rien d'intéressant qui ressorte de notre entretien… Et surtout, pas un mot à ta mère de ce qui se passe ici ! ajouta précipitamment Patrick. Je ne voudrais en aucun cas lui causer de fausses joies !

— Promis. Je la connais suffisamment pour savoir qu'avec elle, toute vérité n'est pas bonne à dire !

— Ah bon… Aurais-tu le regard aiguisé, ma fille ?

— J'ose espérer que oui… Je ne suis plus une enfant, père. Grâce à vous, j'ai voyagé, j'ai de nombreux amis qui viennent de différents milieux, et je sais regarder autour de moi. Je suis donc capable d'analyse, aussi. Notre mère est une femme d'émotion, généreuse et sensible. Un rien la bouleverse. C'est pour cette raison qu'elle passe son temps à s'occuper des démunis. Leur pauvreté la chagrine réellement et si elle n'intervenait pas, je crois qu'elle en tomberait malade.

Patrick O'Gallagher fut surpris de voir à quel point son aînée avait bien cerné cette femme douce et attentionnée qu'était sa chère Stella. Décidément, il allait de surprise en surprise avec sa fille.

— Tu as tout compris, Tiffany ! nota-t-il avec un petit sourire à son intention. Ta mère est une femme sensible à l'extrême. Cela fait partie de son charme, mais j'y vois une raison de plus pour la protéger... Sais-tu ce qui me plairait, fit-il à brûle-pourpoint, en refermant le dossier ouvert sur son bureau, c'est que tu assistes à la rencontre de ce matin. Ainsi, par la suite, nous pourrions en discuter sans que je sois obligé de tout te répéter.

Le sourire de la jeune femme fut la plus éloquente des réponses.

— Je n'osais vous le demander, avoua-t-elle, rougissante de plaisir.

— Mais qu'est-ce que j'entends ? Tu n'osais pas ? Laisse-moi donc te donner la première leçon du monde des affaires ! Il faut toujours oser, Tiffany ! C'est la clé du succès. Être timoré et trop hésiter risquent de te faire perdre de belles opportunités.

— Je m'en souviendrai, père... Et maintenant, vous allez m'excuser. En attendant l'arrivée de votre visiteur, je vais aller voir Adam. Être seul pour voir à tout dans l'entrepôt ne doit pas être une sinécure !

— À qui le dis-tu ! Vivement que je puisse engager à nouveau du personnel, je ne dis que cela. C'est vrai qu'Adam en a beaucoup à faire, même si le commerce fonctionne au ralenti. Cependant, il s'en tire, ma foi, avec tous les honneurs.

— Et si vous le gardiez ici, quand le travail va reprendre pour de bon ?

— J'y ai pensé… Je le verrais bien comme contremaître, mais encore faut-il que lui-même en ait envie… Rien de pire qu'un employé qui n'aime pas son ouvrage ! Voilà une autre leçon à retenir, ma fille ! Allez ! Va rejoindre Adam. On se reparle tout à l'heure. Si je m'en souviens bien, ce monsieur Touchette est ponctuel comme une horloge ! Il devrait nous arriver vers les 10 heures.

Effectivement, s'il y avait une chose que le métier de vendeur itinérant lui avait apprise, c'était bien la ponctualité. Ce fut donc à l'heure dite que Gédéon Touchette se présenta à l'entrepôt O'Gallagher and son. Son laïus était prêt depuis longtemps. Il l'avait même peaufiné à voix haute dans son camion, alors qu'il revenait de Sainte-Adèle-de-la-Merci, la veille, en fin d'après-midi, se faisant la réplique à lui-même !

Les présentations n'étant plus à faire, une poignée de main suffit à briser la glace.

— Mais avant toute chose, monsieur, laissez-moi trouver ma fille.

— Votre fille ?

— Exactement. Mon aînée, Tiffany, s'est jointe à moi depuis quelques semaines déjà. Elle apprend les rouages de…

— Savez-vous que c'est une bonne idée, ça là ! coupa Gédéon, qui avait toujours une opinion sur tout et qui ne se gênait surtout pas pour la faire connaître. C'est fou ce que les femmes peuvent avoir comme bonnes intuitions !

— Je m'en aperçois tous les jours un peu plus, reconnut Patrick, dès qu'il eut la chance de placer un mot…

Puis, avant que monsieur Touchette ait repris son souffle, il ajouta :

— Ce que je croyais être une lubie agaçante, admit-il honnêtement, s'avère en fin de compte un précieux atout pour moi. Mais la voilà ! Elle a dû vous voir arriver.

Le temps d'une brève présentation et Tiffany prenait place aux côtés de Gédéon Touchette.

— Vous allez vite admettre, mon bon monsieur O'Gallagher, pis vous aussi, mamzelle, que mon idée est pas bête pantoute, commença monsieur Touche-à-Tout, qui n'aimait rien de mieux que d'avoir l'attention de son public.

Le temps d'une galanterie à l'intention de la dame présente en baissant respectueusement la tête, puis Gédéon poursuivit.

— L'idée m'est venue d'une observation attentive de ma clientèle. Saviez-vous ça, vous, que depuis l'automne dernier, les habitudes d'achat ont changé ?

— Changé ? Le mot est faible ! lança Patrick O'Gallagher avec une pointe de causticité dans la voix.

À la question posée par le marchand, Patrick avait eu l'impression qu'on le prenait pour un imbécile heureux !

— Je dirais plutôt qu'elles se sont évaporées, les habitudes d'achat ! Les commandes entrent à la goutte !

— Ben, c'est là que vous allez être surpris, mon bon monsieur O'Gallagher, parce qu'en campagne, c'est pas exactement comme ça que ça se passe... Comment je vous dirais ben ça ? Icitte, en ville, le monde s'est retrouvé au chômage, du jour au lendemain à cause du krach, comme ils disent. Apparence que les banques avaient même pus d'argent. Ça, monsieur, c'était du jamais-vu, pis ben des gens se sont retrouvés sur la paille !

— Mais encore, monsieur Touchette ! s'impatienta Patrick. Vous ne faites que répéter ce que je sais déjà. Je ne vois pas ce qui...

— Laissez-moi continuer ! réclama Gédéon, tout en levant la main pour exhorter Patrick O'Gallagher à se taire. Vous allez vite comprendre où c'est que je veux en venir... Bon, où j'en étais, moi là ? Ah oui ! En ville, du jour au lendemain, ça a été un vrai désastre, mais en campagne, ça a pas eu le même effet. C'est ben certain que ça a dérangé quelques affaires, quelques projets, mais dans l'ensemble, les gens ont pas trop souffert de ce qu'on appelle la crise. En tous les cas, il y a pas personne qui crève de faim, comme c'est le cas icitte, à Montréal. Comme on dit, c'est pas les revers financiers qui ont fait en sorte que les poules ont arrêté de pondre, pis que les légumes pousseront pus !

Sur ce, satisfait de sa blague, Gédéon Touchette égrena un petit rire moqueur qui resta sans écho.

— Bien d'accord avec vous, laissa tomber Patrick. Mais où voulez-vous en venir ?

— J'y arrive, mon bon monsieur, j'y arrive. Il y a aussi qu'en campagne, ben des personnes ont gardé l'habitude de cacher leur argent dans leur maison, au lieu de le déposer à la banque. Ça fait qu'ils sont encore capables d'acheter des affaires, rapport qu'ils ont pas toute perdu. Est-ce que vous me suivez, vous là ?

— Je crois que oui.

— Pis vous, mamzelle ?

— De plus en plus, monsieur, de plus en plus !

— *Ataboy !* Je continue, parce que c'est astheure que j'en arrive à vous, monsieur O'Gallagher. Je le sais ben qu'à date, j'ai pas brassé des grosses affaires avec vous, rapport que ma clientèle a des goûts plus simples. Pis c'est ben correct de même. Vendre des lacets, du sirop pour le rhume, ou ben un beau collier de perles cultivées pour donner en cadeau, pour moi, c'est la même affaire. Sauf que...

Heureux comme un poisson dans l'eau d'avoir un auditoire aussi distingué et en apparence aussi attentif, monsieur Touche-à-Tout ne put s'empêcher de laisser planer un petit silence mystérieux, question d'aiguiser un peu plus les curiosités. Comme de fait, Patrick O'Gallagher, irrité, finit par demander :

— Sauf que quoi, monsieur Touchette ?

— Sauf qu'astheure, les choses pourraient ben changer, pis pour le mieux, autant de votre bord que du mien... La dernière fois que j'suis venu chercher une boîte de vos bons savons venus direct de France, c'était pour une de mes clientes qui voulait faire un beau cadeau à sa mère, qui est malade à rester couchée, parce que la pauvre femme a faite une embolie ! Mais c'est pas là mon propos... Ce que je veux vous dire, c'est que si j'ai ben vu ce que j'ai vu, votre inventaire baisse pas comme de coutume. En février, votre entrepôt est toujours presque vide en attente de vos spécialités d'été. Pis là, c'était pas le cas. Vous pourriez me répondre que c'est normal, par les temps qui courent, surtout en ville, pis vous auriez pas tort. Le monde garde son argent pour les choses essentielles, comme le manger. Pis à cause de ça, je parierais ma dernière cenne que vous avez pas vu la couleur de l'argent qui vous était dû... Je me trompe ?

À ce moment-là, ni Patrick O'Gallagher ni sa fille n'eurent envie de répondre. Les finances de la compagnie ne regardaient aucunement le vendeur itinérant. Ils échangèrent un regard qui en disait long sur ce qu'ils pensaient de l'indiscrétion de leur interlocuteur. Qu'à cela ne tienne, Gédéon Touchette avait l'habitude de parler tout seul. Il reprit dans l'instant.

— Je sais pas le diable ce que vous avez envie de faire avec tout ce stock-là, mais va ben falloir que vous l'écouliez un jour, non ?

— Cela me paraît tout à fait évident.

— C'est ben ce que je pensais ! C'est donc icitte qu'à mon tour, je rentre en scène... Si je m'en occupais, de vendre vos bébelles, ça ferait-tu votre affaire ?

Si le mot « bébelle » sonna désagréablement aux oreilles de monsieur O'Gallagher, la possibilité qu'un Gédéon Touchette puisse réussir là où il était en train d'échouer était davantage intéressant.

— Vous occuper de quoi ? demanda-t-il, pour être certain d'avoir bien compris.

— Ben... Me semble que j'ai été clair. Je vous offre de vendre votre marchandise de riches à ma clientèle des campagnes.

— Et vous croyez intéresser vos clients avec des articles de luxe ?

— J'ai faite ma petite enquête, vous saurez. Pis je vous dirais que je devrais pas avoir trop de misère à écouler ben des affaires... Comme de raison, va falloir baisser les prix. Mais je me suis dit qu'il valait peut-être mieux vendre à rabais que pas vendre pantoute. Que c'est vous en pensez, de ma proposition ?

Un silence fait de réflexion et d'attente s'imposa dans la pièce. Patrick O'Gallagher repoussa quelques papiers, qui, à la lueur de ce qu'il venait d'entendre, n'avaient plus tout à fait la même importance, car si la proposition avait été maladroitement présentée, elle n'en restait pas moins digne d'intérêt.

— Ça mérite réflexion, laissa tomber le patron de l'entrepôt d'une voix neutre.

Cette indifférence calculée faisait souvent partie des négociations entre un vendeur et son client, et Gédéon Touchette en connaissait un bout sur le sujet. Il considéra donc l'attitude de Patrick O'Gallagher comme un heureux présage.

— Oh ! Pour ça, vous pouvez prendre tout le temps que vous voulez, monsieur O'Gallagher, fit-il sur le ton de celui qui comprenait tout et qui acceptait tout. J'suis pas pressé, vous savez.

Malheureusement pour lui, en parlant ainsi, monsieur Touche-à-Tout avait tout d'un homme au-dessus de ses affaires, ce qui eut l'heur d'exaspérer Patrick O'Gallagher, tout comme sa fille, d'ailleurs, qui depuis le début de l'entretien se retenait pour ne pas intervenir. Tout à son discours, le vendeur itinérant poursuivit comme si de rien n'était, se disant que plus il se montrerait à son avantage et plus il aurait de chances de gagner Patrick O'Gallagher à sa cause. Quant à mademoiselle Tiffany, il avait déjà vu briller l'étincelle d'intérêt dans son regard.

— Moi, poursuivit-il avec emphase, je remplis, pis je vide mon camion toutes les semaines, j'ai besoin de rien d'autre.

— Vous répondez donc à ma question avant même que je la pose ! lança Patrick O'Gallagher d'une voix tranchante. Si tout va si bien pour vous, expliquez-moi en quoi vendre de la marchandise venant de chez moi apporterait un plus à votre entreprise.

— Parce que tout le monde est tenté par les belles affaires, mon bon monsieur ! Pis ça, c'est un fait que je peux constater chaque fois que j'ouvre mes gros catalogues, pis que je montre mes échantillons. Laissez-moi vous dire que j'en vois de l'envie, dans les yeux de mes clientes, pis de mes clients aussi, ça va sans dire ! C'est pas parce qu'on demeure en campagne qu'on aime pas les belles choses, vous savez ! C'est pour ça que la plupart des gens finissent par céder, sans que j'aye besoin de trop insister. Tout le monde aime ça se faire plaisir, de temps en temps... Sans me vanter, je peux vous dire que ben des cadeaux ont été achetés dans mes catalogues, plutôt que chez le marchand général de la place, parce que c'était différent... Fait que j'suis sûr que vos produits feraient le même effet sur mes clients, si le prix est abordable, ben entendu. C'est ce que je me suis dit, la dernière fois que j'suis venu vous voir, pis c'est encore ce que je pense aujourd'hui. Oubliez pas ça, monsieur O'Gallagher : le monde est en train de changer, pis je trouve ça ben dommage de voir des belles affaires de même s'empoussiérer sur vos tablettes quand ça pourrait faire des heureux.

— Qui nous dit que vous arriveriez à...

— J'suis vendeur dans l'âme, depuis que j'suis p'tit gars, coupa Gédéon Touchette avec une sincérité implacable. À huit ans, je vendais déjà le journal à la criée, le samedi matin... C'est de même que j'ai réussi à me payer mon premier bicycle, deux ans plus tard. Une belle bécane rouge pompier ! Astheure, je roule en camion de l'année ! C'est pour ça que si je vous dis que j'suis capable de vendre vos produits, c'est que c'est vrai. Inquiétez-vous pas, si y a un profit à faire, m'en vas être là ! À peu près comme vous, non ?

C'était dit crûment, mais c'était la vérité. Cette fois-ci, Patrick O'Gallagher s'inclina et, d'un bref hochement de la tête, il l'admit.

— Qu'on regarde ça du bord qu'on veut, conclut alors le vendeur itinérant, on fait la même *job*, vous pis moi. Sauf qu'on s'adresse pas au même monde. C'est toute ! Là-dessus, m'en vas vous laisser réfléchir à tout ça, monsieur O'Gallagher.

Patrick retint alors un soupir de soulagement, tant ce long discours l'avait étourdi. Il ne savait trop comment réagir à la proposition de Gédéon Touchette et il aspirait à un moment de silence et de solitude pour y réfléchir posément.

— Je vous remercie de l'attention que vous portez à mon entreprise, monsieur, fit-il enfin, mais vous devez comprendre que j'aimerais en discuter avec ma fille, avant de prendre la moindre décision.

Ladite jeune femme se mit à rougir de fierté, en entendant les derniers propos de son père. Il allait la consulter !

Pendant ce temps, Gédéon Touchette enfilait ses gants.

— J'ai pas de misère avec le fait que vous deviez réfléchir. C'est juste normal.

Sur ce, le vendeur professionnel esquissa un sourire engageant à l'intention de Tiffany, avant de revenir à Patrick O'Gallagher pour ajouter :

— Même que je dirais que si votre fille s'en mêle, il y a des bonnes chances que l'affaire soye dans le sac.

À ces mots, le regard du patron de l'entrepôt lança des éclairs.

— Qu'est-ce qui vous fait dire ça ? demanda-t-il sèchement.

Ce ton peu amène échappa totalement à monsieur Touche-à-Tout, qui répondit alors du tac au tac.

— L'expérience, monsieur O'Gallagher, l'expérience. Vous saurez que...

Et c'était reparti pour un autre monologue qui, s'il risquait d'ennuyer Patrick O'Gallagher, allait encore une fois intéresser Tiffany au plus haut point.

— Vous saurez, poursuivit donc Gédéon, tout en retirant ses gants, montrant par là qu'il en avait encore un bout à raconter, que ben des fois, les bonnes idées me viennent des clientes elles-mêmes. Pis au fil des années, ça a souvent été ma Janine qui proposait des nouveaux produits. Janine, c'est ma femme. Une ben bonne personne ! Elle s'est jamais lamentée que je devais partir des longues semaines de temps pour l'ouvrage, mais elle s'est jamais gênée non plus pour me parler des affaires qui l'avaient intéressée, pis qu'elle avait vues chez une amie, ou dans une vitrine. Le pire là-dedans, c'est que ça s'est jamais démenti : chaque fois que ma femme m'a suggéré quelque chose de nouveau, c'est devenu un produit vedette. C'est ben pour dire, hein ? C'est pour ça que je pense le plus grand bien du fait que vous ayez votre fille icitte, dans l'entrepôt, pour voir à la compagnie avec vous... Bon, assez parlé ! Astheure, c'est vrai, je m'en vas ! Vous aurez juste à m'appeler quand vous aurez pris votre décision. On verra aux arrangements à ce moment-là, si jamais vous étiez intéressé... Pis dérangez-vous surtout pas ! Je connais le chemin de la sortie.

À peine le temps de le dire, et monsieur Touchette était déjà parti. Quelques instants plus tard, on entendait le bruit du moteur de son camion qui s'éloignait.

Patrick O'Gallagher poussa enfin le soupir qu'il avait longtemps retenu.

— J'aurais dû me rappeler à quel point cet homme-là était suffisant ! laissa-t-il tomber, visiblement fatigué et ennuyé par cette visite un peu bruyante.

— Suffisant, père ? C'est vraiment ce que vous avez retenu de cette rencontre ? Monsieur Touchette est un homme suffisant ?

— Quoi d'autre ?

— Bien des choses. À commencer par une proposition étonnante, certes, mais plutôt intéressante.

Patrick leva un regard confondu vers sa fille.

— Tu oserais mettre nos produits et notre réputation entre ses mains ? Je l'ai cru pendant un moment, mais…

— Mais pourquoi ne pas tenter notre chance ? rétorqua la jeune femme en haussant les épaules. Moi, contrairement à vous, j'ai plutôt vu un homme qui a réussi et qui en est fier. Qui pourrait le lui reprocher ? Je n'ai entendu aucune arrogance ni prétention dans ses propos, que je qualifierais de sensés.

— Sensés ?

— Tout à fait.

— Alors, tu réfléchis plus vite que moi, Tiffany, parce que je suis loin d'en être là. Je dirais qu'il y a sûrement matière à réflexion, d'accord, je ne suis quand même pas un imbécile, mais j'avoue que je ne sais pas du tout quelle direction pourrait prendre cette analyse.

— N'était-ce pas vous qui me disiez, tout à l'heure, de ne pas hésiter devant les opportunités qui s'offrent ?

— Certes. Mais entre tergiverser à n'en plus finir et se jeter dans la gueule du loup, il y a une marge que l'on doit exploiter à bon escient.

— Même quand la situation rejoint intimement ce que vous pensiez déjà ?

Devant une telle réplique, servie avec une spontanéité qui ne laissait aucun doute quant à la réflexion qui l'avait précédée, Patrick O'Gallagher resta un moment silencieux. Une réelle lueur de plaisir brillait au fond du regard de Tiffany, qui fixait son père avec intensité. L'image plut aussitôt à l'homme d'affaires, encore plus qu'au père.

— Parce que tu prévoyais ce que monsieur Touchette allait nous dire ? souligna ce dernier, avec une certaine malice dans la voix.

— Mais non ! Comment l'aurais-je pu ? Je ne connaissais pas cet homme, il y a une heure à peine. Toutefois, ce qu'il vous a suggéré rejoint, en un sens, ce que moi, j'allais vous proposer.

— Eh bien… Vous me surprenez, jeune fille !

Interdite, Tiffany recula au fond de sa chaise. Quand Patrick O'Gallagher vouvoyait l'un de ses enfants, c'était qu'il était soit en colère, soit amusé. Toutefois, comme le ton n'était ni froid ni cassant, Tiffany opta d'instinct pour l'amusement, d'autant plus que son père ajouta :

— À ton tour de me faire la leçon, Tiffany ! Explique-moi ce que tu as compris et que je n'ai pas vu.

— C'est très simple, père !

Tiffany était tendue, mais heureuse. De nouveau assise sur le rebord de sa chaise, elle tenta de rassembler ses idées en prenant une longue inspiration. Chose certaine, la jeune femme semblait pleine d'enthousiasme.

— Ma réflexion se résume en quelques mots : ce Gédéon Touchette est une ouverture sur l'avenir ! Une très belle occasion que nous ne devrions surtout pas laisser filer.

— Seigneur, Tiffany, tu n'y vas pas avec le dos de la cuillère ! Tu en as vu, des choses, dans le discours de ce Touchette ! Ça me renverse... Tout ce qu'il a réussi à faire, de mon côté, c'est m'étourdir avec son verbiage excessif.

— Bien sûr, il manque un peu de fini, je vous l'accorde, et il parle trop. Néanmoins, il a une intuition du commerce peu commune. La façon dont il décrit sa clientèle ne peut mentir : il a une réelle expérience de la vente. Tout comme lui, je crois que le monde est vraiment en train de changer. C'est ce dont je voulais vous parler, tout à l'heure. Si jusqu'à maintenant la compagnie faisait ses profits en se concentrant uniquement sur les objets de luxe, j'ai l'intuition que ce temps-là est révolu. Du moins en partie. La preuve, c'est que nous avons de la difficulté à retrouver notre marché et à écouler notre marchandise. Bien sûr, il y a le manque de liquidités, qui affecte bien des gens, je ne peux l'ignorer. Mais au lieu de m'en désoler, je crois qu'il faut en tirer une leçon. Nous devons nous diversifier ! Évidemment, certains de nos clients vont bien finir un jour par redemander des objets de luxe, dès que la situation économique sera meilleure. Mais pourquoi s'en contenter, alors que nous pourrions élargir nos horizons ? À nous de prendre les devants, en offrant une plus grande variété de produits, afin de satisfaire tout le monde, et non seulement les bien nantis !

— Et que vient faire monsieur Touchette dans cette projection vers l'avenir ?

— Il va nous ouvrir les portes de centaines, voire de milliers de familles qui n'auraient jamais entendu parler de nous autrement ! lança Tiffany avec fébrilité. Vous ne le voyez donc pas ? L'occasion est presque trop belle pour y croire. De toute façon, certains de nos produits ont une durée de vie limitée. Pensez seulement à nos chocolats d'importation belge ou suisse... Nous les avons depuis l'automne ! Si nous ne les vendons pas bientôt, nous allons devoir les jeter. C'est là que la perte serait irrémédiable. Nous n'avons qu'à en baisser le prix, sans pour autant les sacrifier.

— Je vais y penser... Si tu juges que monsieur Touchette parle beaucoup, je peux t'assurer que tu n'as rien à lui envier ! Si tu le veux bien, maintenant, tu vas aller rejoindre Adam. J'aimerais rester seul un moment... Ta présence m'est de plus en plus précieuse, je l'admets aisément. Toutefois, il ne faut pas oublier que jusqu'à tout récemment, j'étais seul maître à bord.

— Bien sûr, père. Et c'est encore vous qui prendrez la décision finale. Je n'ai jamais eu la prétention de vous obliger à quoi que ce soit.

— Bien heureux de te l'entendre dire, ma fille ! Profite donc de ce moment pour me dresser la liste de tout ce que nous pourrions éventuellement offrir à monsieur Touchette. Sait-on jamais, ça pourrait servir ! Maintenant, laisse-moi.

Tiffany ne se le fit pas dire deux fois ! L'instant d'après, elle refermait silencieusement la porte du bureau sur elle.

Patrick O'Gallagher attendit que le bruit des pas de sa fille décroisse dans le long corridor menant à l'entrepôt, puis il se leva et vint se poster à la fenêtre, qui donnait sur la rivière des Prairies.

La plupart des décisions d'importance qu'il avait prises au fil des années, c'est ici qu'il les avait soupesées et analysées, exactement comme son père l'avait fait avant lui.

Et depuis la naissance de James, il avait espéré qu'un jour, son fils ferait de même. C'était dans la normalité des choses que cela se passe ainsi.

Patrick O'Gallagher poussa un long soupir.

Depuis des années, il se disait qu'éventuellement, il marierait ses filles, tandis que son fils lui succéderait à la tête de l'entreprise.

À cette pensée, Patrick secoua la tête, se rappelant soudainement la petite Tiffany, qui était toujours ravie de l'accompagner à l'entrepôt, alors que James faisait une triste mine, chaque fois qu'il l'obligeait à y venir.

Que d'excuses le garçon avait-il inventées pour se soustraire à la corvée !

Néanmoins, Patrick refusait de voir la réalité sous son vrai jour ! Il se disait que les beaux vêtements et autres frivolités attiraient sa fille, tandis que son fils était encore trop jeune pour s'intéresser aux affaires.

— Ça lui viendra avec le temps, s'était-il souvent répété, sans chercher plus loin.

Avant de passer à autre chose !

De toute façon, se disait-il, quel fils digne de ce nom aurait le culot de lever le nez sur une entreprise florissante, offerte sur un plateau d'argent ? Aucun, n'est-ce pas ?

C'était porté par ces convictions que Patrick O'Gallagher avait traversé une bonne partie de sa vie, persuadé qu'il prenait toujours les bonnes décisions, surtout celles en fonction de sa famille. L'idée de demander à James ce que lui espérait pour son avenir ne lui avait jamais effleuré l'esprit !

Il avait fallu un ralentissement marqué des affaires, laissant même entrevoir un réel revers de fortune, pour qu'il ouvre enfin les yeux : la relève ne viendrait peut-être pas du côté qu'il l'attendait !

Malheureusement, on ne change pas les habitudes de toute une vie en un claquement de doigts ! Et avant d'admettre volontiers que la relève ne serait pas nécessairement celle qu'il avait anticipée, Patrick O'Gallagher allait sonder les intentions réelles de sa fille. Après tout, cet engouement récent pour le travail n'était peut-être que le fait d'une jeune femme désœuvrée qui voulait passer le temps. Pour en avoir le cœur net, il allait donc lui confier le dossier concernant monsieur Touche-à-Tout. Ainsi, il verrait bien jusqu'où allait persévérer sa bonne volonté !

Par la suite, il parlerait sérieusement à son fils. Si ce dernier ne manifestait toujours pas d'intérêt envers la compagnie, il ajusterait son tir. Après tout, certaines décisions seraient peut-être plus faciles à prendre que ce qu'il pensait.

Durant un moment, Patrick O'Gallagher s'amusa à regarder les glaces descendre la rivière, sans savoir que son fils prenait régulièrement plaisir à faire la même chose, puis il s'arracha à sa contemplation.

La journée n'était pas finie, loin de là !

Patrick traversa son bureau, ouvrit la porte et emprunta le corridor menant à l'arrière du bâtiment. Puis, n'apercevant personne, il lança de sa voix grave qui portait très bien :

— Tiffany, je t'attends dans mon bureau ! J'aimerais te faire part de ma décision.

Habitué qu'on lui obéisse au doigt et à l'œil, surtout ses enfants, Patrick allait faire demi-tour sans attendre de réponse, quand il s'arrêta brusquement. Une impulsion venue peut-être de l'espoir de voir enfin les choses se placer le laissa indécis, durant un bref instant.

— Pourquoi pas ? murmura-t-il, les sourcils froncés.

Quelques secondes de plus et son visage se détendit. Alors, il ajouta, tout en haussant le ton :

— Et tant qu'à y être, demande donc à Adam de t'accompagner. Je crois que nous allons avoir du pain sur la planche !

« Ça y est ! James a terminé ses études au collège de Villeneuve et c'est confirmé : en septembre prochain, il entre à l'université McGill. Toutes les heures à travailler et à jaser avec Quincy ont finalement porté fruit et il va pouvoir faire son cours en anglais. C'est clair comme de l'eau de roche que monsieur O'Gallagher est très fier de son garçon. Et sais-tu quoi, cher journal ? C'est en génie civil que James va entreprendre ses études, comme il l'a tant souhaité ! Oui, oui, en génie civil ! C'est le nom que porte le cours pour apprendre à construire des ponts. Le plus drôle dans tout ça, c'est que James n'a même pas eu besoin d'insister. En fait, il n'a même pas été obligé d'en parler, parce que c'est son père lui-même qui a abordé le sujet.

Quand James m'a raconté ça dans le potager, alors qu'il était venu me rejoindre pour casser des pointes d'asperges, il n'en revenait toujours pas. Je vais essayer de décrire notre rencontre comme si j'écrivais un roman !

— Quand mon père est entré dans ma chambre, il avait l'air tellement sérieux que ça m'a presque fait peur. J'étais certain qu'il allait m'annoncer une mauvaise nouvelle, du genre qu'Olivia avait eu un terrible accident ou que ma mère était gravement malade... Mais non ! Il voulait simplement discuter de mon avenir. Sans que j'aie le temps de placer un seul mot, il m'a demandé carrément si la compagnie m'intéressait et il m'a exhorté de dire la vérité, en me regardant droit dans les yeux. Je n'ai jamais été aussi soulagé de toute ma vie et, en même temps, aussi intimidé par mon père ! J'avais l'impression que son regard fouillait jusqu'au fond de mon cerveau et que le cœur allait me sortir de la poitrine.

— Et qu'est-ce que tu as fait ? ai-je alors demandé.

— Qu'est-ce que tu crois ? Même si j'étais tout tremblant, j'ai sauté sur l'occasion pour lui avouer que je préférerais de beaucoup devenir ingénieur, afin de construire des ponts, si ça ne le décevait pas trop. Et sais-tu quoi ? Mon père n'a même pas protesté ! Il m'a même complimenté, en disant que j'avais fait un bon choix, parce que c'est une profession tournée vers l'avenir. Il a ensuite déclaré très sérieusement que l'avenir, il n'y avait que cela d'important, de nos jours. Je n'ai pas osé lui demander ce qu'il voulait dire par là, parce que j'avais peur qu'il change d'avis… Et voilà, c'est fait ! En septembre prochain, j'entre à l'université, même si je n'ai pas complété mes deux années de Philosophie. Il paraît qu'à McGill, ce n'est pas aussi important qu'à l'Université de Montréal.

Voilà, cher journal, comment James m'a raconté ça. Finalement, il s'en était fait pour rien durant des années, ou presque ! Mais ça ne semble pas le déranger. Il m'a dit que l'important, c'était de suivre le cours dont il avait envie, et il a ajouté qu'il avait très hâte au mois de septembre. Jamais je n'avais vu James aussi souriant !

Ça me faisait vraiment plaisir de voir mon ami si heureux. Alors, ça a été plus fort que moi et je l'ai embrassé sur la joue tellement j'étais contente pour lui, et j'ai plissé le nez parce que sa barbe m'a chatouillée. Ça l'a fait rire. Il m'a serrée très fort dans ses bras et ensuite, nous sommes allés ensemble annoncer la bonne nouvelle à madame Éléonore. Elle, c'est sur les deux joues qu'elle a embrassé James, qui s'est mis à rire encore une fois, en rougissant comme une tomate. Et avec son teint tout pâle à cause de ses cheveux roux, ça paraît vraiment beaucoup quand James rougit.

Ensuite, monsieur Tremblay, qui était encore dans la cuisine, lui a serré longtemps la main pour le féliciter, en lui secouant vigoureusement le bras. C'était bien évident que le majordome était fier de James comme s'il avait été son propre fils. Il faut dire cependant que c'est un peu grâce à monsieur Tremblay si un jour, James a eu envie de construire des ponts. Au bout du compte, même si nous n'irons pas à la maison de campagne, cette année, je suis certaine que James va passer un très bel été à discuter de ça avec un peu tout le monde, et surtout avec Quincy, pour parfaire encore son anglais.

Et ce n'est pas tout !

Pour une première fois depuis très longtemps, je vais avoir des vacances. De vraies vacances, je veux dire, avec rien à faire du tout ! C'est madame Éléonore qui me l'a proposé, l'autre dimanche, tandis qu'on épluchait les asperges fraîchement sorties de terre. Comme j'étais surprise par sa suggestion, elle m'a expliqué que ça lui paraissait tout à fait de mise, vu qu'on n'ira pas à la maison de campagne, cette année. Elle dit que j'ai besoin de me reposer, comme tout le monde, et avec l'été qui commence, elle est certaine d'arriver à se débrouiller toute seule, parce que les repas sont plus légers, et qu'elle a à sa disposition toutes sortes de bons légumes au potager pour lui permettre de cuisiner sans souci. De plus, avec monsieur Tremblay qui traîne de plus en plus souvent dans sa cuisine, elle pourra avoir un peu d'aide en cas de besoin.

Parlons-en de monsieur Tremblay, qui traîne à la cuisine ! Ce n'est pas mêlant, il est devenu comme un meuble, au point où je ne lui demande plus s'il veut quelque chose quand je le vois apparaître. Par contre, je n'ose pas non plus lui avouer que parfois, il est un peu dans nos jambes. Mais bon, ça ne me regarde pas ce qui se passe entre monsieur Tremblay et madame Éléonore, car je suis persuadée que c'est quelque chose qui se trame entre eux qui amène le majordome aussi souvent dans la cuisine. Un bon jour, je finirai bien par apprendre le fin mot de cette histoire. De toute façon, ce n'est pas à cela que je pensais quand madame Éléonore m'a fait miroiter la possibilité d'un beau congé.

J'ai donc réfléchi à ce qu'elle m'avait dit, le temps de préparer bien comme il faut deux longues asperges, puis je lui ai répondu que c'était bien gentil d'y avoir pensé, mais que je ne saurais pas quoi faire ni où aller.

Sûrement pas chez mes parents, parce que ça serait tout ce qu'on veut, sauf des vacances. Même si je m'entends de mieux en mieux avec ma mère et Ludivine, je sais très bien que je devrais travailler tous les jours. Puis, dormir dans le même lit que mes sœurs, ça ne me tente pas vraiment. Surtout durant l'été, quand il fait trop chaud. Je préfère de beaucoup ma petite chambre, ici, en haut. Je peux ouvrir la fenêtre à mon gré pour faire entrer la bonne brise qui vient de la rivière, et ça m'aide à mieux dormir. Et comment est-ce que j'arriverais à écrire dans mon journal si je vivais chez mes parents? Mais en même temps, je ne voulais pas faire de peine à madame Éléonore. Alors j'ai ajouté que si elle n'y voyait pas d'inconvénient, j'allais continuer à faire ce que j'aime le plus, et j'allais l'aider, même durant l'été.

Là, c'est elle qui a pris le temps de réfléchir un peu, tout en coupant le pied des asperges pour qu'elles soient toutes bien égales, puis elle a accepté, en précisant, cependant, que si jamais une occasion se présentait, et que ça me tentait d'y donner suite, bien entendu, je pourrais le faire sans devoir lui en parler auparavant.

Vu comme ça, c'était bien évident que ça me convenait.

Le temps a un peu passé, sans rien de particulier, et c'est finalement la semaine dernière que j'ai reçu une invitation qui me tentait vraiment beaucoup : vendredi prochain, je vais quitter le manoir pour aller passer trois jours au chalet du grand-père d'Agnès et de sa tante Félicité. Madame Éléonore a beau dire que ce n'est pas suffisant et qu'elle envisageait plutôt toute une semaine à ne rien faire, moi, trois jours, ça me satisfait amplement. On verra pour la suite plus tard durant l'été. »

CHAPITRE 9

Le mardi 8 juillet 1930, à Pointe-aux-Trembles,
en fin de journée, sur la galerie du chalet,
en compagnie d'Irénée et de Félicité

La journée avait été parfaite de brise douce et de soleil pas trop chaud. Comme l'avait souligné Irénée durant le souper : il ne tolérait plus les grosses chaleurs, et des journées comme celle qui s'achevait nonchalamment ressemblaient, selon lui, au paradis.

— Sacrifice que ça serait agréable si c'était ça, le Ciel !

Ce à quoi Félicité n'avait pas répondu. Elle trouvait que son vieux compagnon parlait de l'Éternité de plus en plus souvent, et ça l'inquiétait. Avait-il des visions de l'au-delà qui lui échappaient encore ? Pourtant, elle était plus âgée que lui.

Présentement, Irénée et elle prenaient leur tisane du soir, une sorte de boisson instantanée, faite de céréales grillées et appelées Postum. C'était d'un commun accord que Félicité et Irénée avaient renoncé au vrai café, qui les empêchait de bien dormir.

— Une autre affaire qui fonctionne pus comme avant ! avait tout de même rouspété Irénée. Maudit batince ! J'ai toujours bu du café après le souper. Avec une bonne cigarette, il y a rien de meilleur pour finir la journée, pis ça aide à digérer. Quand je me couchais, un peu plus tard, je dormais comme un bébé, jusqu'à il y a pas longtemps. Mais v'là-tu pas que tout d'un coup, je dors pus ! Lauréanne m'avait ben suggéré de lâcher le café du soir, mais je l'ai pas écoutée, comme d'habitude. J'aurais dû. Ça prenait vous, Félicité, pour me convaincre d'essayer autre chose. Ça a marché… Pis c'est pas si mauvais que ça… N'empêche que c'est pas toujours drôle de vieillir. Me voir obligé de changer mes bonnes vieilles habitudes, je trouve ça plate en sacrifice. Vous pensez pas, vous ?

— Des fois oui, des fois non, avait admis Félicité, en secouant sa toque grise. Mais c'est pas une sorte de tisane au lieu du café qui va me faire dire que j'aime pas vieillir. Il y a des choses pires que ça !

Irénée avait fait mine de réfléchir.

— À ben y penser, vous avez pas complètement tort, Félicité… Ouais, même que je serais plutôt d'accord avec vous : il y a des choses pires qu'une tasse de café. Ça fait que j'vas arrêter de me lamenter sur ma tisane pis j'vas me taire !

— Bonne idée ! Le chant des oiseaux est pas mal plus agréable à entendre que vos chialages sur toute !

Ce jour-là, pour lui donner raison, un engoulevent s'était fait entendre, en écho à ses derniers mots. Irénée avait soupiré, Félicité avait ricané, puis le silence était revenu se poser en complice entre les deux vieilles personnes qui avaient, de part et d'autre, pour occuper les longues soirées d'été, des tas de souvenirs à ressasser en silence.

Il en allait ainsi depuis le mois de mai, alors que les deux vieux amis avaient décidé de s'installer au chalet avec un bon mois d'avance sur l'horaire habituel.

— Que c'est vous en pensez, Irénée ? avait suggéré Félicité, lors d'une de ses nombreuses visites à l'appartement d'Émile et de Lauréanne. Même si les nuits sont encore fraîches, ça devrait pas nous arrêter. Astheure qu'on a le chauffage central, pourquoi pas en profiter un brin ?

— Batince que vous me faites plaisir à soir, vous là ! C'est sûr que j'suis partant pour déménager tusuite au chalet. Pis en sacrifice, à part de ça ! À nos âges, on sait jamais ce qui nous pend au bout du nez. Peut-être ben que c'est la dernière année qu'on va pouvoir y aller, au bord de l'eau, pis on le sait pas encore. Autant étirer notre plaisir par les deux bouttes de la belle saison.

— Voulez-vous ben vous taire, oiseau de malheur !

C'est ainsi que depuis deux mois, ils avaient vu le printemps passer, offrant ses feuilles minuscules et son vert si tendre, qui dura jusqu'au temps des lilas. Puis l'été était arrivé, avec sa verdure plus soutenue, et toutes ses fleurs multicolores en bordure des champs, tandis qu'une bonne chaleur venait tout doucement réchauffer leurs vieux os. Et voilà que maintenant, tous les jeunes de la famille étaient en vacances depuis deux semaines, et la ronde folle des visites allait commencer.

C'était justement à cela qu'Irénée réfléchissait depuis un bon moment déjà.

— Je pense à voix haute de même, lâcha-t-il si soudainement que Félicité en sursauta. Vous êtes sûre que ça sera pas trop fatigant pour vous, tout ce beau monde-là ?

— De quoi c'est que vous parlez, Irénée ? On aurait-tu une fête qui s'en vient que j'aurais oubliée ?

— Pantoute, voyons donc ! S'il y a quelqu'un dans la famille qui a de la mémoire, c'est ben vous ! Non, je veux parler de la visite qui s'est annoncée pour venir s'installer au chalet, pour une couple de jours, ou un peu plus, selon les envies de chacun. Me semble que mon propos était clair.

— Astheure, ça l'est, oui. Mais ça me dit pas pantoute où c'est que vous voulez en venir avec votre question.

— Au fait que ça dérougira pas de l'été, maudit batince ! En fin de semaine, c'est Agnès pis Marion qui nous arrivent, vendredi matin. Ensuite, dimanche, en fin de journée, quand les deux filles vont s'en aller, c'est Émile avec Lauréanne qui viennent souper en même temps qu'ils nous amènent Conrad pis Ignace pour une semaine. Après ça, on va avoir une couple de jours de lousse avant que…

— Wô wô ! Je vous arrête tusuite avant que vous passiez l'été au grand complet… Bonne sainte Anne, Irénée ! C'est de même depuis qu'on a le chalet, pis me semble que ça vous a jamais dérangé.

— Avant non, je vous l'accorde. Mais cette année, on dirait que c'est pas pareil.

— Ben moi, vous saurez, je vois pas pantoute en quoi ça serait différent.

— C'est juste qu'on est pus tellement jeunes, vous pis moi. D'avoir à se démener du lever au coucher parce qu'il y a plein de monde dans la cabane, c'est peut-être pus ben ben de notre âge !

— Parlez pour vous ! Moi, au contraire, d'avoir toute cette belle jeunesse-là autour de moi, ça me requinque le moral !

— Ah ouais ? Sacrifice qu'on voit pas les affaires de la même manière !

— Coudonc, vous ! Que c'est qui se passe, pour l'amour du saint Ciel, pour que vous soyez malendurant de même sur à peu près toute ?

— Maudit batince, Félicité, vous y allez pas avec le dos de la cuillère ! Pour l'amour du saint Ciel ?

Le timbre de voix d'Irénée était à la fois ironique et inquisiteur.

— Je vous ai pas entendue lâcher ça souvent, ajouta le vieil homme, en faisant la moue sous sa moustache.

Que c'est que j'ai dit de travers pour que la bonne sainte Anne vous suffise pus, pis que…

— Fichez-moi patience, Irénée Lafrance, avec vos remarques qui ont pas d'allure ! C'est de votre faute aussi, si je sens le besoin d'implorer le Ciel au grand complet, pour une fois. Je vous comprends pus !

Irénée poussa alors un soupir à fendre l'âme.

— Bon ! Une autre affaire, astheure ! Elle me comprend pus ! Va falloir m'expliquer ça dans le détail, Félicité, parce que moi, j'ai pas la sensation d'avoir changé autant que vous le dites… Je serais pus aussi malcommode qu'avant, c'est ça ? demanda-t-il, tout guilleret.

— Vous, pus malcommode ? Voyons donc ! Ça se pourrait pas. Non, je dirais que c'est plutôt le contraire… Comment je pourrais ben vous expliquer ça…

Félicité resta silencieuse un instant, revoyant les premières semaines vécues au bord de l'eau.

Si Irénée avait repris ses longues promenades en solitaire, visiblement heureux, il les avait cependant étirées et multipliées, et il en revenait parfois avec les yeux rouges, ce qui laissait la vieille dame inquiète. Félicité avait aussi remarqué que son compagnon parlait de moins en moins souvent de Jaquelin et de Lauréanne, ses deux enfants, alors que depuis deux ans, il avait beaucoup d'admiration pour eux et ne se gênait surtout pas pour le proclamer à tout un chacun. C'était donc curieux de ne pas les entendre revenir plus souvent dans la conversation. Quant aux petits-enfants, avec qui Irénée avait toujours fait preuve d'une patience surprenante, ils le faisaient parfois fuir chez son ami Napoléon, dont on voyait le toit du chalet, pas trop loin d'ici. Pourtant, jusqu'à l'an dernier, quand les enfants venaient faire un tour à la campagne, Irénée se faisait plutôt un devoir de les emmener pêcher et il était aussi enthousiaste qu'eux.

Puis, il y avait eu l'événement de la semaine dernière, où Félicité était restée médusée.

En effet, quand la vieille dame avait proposé une visite d'un jour à Sainte-Adèle-de-la-Merci, pour aller saluer toutes leurs connaissances qui habitaient encore au village, comme ils le faisaient chaque été depuis plusieurs années, Irénée avait décliné l'invitation sur un ton si bourru, si agressif, que Félicité en était restée sans voix. L'instant d'après, Irénée marchait comme un ours en cage sur la plage, et, comme le vent venait du fleuve, charroyant les sons et les odeurs, Félicité aurait juré que son vieil ami était en train de pleurer à gros sanglots.

Alors que se passait-il pour que, oui, Irénée Lafrance ait changé à ce point ?

Et surtout, comment le demander, comment expliquer ce qu'elle percevait, sans risquer de le voir se refermer comme une huître ?

Félicité inspira bruyamment en fermant les yeux. Elle secoua la tête, s'obligea à regarder l'autre rive du fleuve pour ne pas perdre le fil de ses pensées, puis elle se remit à parler.

— Disons que depuis qu'on est arrivés au chalet, en mai dernier, c'est comme si c'était un autre Irénée qui était assis à côté de moi, déclara-t-elle enfin, d'une voix qui se voulait très douce et apaisante.

Irénée répondit sur le même ton.

— Vous trouvez ?

— Je trouve, oui.

Se redressant sur sa chaise, Félicité se tourna vers son vieil ami.

— Je le sais ben, va, que vous êtes un vieux bougonneux de nature, pis ça fait longtemps que je me suis faite à l'idée, sinon j'aurais jamais proposé d'acheter un chalet avec vous, expliqua-t-elle enfin à celui qui avait demandé des détails. Je me disais que, malgré votre mauvais caractère, qui, d'une certaine manière, fait partie de votre charme, vous aviez de l'énergie à revendre, pis pas mal de jarnigoine. Ça me plaisait bien… Même nos prises de bec me donnent toujours une belle satisfaction, c'est vous dire à quel point je vous apprécie ! Mais cette année, on dirait que vous êtes fatigué de toute, pis vous vous emportez pour des détails. Vous avez pus l'allant que vous aviez avant, pis je comprends pas pourquoi… Mais répondez-moi surtout pas que c'est notre âge qui fait ça, parce que c'est pas ça que je veux entendre… C'est ben certain, Irénée, qu'on est vieux, vous pis moi.

J'suis quand même pas aveugle, pis je le vois ben que j'ai pus vingt ans.

— Bon ! Que c'est ça vous prend de plus pour...

— Laissez-moi finir ! De toute façon, je viens tout juste de vous dire que notre âge serait pas une réponse acceptable. Pour une fois, laissez nos vieilles carcasses de côté, voulez-vous ? Pis vous m'asticoterez après, quand j'aurai fini de parler. Si ça vous tente toujours, comme de raison... Bon, où c'est que j'en étais ? Ah oui... Comme je disais, je le sais que j'suis vieille, pis moins en forme qu'avant. Mais c'est-tu une raison pour se laisser aller ? Je pense que non. Ben au contraire, je me dis qu'au lieu de m'arrêter, pis de passer mes grandes journées à me bercer, en me lamentant sur mon sort, il faut que j'en fasse encore plus pour oublier qu'il y en a pas mal plus en arrière de moi qu'en avant. Ouais, on dirait que vieillir, ça me donne l'envie d'être encore plus active, répéta la vieille dame, en reportant les yeux sur le fleuve, qu'elle ne se lassait pas d'admirer. Au diable la fatigue, que je me dis ! Ça me rappelle ma jeunesse, pis j'aime ça. Pis ça fait du bien. Pis à mon avis, c'est de même qu'on va rester jeunes de cœur, à défaut d'autre chose... C'est ça que je voulais vous dire, Irénée. Comme j'ai appris à ben vous connaître, au fil des années, ça me surprend que le fait d'avancer en âge vous fasse pas le même effet qu'à moi.

Félicité avait tellement raison qu'Irénée ne trouva rien à répliquer. Il intensifia le bercement de sa chaise et il porta la main à la poche de sa chemise pour y prendre son paquet de cigarettes, même si, aujourd'hui, et depuis de longs mois déjà, il fumait par pur besoin. Le plaisir, lui, avait disparu, tant les poumons lui brûlaient à chaque bouffée. Cela faisait plus d'un an, maintenant, qu'il savait que la cigarette allait le tuer, mais il n'arrivait toujours pas à se départir de cette envie. De toute façon, se disait-il, il était trop tard pour faire quoi que ce soit, au point où le médecin était grandement surpris qu'Irénée Lafrance soit encore de ce monde. Il le lui avait encore dit au mois d'avril, quand les deux hommes s'étaient croisés sur le parvis de l'église, le matin de Pâques.

Toutefois, Irénée n'en avait pas parlé autour de lui. Comme il toussait depuis très longtemps, depuis avant même la pneumonie qui avait failli l'emporter, les gens autour de lui ne passaient plus aucune remarque, et ils ne semblaient pas s'en faire outre mesure non plus. Même son bon ami Napoléon, qui fumait comme une cheminée sans la moindre toux suspecte, n'essayait plus de le convaincre de changer ses habitudes. Aux yeux d'Irénée, c'était très bien ainsi.

Pourquoi inquiéter ceux qu'il aimait, n'est-ce pas ?

Alors, parce qu'il était normal qu'un homme tel que lui le fasse et parce que c'était un peu ce que l'on attendait comme réflexe chez lui quand une discussion devenait embarrassante, Irénée alluma donc une cigarette pour aussitôt se mettre à tousser comme un malade, ce qu'il était et gravement.

— Bonne sainte Anne, Irénée, vous entendez-vous ? s'exclama Félicité avec humeur. Ça a pus d'allure pantoute. Ça va en empirant, votre affaire ! Vous devriez retourner voir votre docteur au plus vite.

— Je l'ai faite !

— Pis ? Il a ben dû vous dire d'arrêter de fumer vos damnées cigarettes, non ?

L'engoulevent ronronna, Irénée toussa de plus belle et Félicité leva les yeux au ciel.

— C'est sûr qu'il m'a dit ça, fit le vieil homme, dès que sa poitrine eut cessé de brûler, sa gorge de l'agacer, et qu'il eut repris son souffle.

Malgré tout, il arrivait à parler froidement, sans démontrer la moindre émotion, même si son vieux cœur se débattait comme un beau diable parce qu'il était conscient que la conversation risquait de s'engager sur une pente glissante.

Comme de fait, Félicité tourna la tête à demi vers lui.

— Si le docteur lui-même vous a demandé d'arrêter de fumer, analysa-t-elle sévèrement, que c'est vous attendez pour le faire, d'abord ?

— Rien... Avant, je trouvais ça trop dur de l'envisager, pis astheure, paraîtrait-il qu'il serait juste trop tard.

Cela prit quelques instants pour que ces derniers mots fassent leur chemin dans l'esprit de Félicité.

— Trop tard ? demanda-t-elle, tout hésitante.

— Ben ouais, trop tard. Ça dit ce que ça dit, non ?

La voix d'Irénée était rauque de larmes retenues.

— Le docteur est surpris de me voir encore en vie, ajouta-t-il dans un souffle.

— Oh !

Une boule d'émotion encombra brusquement la gorge de Félicité, l'empêchant de poursuivre.

Ils restèrent ainsi un long moment, les yeux perdus sur l'horizon.

Irénée se disait que d'avoir osé entrouvrir la porte des confidences ne le réconfortait pas tellement, du moins pas comme il l'aurait souhaité, et il se jura de ne plus jamais parler de sa condition. Ça faisait trop mal de se dire que des conversations comme celles-ci achevaient. Non, il ne parlerait plus de la mort qui s'approchait de lui à grands pas, sauf peut-être pour demander à Félicité de se montrer discrète.

Quant à celle-ci, elle comprenait enfin ce qui semblait inquiéter Irénée, le rendant si différent, à la fois si vulnérable et si maussade.

On n'apprend pas que l'on va quitter sa vie sans en ressentir un grand vertige, n'est-ce pas ? Même si on sait que cette réalité est la même pour tous.

Bien que, dans le cas d'Irénée, c'était peut-être un rendez-vous avec sa défunte épouse qui se dessinait à l'horizon et qu'il avait souvent dit qu'il espérait ce moment.

Félicité se jura alors de ne plus jamais passer de remarque. Sur rien ! Ni le mauvais caractère, ni la cigarette maudite, ni les longs moments d'introspection, qui devenaient de plus en plus fréquents, ni les impatiences devant les enfants, ni les larmes qui brillaient parfois dans les yeux d'Irénée. Elle demanderait seulement s'il acceptait que les jeunes viennent passer un bout de vacances avec eux, comme d'habitude. C'est tout. Et elle se plierait à ses désirs, sans argumenter le moindrement.

Sa décision étant prise, Félicité toussota à son tour, comme pour aider son ami à revenir au moment présent, car pour l'instant, le vieil homme donnait l'impression d'être loin, très loin de la plage et de leur chalet.

Irénée dut comprendre le message, car il soupira bruyamment presque aussitôt, et il glissa un regard en coin vers Félicité.

— Si ça vous dérange pas trop, j'apprécierais qu'on en parle pus, fit-il d'une voix lasse. C'est déjà en masse difficile de même, si vous voyez ce que je veux dire.

— Pour ça, vous avez pas besoin de me faire un dessin pour que je comprenne comment vous vous sentez. Ça doit être dur en s'il vous plaît, ce que vous êtes en train de vivre ! J'en parlerai pus, jamais. Ni à personne d'autre, promis ! Mais si un jour, vous avez envie d'en jaser, parce que ça deviendra trop pesant pour un homme seul, vous savez que je serai toujours là pour vous.

— Merci ben… Pour astheure, c'est pas le cas, mais au besoin, je sais que je pourrai compter sur vous, pis ça fait du bien !

— Pour les jeunes, on fait quoi ? Si jamais leur présence vous semble de trop, ça me dérange pas une miette de tout annuler…

— Comment on pourrait faire ça, sans que ça aye l'air trop fou, sans leur mettre la puce à l'oreille ?

— On peut donner toutes sortes de raisons ! Mais si jamais ça pouvait faire votre bonheur, ça me dérange pas plus que ça de prétendre que c'est moi qui suis trop fatiguée pour avoir de la visite.

— Vous feriez ça ?

— Pourquoi pas ? C'est ben certain que ça va inquiéter ma nièce Marie-Thérèse. Vous la connaissez comme moi, elle s'énerve pour des riens ! Elle prendra pas ma prétendue fatigue pour une parole d'Évangile, c'est ben certain, pis elle va sans doute m'en glisser un mot pour me tirer les vers du nez. Mais soyez pas inquiet, Irénée, je trouverai ben de quoi répondre qui va la calmer sans être obligée de toute dévoiler.

— Ah bon…

Irénée fuma le reste de sa cigarette sans tousser, ce qui était pour lui comme la preuve illusoire que le médecin exagérait. Puis, d'une chiquenaude, il jeta le mégot loin devant la galerie, avant de se tourner vers Félicité.

— Non, ça sera pas nécessaire de dire aux jeunes qu'on annule tout, déclara-t-il. Ils seraient déçus en batince, pis j'ai pas envie de leur faire de la peine. On va plutôt faire comme vous avez dit t'à l'heure, pis c'est moi qui vas essayer de faire comme vous.

— Faire comme moi ?

— Ben oui ! J'vas essayer de voir la belle chance qui m'est offerte de retrouver un brin de mes jeunes années à travers mes petits-enfants. D'un autre côté, si jamais il s'avérait avec le temps que ça me fatigue trop, j'vas vous le dire.

Félicité esquissa alors un sourire ému qui, petit à petit, se transforma bien malgré elle en sourire polisson.

— Je pensais jamais qu'un jour j'aurais le culot de vous dire ça, avoua-t-elle, gamine, mais j'vas le faire pareil : dans le cas présent, pis pour tout le temps que va durer l'été, c'est vous le *boss*, Irénée !

Un grand sourire spontané et franc retroussa la moustache du vieil homme.

— C'est ben agréable à entendre, ça là... Mais faites ben attention, Félicité ! Je pourrais vous prendre au pied de la lettre pis devenir de plus en plus malcommode !

La normalité revenait entre eux et ils se regardèrent un long moment avec des étincelles de plaisir et de complicité dans le regard. Après tout, il restait encore de nombreux et bons moments à vivre ensemble. À eux d'apprendre à n'en laisser passer aucun.

— Tant pis ! Je prends le risque pareil, lança Félicité, en guise de conclusion... Astheure, si je nous jouais un peu de musique ? Je connais rien de mieux pour aider le monde à se sentir bien. Vous avez juste à rester ici, Irénée, sur notre galerie, à regarder les rayons qui glissent sur la tête des vagues, tandis que le soleil se couche, pis j'vas ouvrir tout grand la porte pis la fenêtre, pour que vous entendiez le piano ben comme il faut.

— Bonne idée. C'est gentil d'y avoir pensé. Ça me tente pas vraiment de rentrer tusuite, parce que la soirée est trop belle, mais en même temps, j'ai ben envie d'un petit air de musique.

— Alors, dites-moi donc ce qui vous ferait plaisir !

— Vous le savez… Une p'tite berceuse pour les enfants, ça m'a toujours faite du bien. Ça me ramène à mes plus belles années, celles que j'ai vécues avec ma Thérèse pis Lauréanne, quand elle était toute petite… Penser à ce temps-là, laissez-moi vous dire que ça aide en sacrifice à se sentir mieux !

— On va donc y aller pour de la musique douce, promis…

Félicité appuya les deux mains sur les bras de sa chaise pour se relever, puis, elle hésita, et se laissa retomber sur le siège.

— Avant de rentrer, j'aurais peut-être quelque chose à vous proposer. Une idée un peu folle qui vient de me traverser l'esprit, justement parce que la soirée est belle, pis qu'on est pas mal bien, vous pis moi, installés sur notre galerie… Je tiens pas nécessairement à avoir une réponse à soir, par exemple ! Prenez votre temps pour y penser pis…

— Maudit batince, Félicité ! Arrêtez de tourner autour du pot pis crachez-la, votre idée ! J'suis quand même pas à l'agonie, pis il y a rien qui m'agace comme quelqu'un qui met des gants blancs juste pour dire ce qu'il pense !

— Bonne sainte Anne ! Pognez pas le mors aux dents, Irénée ! Si c'est de même, j'vas vous dire ça ben net… Que c'est vous diriez de ça, vous, de rester au chalet à l'année longue ?

— À l'année longue ?

— Pourquoi pas ? Pis je parle pas juste pour vous, je parle pour moi aussi.

— Comment ça ? s'inquiéta aussitôt le vieil homme, oubliant du coup sa propre condition. Vous aimez pus ça, vivre chez votre nièce Marie-Thérèse ? Vous vous êtes chicanées, elle pis vous ? Je comprends astheure… Ça doit être pour ça que vous avez voulu partir de la ville plus tôt, cette année.

— Sapré Irénée ! Il y a ben juste vous pour voir de la dispute partout ! Non, je me suis pas disputée avec Marie-Thérèse. On s'entend toujours aussi bien, elle pis moi. Je me tannerai jamais d'être avec ma nièce. Si j'ai proposé de partir au mois de mai, c'est juste que j'avais envie d'être ici. Un point, c'est toute… Non, c'est pas vrai. Il y a une autre raison, j'vas être honnête jusqu'au bout. En fait, je vous avouerais que c'est plutôt le magasin qui commence à peser lourd. J'ai beau m'asseoir sur un petit banc pour pas trop fatiguer mes jambes, j'ai pus l'énergie de faire la conversation avec tout un chacun. Ça me tanne ! Des fois, j'ai l'impression d'être un perroquet tellement je répète toujours les mêmes affaires. « Bonjour monsieur, bonjour madame ! Je peux-tu vous aider ? Il fait-tu assez beau à matin ? » Pour une femme qui a pris plaisir à vivre seule dans sa petite maison, c'est devenu une vraie corvée de voir du monde à la journée longue… En plus, avec la crise, le monde achète juste des affaires de base, comme la farine pis la mélasse. J'ai même pus le plaisir de faire valoir nos beaux produits en espérant les vendre, parce que je savais que ça faisait plaisir à Jaquelin d'offrir un peu de luxe dans son magasin. Il y a ben juste les conserves que Marie-Thérèse fait avec les fruits pis les légumes flétris pour avoir le moins de perte possible que je peux proposer à un prix qui a de l'allure pour tout le monde… Mais pour le reste, ça me tente pus de travailler à l'épicerie. Par contre, bonne sainte Anne que je sais pas comment annoncer ça à votre garçon pis à ma nièce sans leur faire de peine !

— C'est vrai que c'est délicat en sacrifice ! approuva Irénée. Pis voulez-vous que je vous dise pourquoi ? C'est à cause du service que vous leur rendez en travaillant au magasin. Ouais… Ça vous aidera pas ben gros que je vous dise ça, mais je sais que mon gars apprécie le fait de pouvoir compter sur vous, au besoin. Jaquelin me répète pas mal souvent que ça arrondit les angles, pis que ça rend la tâche moins lourde. Faut quand même dire les choses comme elles sont : avec vous dans le portrait, ça leur évite d'avoir à engager quelqu'un pour les aider. Pis ça, par les temps qui courent, ça vaut son pesant d'or.

— C'est ça, Irénée, tournez donc un peu plus le fer dans la plaie !

Tout doucement, les confidences s'emmêlaient au quotidien. Les fantômes d'Irénée qui se manifestaient de plus en plus souvent n'eurent d'autre choix que de se dissiper dans l'air doux de cette merveilleuse soirée d'été et le plaisir d'une discussion avec Félicité ramena aussitôt un peu de joie dans le cœur du vieil homme.

— Je dis pas ça pour ça, voyons donc ! Voir que j'ai dans l'idée de vous faire de la peine ! Ce que j'en ai dit, c'était juste la vérité, parce que oui, ça va les déranger un brin. Faut quand même pas se faire des accroires… Mais ils sont encore jeunes, eux autres, pis ils finiront ben par trouver une solution à leur convenance. Comme j'ai fait à la mort de ma femme, en engageant une sœur du couvent pour me donner un coup de main. C'est pas plus grave que ça, parce que c'est la vérité aussi de dire que vous avez le droit de vous reposer. Vous en avez assez faite durant votre vie.

— C'est ce que je pense… Savez-vous quoi, Irénée ?

— Non, mais je sens que vous allez me le dire, par exemple.

— C'est ça, moquez-vous ! Non, ce que je pense, c'est que ça serait ben agréable qu'on soit juste un petit peu plus jeunes, vous pis moi, pour qu'on puisse apprendre à conduire une auto. Ça serait-tu pas le meilleur des deux mondes, ça ? On vivrait ici à l'année, parce qu'on aime ça, pis quand on s'ennuierait trop de nos gens, on aurait juste à sauter dans notre char pour aller les voir à Montréal.

— Encore faudrait-il avoir les moyens de se payer une auto, fit remarquer Irénée, toujours aussi terre à terre. C'est cher en sacrifice, un char de l'année ! Mais si c'est juste ça qui vous agace, m'en vas vous régler votre problème drette là !

— Ah oui ? Sans vouloir être indiscrète, vous allez faire ça comment ? Vous avez encore une petite fortune de cachée en dessous de votre matelas ?

— Pantoute. Si c'était le cas, j'aurais pu acheter le chalet à moi tout seul, pis ça aurait été plate en sacrifice parce que vous auriez pas été là !

— Eh ben… C'est gentil de dire ça !

— C'est sûr que j'suis capable de faire mon smatte, des fois. Surtout quand c'est vrai… Mais pour en revenir à votre idée d'aller voir les enfants à notre guise, on aura juste à prendre le téléphone pour appeler Émile !

— Pauvre homme ! Il a beau être un colosse, pis avoir le dos large, il doit commencer à être tanné de toujours dépanner l'un pis l'autre ! Quand vient le temps de demander un service, on se gêne jamais, pis c'est toujours vers lui qu'on se tourne.

— Pis ça ? Vous le savez comme moi qu'Émile aime ben gros se rendre utile. Comme il le dit lui-même, c'est dans sa nature d'être serviable.

— C'est vrai qu'il est ben d'adon, notre Émile.

— Enfin, vous dites comme moi ! Pis pour répondre à votre question du début, j'aurai pas besoin d'y penser ben ben longtemps, parce que c'est oui. Si ça vous tente, moi, j'suis d'accord pour rester ici à l'année…

Sur ce, Irénée ajouta d'une voix enrouée, incapable de retenir les mots :

— Avec le fleuve devant moi, pis vous pas trop loin, ça serait une ben belle place pour finir ma vie.

Un ange passa et Félicité eut une pensée pour la défunte épouse d'Irénée. Elle eut alors le réflexe de lui demander que le jour venu, tout se passe en douceur pour son vieil ami. Puis elle recommença à parler.

— Ce que vous venez de dire, Irénée, répondit-elle, la gorge serrée, ça vaut autant pour moi que pour vous…

— Pourquoi vous dites ça ? Vous seriez malade vous aussi, pis je le saurais pas ?

— Ben non ! Je me sens encore ben en forme. Par contre, à nos âges, comme vous dites si souvent, on sait jamais de quoi demain va être fait, pis on a pas nécessairement besoin d'être malades pour mourir…

Astheure, je rentre. J'vas vous jouer la belle berceuse de Brahms.

— Pis après, on montera se coucher, si vous le voulez ben. J'ai eu mon lot de fatigue pour aujourd'hui, pis je voudrais donc faire bonne figure vendredi matin, quand ma belle Agnès pis son amie Marion vont être là…

Et avec un clin d'œil, Irénée ajouta, question d'avoir le dernier mot :

— Je vous l'avais dit, hein, qu'elles étaient faites pour s'entendre, ces deux-là !

Ce fut ainsi que la conversation se termina, et effectivement, ce furent deux bonnes amies qui arrivèrent ensemble le vendredi suivant, conduites jusqu'au chalet par mademoiselle Béatrice, qui prenait un réel plaisir à servir de chauffeur pour tous ceux qui en avaient besoin. Au point où elle avait spontanément répondu à son père quand celui-ci avait demandé si elle allait prendre racine dans la bibliothèque du manoir, tellement elle y passait d'heures au cours d'une semaine :

— Pas nécessairement, père ! Je crois même avoir trouvé ma vocation, avait-elle annoncé en riant, tout en refermant sur son index le livre qu'elle était en train de lire. Je crois que je vais devenir officiellement chauffeur ! Ou pilote de course peut-être… J'hésite encore !

Ce à quoi Patrick O'Gallagher avait répondu par un haussement d'épaules découragé.

Il n'en restait pas moins que mademoiselle Béatrice rendait de fiers services à un peu tout le monde, au manoir, depuis qu'Adam avait accepté un poste de contremaître à l'entrepôt O'Gallagher.

Voilà pourquoi, ce matin, c'était elle qui avait reconduit Marion et son amie à la campagne, après avoir laissé sa mère au presbytère, où, en compagnie d'autres dames de leur paroisse, Stella O'Gallagher préparait une tombola pour amasser des fonds pour les plus démunis.

— Alors, c'est convenu, Marion ? demanda-t-elle, avant que la jeune fille sorte de l'auto. Je viens vous chercher dimanche en fin d'après-midi ?

— Bien sûr !

— Vous n'aurez donc qu'à téléphoner pour confirmer l'heure.

— Promis, et merci beaucoup, mademoiselle Béatrice ! On se revoit donc dimanche et dites à madame Éléonore de ne pas s'inquiéter pour moi.

La journée était magnifique. En fait, depuis le début du mois de juillet, il faisait beau tous les jours.

— Voir qu'on aurait pas pu avoir ça l'an dernier, fit remarquer Agnès, tout en faisant le tour du chalet pour entrer par la porte arrière, qui n'était jamais verrouillée. T'en rappelles-tu, Marion ? Il a plu pratiquement tout l'été.

— Et comment, si je m'en souviens ! J'avais ramassé mes sous de peine et de misère pendant tout le printemps pour m'offrir un maillot de bain et il n'a pratiquement pas servi. En plus, l'eau du fleuve est restée froide tout l'été !

— Alors, compte sur moi pour qu'on se reprenne cette année !

Sur ce, Agnès pivota sur elle-même, en inspirant à pleins poumons.

— C'est-tu assez le fun d'être en vacances ! Trois jours à rien faire... Viens, Marion ! On a pas une seule minute à perdre. On va tusuite s'installer dans notre chambre.

— Ton grand-père n'est pas là ? demanda Marion, tout en emboîtant le pas à son amie, qui gravissait déjà les quelques marches menant à la galerie.

— Non ! Il m'a appelée hier pour dire de pas m'en faire s'il y avait personne à notre arrivée, parce que matante pis lui avaient des commissions à faire au village.

— Au village ?

Par réflexe, Marion tourna les yeux vers l'ouest, où le crucifix d'un clocher piquait le ciel au-dessus de la cime des arbres.

— C'est quand même assez loin, déclara-t-elle, tout en montant l'escalier à son tour. J'ai déjà fait la route avec madame Éléonore, tu sais... Ils se rendent jusque-là à pied ?

— Ben non, voyons, pas à leur âge ! Ils sont allés avec Napoléon, l'ami de mon grand-père. Il a une auto, pis son chalet est pas loin d'ici... Après avoir laissé nos valises dans la chambre, on ira les attendre sur la plage. J'ai tellement hâte de me mettre les orteils à l'eau pour voir si elle est baignable !

Ce fut ainsi que Félicité retrouva les deux jeunes filles, quelques minutes plus tard. Les pieds dans l'eau, elles tenaient leur jupe d'une main, se protégeaient les yeux de l'autre, tout en jasant comme deux pies.

— Vous voilà, les filles ! Comment ça va ? Heureuses d'être arrivées ?

— Et comment, matante ! C'est un vrai coin de paradis, ici !

— Pas toi avec ! échappa la vieille dame, qui regretta aussitôt ses paroles.

À ces mots, Agnès fronça les sourcils.

— Pourquoi vous dites ça ?

— Pour rien, comme ça, répondit Félicité évasivement.

Puis se ravisant, parce qu'Agnès la regardait avec une interrogation au fond des yeux, que cette attitude exigeait une réponse précise et qu'elle estimait que son propos ne porterait pas à confusion, la tante expliqua :

— En fait, Agnès, tu dis exactement la même chose que ton grand-père cette semaine. Avec les mêmes mots, en plus.

— Et il a raison… C'est vraiment le plus beau coin du monde ici…

Tout en répondant à Félicité, Agnès s'était approchée d'elle.

— J'suis contente de vous voir, déclara-t-elle en l'embrassant sur la joue… Vous me manquez, vous savez !

— Comment ça, je te manque ? On se voit quasiment tous les jours de l'année !

— Je le sais. Mais là, ça fait quand même deux mois que vous êtes partie.

— T'es ben sûre de ça, toi ? Déjà tout ce temps-là ?

— Ben oui, on est rendu en juillet pis vous êtes partie en mai.

Félicité secoua la tête.

— T'as ben raison… C'est ben pour dire comment c'est que le temps passe vite !

— Pis moi, je trouve ça moins agréable de travailler au magasin des parents quand vous êtes pas là, avoua Agnès en soupirant.

— Voyez-vous ça, fit prudemment Félicité, ajustant, mine de rien, les plis de sa jupe.

Depuis quelques jours, et à la suite des conseils d'Irénée, la vieille dame essayait de trouver les bons mots qui feraient comprendre à Marie-Thérèse son envie de repos et de séjour prolongé à la maison de campagne, sans avoir à trahir le secret d'Irénée et sans blesser sa nièce. Elle n'y était pas encore arrivée.

— Comme ça, ma belle fille, je manque au magasin ?

— C'est ben certain ! Tout le monde demande après vous ! Une chance que je peux répondre que c'est juste pour l'été, comme d'habitude…

— Ouais, c'est sûr, fit nonchalamment Félicité, qui se hâta de changer de sujet de conversation en se tournant vers Marion. Pis toi, ma belle, comment ça va ?

— Ça ne pourrait pas aller mieux, madame Félicité. Avec trois grandes journées à moi… Ça faisait longtemps que ça ne m'était pas arrivé ! Mais ça ne veut pas dire que je ne vous aiderai pas, ajouta précipitamment la jeune fille, qui ne souhaitait surtout pas avoir l'air impolie. Je vous remercie beaucoup d'avoir pensé à m'inviter.

— L'idée venait d'Agnès, comme de raison, mais je me suis pas faite tirer l'oreille pour y dire oui. Pis qu'est-ce que…

— Grand-père est pas là ? coupa Agnès, en se tournant vers le chalet.

— Non, pas pour l'instant. Il a continué son chemin avec Napoléon. Il va manger avec lui à midi avant de revenir à pied. Tu connais ton grand-père, non ? Il aime ben ça prendre des grandes marches… Pis vous deux ? Qu'est ce que vous comptez faire durant les trois journées qui s'en viennent ?

— Rien pantoute ! Après toute une année à l'école normale, plus l'été que j'vas passer à l'épicerie des parents, j'ai ben l'intention de rien faire avant lundi matin !

— Bonne idée, Agnès ! Le repos, c'est aussi important que le travail. Pis le Bon Dieu doit sûrement être d'accord avec moi. Regardez-moi la belle température qu'Il nous envoie ! Bon, c'est ben beau tout ça, mais j'ai un dîner à préparer. Continuez à faire trempette, pis moi, je retourne au chalet.

— Je peux vous aider ? proposa Marion.

— Pantoute, ma belle... Comme il fait chaud, ça va être tout simple : une salade avec la laitue du jardin que j'ai cueillie à matin, du bon pain frais avec du beurre, pis des fraises pour dessert, avec du sucre d'érable pis de la bonne crème d'habitant, comme de raison. J'en ai justement acheté un demiard au magasin du village.

À ces mots, Marion éclata de rire.

— Je me croirais déjà de retour au manoir ! Vous parlez exactement comme madame Éléonore !

Cette remarque fit sourire Félicité.

— Ben veux-tu que je te dise ? Ça me surprend pas une miette. Même si on est pas pantoute du même âge, on est pas mal pareilles, elle pis moi... J'vas vous crier de rentrer dès que ça va être prêt.

Quand Marion se coucha, ce soir-là, elle était saoule de grand air et de baignade, car Agnès et elle avaient passé toute la journée sur la plage. En après-midi, Irénée était venu les rejoindre, dès son retour au chalet. Il avait apporté une chaise de cuisine pour s'installer, et, assises à ses pieds, les deux jeunes filles lui avaient alors parlé d'avenir. Le vieil homme les avait écoutées sans dire un mot, ou presque, mais il était tout souriant sous sa moustache, tout au long de la conversation. Plus Agnès vieillissait et plus elle ressemblait à sa femme Thérèse, se disait-il en hochant la tête, ému.

Pour le lendemain, tout le monde s'était promis de faire exactement la même chose, s'il faisait toujours aussi beau !

Quelle belle idée que ces vacances !

Marion glissa tout doucement dans le sommeil en se faisant la promesse de bien remercier madame Éléonore d'avoir eu cette merveilleuse attention à son égard. Et pourquoi pas ? Elle pourrait peut-être trouver un petit quelque chose à cuisiner pour lui offrir en cadeau, puisqu'elle n'avait pas reçu de gages depuis l'automne précédent et qu'elle ne pourrait donc rien lui acheter en magasin…

Le dernier bâillement de Marion fut emmêlé à la recette de sucre à la crème qu'elle savait par cœur, et elle passa une nuit sans rêves, bercée par le clapotis de l'eau.

Les premiers rayons du jour réveillèrent les deux jeunes filles en même temps. Elles s'étaient bien promis de ne pas gaspiller la moindre seconde en sommeil inutile, alors elles se levèrent aussitôt.

Félicité était déjà à la cuisine.

— Bonne sainte Anne, Agnès ! Vous êtes ben matinales pour des filles en vacances ! Bien dormi ?

— Comme un bébé. Et c'est justement parce qu'on est en vacances qu'il est pas question de perdre notre temps à trop dormir !

— Ça a ben de l'allure, votre affaire ! Le thé est prêt, si vous en voulez... Si on disait des crêpes dans une petite demi-heure, ça vous irait ?

— Miam !

Durant le déjeuner, il fut convenu qu'à tour de rôle, Agnès et Marion aideraient Félicité à la cuisine.

— Ben voyons donc ! Vous êtes en congé ! protesta la vieille dame. Pis en plus, c'est juste pour trois jours !

Félicité contestait uniquement pour la forme, parce qu'au fond, elle aimait bien avoir de la compagnie quand elle cuisinait. Irénée en profita pour se glisser dans la discussion.

— Pis ça ? s'interposa-t-il, de sa voix la plus autoritaire. Des belles jeunesses de même, faut que ça serve à quelque chose ! Maudit batince, Félicité, laissez-vous donc gâter un peu ! Ça va vous permettre de profiter de la belle journée qui commence !

— Tant qu'à ça...

— Je m'occupe du dîner, décida Agnès, tout en se levant pour aller déposer son assiette dans l'évier. Marion vous aidera pour le souper.

Ce fut donc ainsi qu'en fin d'avant-midi, cette dernière se retrouva seule sur la plage, parce qu'Irénée avait décidé d'aller prendre une marche avant le repas, profitant du fait que le soleil ne tapait pas encore trop fort.

— On est jamais assez prudents, rendus à nos âges ! Une insolation, comme on dit, c'est vite arrivé, pis j'haïs ça en sacrifice d'être obligé de mettre une calotte !

Et il était parti en traînant un peu de la patte, cigarette au bec.

Rendue somnolente par la chaleur, Marion avait fermé les yeux et, assise sur le sable grossier, elle offrait son visage à la caresse du soleil. Elle fut donc trop paresseuse pour tourner la tête quand elle entendit le bruit d'un moteur automobile. De toute façon, cette visite ne devait pas être pour elle. Mademoiselle Béatrice ne serait là que le lendemain.

À cette pensée, Marion se dit qu'elle lui demanderait d'arriver uniquement après le souper, question de faire durer le plaisir le plus longtemps possible. En fin de compte, madame Éléonore n'avait pas tort de penser que trois jours, ce n'était pas beaucoup. Cependant, quand Marion entendit son nom crié depuis la galerie du chalet, le cœur lui monta jusque dans la gorge.

Cette voix…

Cette voix, elle l'aurait reconnue entre mille !

La jeune femme ouvrit précipitamment les yeux et tourna la tête. Debout, plus beau que jamais avec ses lunettes fumées, Fulbert regardait dans sa direction. Il étira un grand sourire et il lui fit un large signe du bras.

— Attends-moi, j'arrive !

Comme si Marion avait pu s'enfuir ! Subitement, elle avait les jambes aussi lourdes que du plomb.

Elle répondit à son signe de la main et le regarda descendre vers la berge, prenant douloureusement conscience que sa bouche et sa gorge s'étaient tout à coup transformées en papier sablé. De toute évidence, elle ne serait pas capable de dire quoi que ce soit.

De toute façon, qu'aurait-elle pu lui raconter ? Alors que la dernière fois qu'ils s'étaient rencontrés, les mots avaient coulé de source entre eux, tandis qu'ils avaient parlé cuisine et cours de médecine, ce matin, Marion avait la pénible sensation d'avoir le cerveau vide, puisqu'elle s'imaginait avoir épuisé tous les sujets de conversation possibles.

Que s'était-il passé pour que les choses changent à ce point ?

Même à cette question, Marion ne trouva aucune réponse, sinon qu'elle était très heureuse de voir Fulbert.

Arrivé à sa hauteur, le jeune homme se laissa tomber à côté d'elle.

— Salut ! Je ne savais pas que tu serais là.

— Et moi, je ne savais pas que tu devais venir, arriva-t-elle à prononcer difficilement.

— Effectivement ! Agnès avait l'air aussi surprise que toi. Curieux que la tante Félicité ne vous ait pas prévenues… J'ai pourtant téléphoné hier.

— Elle a dû oublier.

— On dirait bien…

Un lourd silence tomba entre eux, tandis qu'un peu plus loin, deux goélands se disputaient un bout de pain abandonné.

— Je me trompe ou tu n'as pas l'air en forme ? demanda alors Fulbert. Il me semble que l'autre jour, tu avais pas mal plus de jasette que ça !

Marion sentit la panique la gagner. Elle n'était toujours pas pour lui dire qu'elle le trouvait beau, n'est-ce pas, et que sa prestance et son allure lui coupaient toute autre inspiration ?

Pour gagner du temps, la jeune fille détourna les yeux et son regard tomba bien à-propos sur la maison de campagne que monsieur O'Gallagher avait l'habitude de louer. Marion échappa un petit soupir de déception, qui lui fit momentanément oublier son inconfort, quand soudainement, elle vit quelqu'un traverser la pelouse en courant depuis la maison jusqu'au pavillon. Cette présence étrangère lui sembla incongrue, comme s'il s'agissait d'un voleur, et cela lui délia la langue.

— Ça me fait tout drôle de revoir la maison où j'ai habité durant quelques étés, murmura-t-elle.

— La maison… Quelle maison ?

— Là-bas, fit alors Marion, tout en tendant le bras.

À son tour, Fulbert tourna la tête.

— Ça semble pas mal grand, estima-t-il… J'aime bien les maisons blanches et vertes comme celle-là.

— Moi aussi. Au mois d'août, il y a une multitude de fleurs d'un jaune éclatant, tout autour de la galerie. C'est encore plus beau.

— Comme ça, tu y habitais durant l'été ?

— En effet. Durant trois saisons. C'est comme ça que j'ai connu Agnès, d'ailleurs.

— Ah ! Je vois. Et cette année, y retournez-vous ?

— Malheureusement non. Mon patron dit qu'avec un peu de chance, on le pourra l'été prochain. Malgré cela, je n'aime pas voir quelqu'un se promener sur le terrain. Je sais bien que c'est un peu fou de dire ça, mais c'est comme si cette maison-là m'appartenait et que personne d'autre n'avait le droit d'y habiter. Probablement que c'est à cause du fait que je la connais bien.

— Je peux comprendre. On se crée facilement des habitudes et des sentiments d'appartenance.

— C'est vrai… Pourtant, ça n'a jamais été vraiment chez moi.

— Comment ça ? Le temps où tu y vivais, c'était bel et bien chez toi… C'est un peu comme durant toutes les années où j'ai vécu au collège de Trois-Rivières. Ce gros bâtiment gris et sombre ne m'a jamais appartenu, c'est évident, mais je m'y sentais comme à la maison, à force d'y vivre.

— Peut-être bien que c'est ce que l'on peut éprouver quand on étudie dans un grand collège, je n'en ai pas la moindre idée, je ne connais pas ça. Mais ce que je sais pour l'avoir vécu, par exemple, c'est que ce que je ressens devant la maison de campagne est totalement différent de ce que tu dis. C'est un peu comme si j'en étais tout simplement la gardienne et que je devais encore la surveiller.

— Pourquoi ?

— Parce que c'est mon employeur qui louait la maison ! Il me semble que c'est facile à comprendre, non ? Moi, je n'avais rien à voir dans tout ça. Je ne suis qu'une domestique, Fulbert ! Je n'ai pas vraiment de décisions importantes à prendre. Je vais où l'on me dit d'aller, et je fais ce que l'on me dit de faire… Alors, à la maison de campagne, monsieur O'Gallagher avait peut-être le droit de se sentir chez lui, mais pas moi.

— Voyons donc, Marion ! Ça n'a pas de sens, ce que tu dis là ! C'est comme si tu affirmais que ta madame Éléonore n'est pas chez elle dans la cuisine du manoir.

— Ce n'est pas pareil !

— Oh oui, ça l'est ! Et le fait d'être une domestique n'y change rien. Pour moi, ce n'est qu'un métier comme un autre. Il y a des servantes et il y a des médecins, des vendeurs et des acheteurs. Ça m'a pris du temps pour le comprendre, mais j'admets aujourd'hui que toutes les occupations sont aussi importantes les unes que les autres, et que l'argent n'achète pas tout… Tu vois, moi aussi, j'habite une grande maison. Je sais bien qu'elle appartient à mon père, mais cela n'empêche pas que les trois personnes qui y vivent s'y sentent chez elle… Oui, mon père, ma nounou et moi, nous sommes chez nous dans cette résidence-là.

— Tu as une nounou ? À ton âge ?

Fulbert se sentit rougir.

— Eh oui ! Depuis toujours, madame Garnier a été là pour moi. Alors je continue de la voir comme une personne gentille que j'aime beaucoup. Et je te jure que la maison de mon père est aussi la sienne. Elle en connaît les moindres recoins et elle en parle comme si elle lui appartenait.

— Mais… Et ta mère elle ? Tu n'en parles jamais.

À ces mots, Fulbert reporta vivement les yeux sur le fleuve sans répondre. Visiblement, il était mal à l'aise. À ce moment-là, ce fut Marion qui se sentit rougir.

— Je suis désolée, s'empressa-t-elle d'ajouter. C'est bête, ce que je viens de dire. Je n'ai pas à être indiscrète comme ça. Excuse-moi !

Fulbert poussa un long soupir.

— Mais non. Tu n'as pas à t'excuser, parce que ta question est tout à fait légitime. C'est vrai que je ne parle jamais de ma mère…

La voix du jeune homme était inhabituellement rauque. Toutefois, Marion n'aurait su dire si c'était de chagrin ou de colère.

— Ma mère n'est pas morte, comme tu pourrais le croire, mais c'est tout comme…

Le visage de Fulbert, normalement ouvert et joyeux, était en ce moment si dur et impénétrable que Marion en retenait son souffle.

— Elle a quitté la maison il y a trois ans, expliqua alors Fulbert. Du jour au lendemain, elle a décidé d'aller rendre visite à sa sœur, qui vit à New York… Elle n'en est jamais revenue. Paraîtrait-il qu'elle a enfin trouvé sa voie et qu'elle fréquente des tas d'artistes, dont elle est la muse ! Je n'en sais pas plus et j'avoue que je ne tiens pas à en connaître davantage, non plus. Depuis, mon père s'est jeté dans le travail comme un forcené et je crois bien que la seule vraie joie qu'il a eue depuis le départ de sa femme a été ma décision d'entrer en Faculté de médecine. Heureusement que madame Garnier est toujours chez nous. Elle est comme un roc, pour moi, et d'une certaine façon, elle a facilement remplacé ma mère. C'est elle, désormais, qui voit à ce que les repas soient prêts et la maison bien tenue… Quand je te disais qu'elle est vraiment chez elle !

Sur ce, Fulbert jeta un regard à la dérobée vers Marion. Comme celle-ci le fixait avec une infinie gentillesse au fond du regard, il eut envie de poursuivre.

— Même si la maison est devenue beaucoup trop grande pour madame Garnier, papa et moi, il ne veut pas la vendre… Je me dis qu'il doit en avoir besoin pour cultiver ses souvenirs, pour trouver le courage de continuer d'avancer. Lui, au contraire, il prétend penser à l'avenir et il dit que c'est pour ma mère qu'il garde la maison. Malgré le temps qui passe, il reste persuadé qu'elle va revenir un jour... Voilà ! Tu sais à peu près tout de moi. J'ai été un enfant impossible, un jeune garçon prétentieux, et aujourd'hui, j'aspire à aider autour de moi, parce que je suis conscient que, malgré tout, j'ai été gâté par la vie. Je te demanderais simplement de garder ça pour toi. Peu de gens sont au courant... Je dirais même qu'il n'y a que Cyrille à qui j'en ai parlé, et aussi à Xavier Chamberland, un ami du collège que j'ai malheureusement perdu de vue.

Marion ne savait trop ce qu'elle devait comprendre de cette confidence. Elle se sentait privilégiée et, si ce n'était d'une grande sensation de timidité, elle aurait passé un bras autour des épaules de Fulbert pour qu'il comprenne qu'elle était de tout cœur avec lui.

— Tu peux te fier à moi, Fulbert, le rassura-t-elle cependant d'une voix sérieuse. Je suis comme madame Éléonore : quand on me confie un secret, ça reste un secret.

— Merci... Ça m'a fait du bien d'en parler... Ça ne m'arrive pas souvent de penser à ma mère, mais...

— Mais là, c'était ma faute !

— Mais non ! C'est normal que j'y pense de temps en temps, tu ne crois pas ? Et selon moi, il vaut mieux le faire avec quelqu'un que l'on aime bien, soupira le jeune homme. Et toi, je t'aime bien... Maintenant, si nous allions voir Agnès ? Elle m'a mis à la porte de la cuisine sitôt que je suis arrivé, toutefois, j'estime que le repas doit bien être prêt, à l'heure qu'il est. Sinon, on aidera à mettre la table !

Tout en parlant, Fulbert s'était relevé, tandis que les mots « et toi, je t'aime bien » continuaient de tournoyer dans l'esprit de Marion.

— Tu viens ? demanda-t-il, tout en tendant la main à la jeune fille.

Cette dernière sursauta et leva les yeux vers Fulbert, qui lui souriait gentiment.

— On va aller voir ce qui se fricote de bon, poursuivit d'emblée le jeune homme. J'ai une faim de loup !

Marion glissa alors sa main dans celle de Fulbert, qui l'aida à se relever, et c'est ainsi qu'ils retournèrent au chalet, en riant comme des enfants, main dans la main.

La protégée de madame Éléonore passa le reste de la journée sur un petit nuage rose.

La vie pouvait-elle être à ce point merveilleuse ?

L'après-midi passa trop vite, alors que Fulbert, Agnès et elle en profitèrent pour se baigner et folâtrer au soleil, et elle fut heureuse au-delà des mots pour le dire quand madame Félicité invita Fulbert à partager leur souper. Marion en profita pour mettre tout son talent à aider la vieille dame afin que le repas soit parfait, tandis que Fulbert et Agnès partaient en promenade. Durant le souper, elle n'eut d'yeux que pour le jeune homme qui faisait la roue, à son habitude, provoquant ainsi les rires de la tante Félicité et de monsieur Irénée. Alors, Marion ne remarqua pas qu'Agnès était songeuse, ne participant à la conversation que du bout des lèvres, et, lorsque son regard se posait sur Fulbert, des étincelles de bonheur lui donnaient un éclat particulier.

Le lendemain, Agnès lui sembla un peu distante, un peu absente, mais cela pouvait arriver à tout le monde de ne pas être dans son assiette, n'est-ce pas ? Marion ne s'en offusqua pas. De toute façon, elle avait, elle aussi, une excellente raison pour rester silencieuse.

Dès que Marion arriva au manoir, elle fila vers la cuisine. Il lui tardait de parler avec la cuisinière, de lui confier sa belle découverte.

Elle était amoureuse et elle pensait bien que c'était réciproque.

À dix-sept ans, c'était amplement suffisant pour être heureuse à vouloir crier son bonheur au monde entier ! Malheureusement, Marion se heurta à une Pascaline qui semblait tourner en rond dans la cuisine.

— Madame Éléonore n'est pas là ?

— Non. Elle a profité du fait que monsieur et madame O'Gallagher soient chez la sœur de madame en compagnie de Tiffany pour prendre un petit congé, elle aussi.

— Ah !

Marion avait l'air déçue.

— Ne fais pas ce visage long comme un jour sans pain, elle va revenir dès ce soir. Pour l'instant, elle est chez son père en compagnie de monsieur Tremblay.

— Ah bon... Avec notre majordome... Eh bien... Et comment s'est-elle rendue jusqu'à Mascouche ?

— C'est monsieur O'Gallagher lui-même qui a tenu à les reconduire avant de se diriger vers Montréal. Et il va les rechercher ce soir... C'est le monde à l'envers !

— Je vais dire comme toi, c'est un peu surprenant... Et les autres, ils sont où ?

— Partis. Adam et Quincy sont à l'auberge de Villeneuve, Lisa est dans sa chambre ou ailleurs sur le terrain, je ne sais pas trop. Ce n'est pas à moi de la surveiller ! J'ai eu bien assez de servir le souper et de faire la vaisselle, précisa la femme de chambre d'une voix découragée.

— Bien, tu peux aller te reposer. Je suis de retour, et la cuisine, c'est un peu mon domaine... Mais j'y pense ! James, lui, où est-il ? osa-t-elle demander avec une certaine nonchalance, en priant le Ciel que Pascaline n'y voie que du feu.

— James ? Je l'ignore. Il a mangé ici, dans la cuisine, avec Lisa et moi, tandis que mademoiselle Béatrice était partie te chercher. Puis il a quitté la pièce sans dire où il allait. Mais tu le connais, non ? Il doit être dans sa chambre. C'est un vrai casanier, ce garçon-là !

— Ah bon… Si c'est comme ça, je vais voir ce que je pourrais faire de façon à prendre un peu d'avance pour demain.

À ces mots, Pascaline en profita pour s'éclipser, au grand soulagement de Marion, qui n'avait nulle envie de soutenir une conversation. Tout ce qu'elle souhaitait, c'était parler à madame Éléonore parce que depuis hier, son cœur battait tellement fort dès qu'elle pensait à Fulbert que ça lui en faisait presque mal.

Mais madame Éléonore était absente. Alors…

— Je ne peux quand même pas me contenter d'écrire dans mon journal, murmura Marion. J'aime bien coucher les mots sur le papier, mais en ce moment, ce n'est pas mon cahier qui va pouvoir répondre à mes questions et partager vraiment mon bonheur.

La jeune fille regarda autour d'elle en soupirant, à l'instant où mademoiselle Béatrice entrait en coup de vent.

— Ah vous voilà, Marion ! J'ai l'estomac dans les talons !

Par habitude, cette dernière prit les devants, en se disant, mi-figue mi-raisin, que les vacances venaient vraiment de se terminer.

— Venez vous asseoir, mademoiselle Béatrice, offrit-elle avec assurance. À moins que vous ne préfériez la salle à manger ?

— Pas du tout ! La cuisine me convient tout à fait. Ça me rappelle quand j'étais petite et que nous mangions ici, mes sœurs et moi, lorsque mes parents recevaient de leurs amis… Un sandwich me conviendrait et je peux même le faire si…

— Pas question ! répliqua Marion, de plus en plus à son aise.

Depuis le temps que la jeune fille y passait toutes ses journées, la cuisine était devenue un fief partagé avec la cuisinière.

— Donnez-moi un instant, répliqua alors Marion sur le même ton que madame Éléonore aurait employé.

Sans hésiter, elle se dirigea vers le réfrigérateur et elle en ouvrit la porte.

— À première vue, on dirait bien qu'on a mangé du porc pour souper. Voulez-vous que je vous en fasse réchauffer une portion ?

— Pas besoin. Un sandwich serait parfait.

En un tournemain, mademoiselle Béatrice était servie.

Ce fut au moment où Marion déposa une assiette devant cette dernière qu'elle repensa à sa discussion avec Fulbert. Après tout, il avait raison. Quand elle regardait autour d'elle, Marion se sentait vraiment chez elle. Le manoir était devenu son port d'attache, bien plus que la maison de ses parents.

Fulbert !

Une bouffée de tendresse à son égard la fit soupirer de bien-être.

Comment dit-on à un garçon qu'on l'aime sans avoir l'air ridicule ?

Le remerciement de mademoiselle Béatrice, qui venait de terminer son repas, la fit sursauter.

— C'était très bon... Merci ! Je crois que je vais tenter de rejoindre mon père au téléphone pour lui proposer d'aller chercher madame Éléonore. Comme ça, il pourrait profiter de sa visite chez ma tante un peu plus longtemps. Encore merci, Marion ! C'était excellent.

Et sur une pirouette, la jeune fille quitta la cuisine.

Une autre qui avait beaucoup changé depuis ces derniers mois, se dit alors Marion, en la suivant des yeux.

Puis, elle s'occupa de ranger la cuisine et, au moment où elle se demandait ce qu'elle allait faire du reste de sa soirée, elle entendit l'automobile qui démarrait. Monsieur O'Gallagher avait donc accepté la proposition de sa fille.

La décision se prit d'elle-même. Après tout, il n'y avait pas vraiment de différence entre rencontrer James à la serre, au jardin, à la rivière ou dans sa chambre, n'est-ce pas ?

Toutefois, elle monta sur la pointe des pieds et elle frappa avec une certaine retenue pour que Pascaline ou Lisa, à l'étage au-dessus, ne puissent rien entendre. Son cœur battait la chamade et celui de James en fit tout autant quand il entrouvrit la porte, un peu surpris que quelqu'un vienne le voir ainsi dans sa chambre. Après tout, il n'était plus un gamin à qui on pouvait intimer l'ordre de se coucher parce qu'il était tard. Quand il reconnut Marion, il esquissa un petit sourire. Il était justement en train de penser à elle en se répétant, ravi, qu'il allait entrer à l'université à l'automne, en génie comme il l'avait tant espéré, et qu'en plus, il était amoureux de la plus belle fille du monde. Qu'importe son rang social, aux yeux de James, ça n'y changeait rien.

Il ne lui restait plus qu'à avouer ses sentiments à Marion. Avec l'intimité qui existait déjà entre eux, toutes ces confidences et ces fous rires partagés depuis des années, il ne faisait aucun doute, pour James, que cet amour était réciproque.

Et tant pis pour toutes ces lois dépassées qui régissaient leurs vies !

James O'Gallagher et Marion Couturier étaient amoureux et rien ne pourrait les séparer ! Il tiendrait son bout et il finirait bien par faire entendre raison à ses parents.

— Ah, c'est toi, Marion ! fit-il, avec cependant un détachement étudié. Quelque chose ne va pas à la cuisine ?

— Euh… Non, pas vraiment. Je…

Tout à coup, Marion n'était plus du tout à son aise. Mais à quoi avait-elle pensé en se précipitant ainsi jusqu'à la chambre de James ? Ça n'avait aucun sens.

Pourtant, celui-ci avait l'air content de la voir, malgré l'inconvenance.

— Je… En fait, je ne savais trop quoi faire pour occuper le temps, improvisa alors Marion. J'arrive de chez la tante d'Agnès et…

— Oui, je savais… Est-ce que ton séjour a été agréable ?

— Justement, j'aimerais ça en parler… Est-ce que ça te tente de venir te promener avec moi ?

— Pourquoi pas ?

Malgré cette réponse qui avait l'air d'un acquiescement, le jeune homme n'avait pas bougé d'un pas.

— Alors, on y va ?

— D'accord…

James respira un bon coup, et, prenant la main de Marion, il l'entraîna vers l'escalier, puis vers la grande porte donnant sur la façade du manoir.

— Mais je n'ai pas le droit de passer par là ! s'objecta Marion à voix basse.

— Une autre consigne ridicule, murmura alors le jeune homme, en intensifiant la pression de sa main sur celle de la jeune cuisinière.

Puis, James se tourna vers elle et plongea son regard dans le sien.

— Fais-moi confiance, Marion, ça va changer tout ça.

— Ah oui ?

— Encore plus que tout ce que tu peux imaginer… Quand je vais t'avoir parlé, tu vas comprendre ce que je veux dire.

Malgré la curiosité qui brilla dans le regard de Marion, James n'ajouta rien. Il entrouvrit la porte et jeta un regard à la ronde. Il n'y avait personne. Adam et Quincy devaient être encore à l'auberge de Villeneuve et Béatrice était partie chercher madame Éléonore et monsieur Tremblay, puisque la Packard n'était plus dans l'entrée devant la maison.

— Viens, Marion, souffla-t-il en l'attirant sur le perron. On va s'installer au bord de la rivière. Avec la lune qui est en train de se lever, ça devrait être pas mal beau !

Marion leva les yeux vers son ami et lui offrit un beau sourire. Avec lui, elle se sentait toujours en confiance.

— D'accord, James ! On va à la rivière.

Alors, toujours main dans la main et chacun perdu dans ses pensées, les deux jeunes gens se mirent à courir vers l'arrière de la maison.

À suivre

NOTE DE L'AUTEUR

Histoires de femmes

TOME 4

Agnès

une femme d'action

Petit matin froid, encore presque la nuit, et je suis là, devant mon ordinateur, à attendre Agnès parce que c'est à elle que j'avais donné rendez-vous pour écrire ce livre. On en avait même parlé ensemble avant Noël.

— Je m'absente, lui avais-je dit. Pour deux semaines. Mais promis, je ne t'oublierai pas, et on se retrouve dès le 14 janvier, dans mon bureau, parce que je compte sur toi… Ah oui ! Rappelle-toi que je suis une lève-tôt.

Agnès avait promis d'être là et à l'heure. Elle était même tout à fait d'accord pour que je prenne ces quelques jours de vacances. Tiens donc ! Bien que je n'aie pas besoin de sa permission pour partir, ça m'a fait plaisir d'entendre que mon absence ne la dérangeait pas. En effet, pour une très rare fois dans ma vie d'écrivain, je m'étais permis deux semaines de repos avant d'entreprendre l'écriture du dernier tome de cette série, mais comme Agnès avait elle-même deux semaines de congé à l'école normale, où elle suit un cours pour devenir institutrice, ça adonnait très bien. Nous nous sommes donc quittées, elle et moi, avec cette promesse de nous retrouver dans mon bureau, après la saison des fêtes.

Mais voilà que le jour est arrivé, et Agnès n'est pas là !

C'est plutôt embêtant, car je me fiais à elle pour me raconter tout ce qui s'était passé durant les derniers mois de l'année 1930. Je vous en aurais fait un résumé qui n'aurait pas nécessairement été très joyeux, à cause de la condition d'Irénée, mais il faut ce qu'il faut, n'est-ce pas ? Puis ensemble, vous et moi, nous aurions pu nous tourner vers l'année 1931, le cœur rempli d'espoir.

De toute évidence, ça ne sera pas le cas et ça m'agace.

J'ai beau essayer de me convaincre que je connais suffisamment bien mes personnages pour leur inventer un avenir probable, je risquerais tout de même de me tromper, et c'est alors que vous seriez en droit de me le reprocher. Que voulez-vous ? Je n'arrive pas à raconter l'histoire de tous ces gens que j'aime tant avant qu'ils se décident à m'en parler eux-mêmes. Chez moi, c'est ainsi que l'imagination se présente. De toute façon, les situations qui sont tirées par les cheveux m'irritent terriblement quand je coiffe mon chapeau de lectrice, et j'espère ne jamais faire la même chose. Alors, après 47 romans, je n'insiste plus.

Tout cela pour en arriver au fait que pour connaître ce qui s'est dit entre James et Marion, au retour de celle-ci de son séjour à Pointe-aux-Trembles, où elle avait rencontré le beau Fulbert qui lui fait débattre le cœur, il va falloir que Marion ou James eux-mêmes choisissent de m'en parler. Je sens que ça ne sera pas facile.

Par après, pour savoir comment Irénée se sent, ou il va me le dire lui-même, en bougonnant et en disputant après mille et une choses, ou alors c'est Félicité qui va devoir le faire, car le vieux malcommode ne sera plus là. Laissez-moi vous avouer que si c'était le cas, c'est moi qui trouverais l'exercice difficile de vous mettre au courant, car je n'ai jamais aimé voir l'un de mes personnages mourir. Même les plus coriaces, comme l'avait été Marcel, dans la série *Les mémoires d'un quartier*, finissent par m'attendrir.

Et ça ne s'arrête pas là !

Avec Agnès en tête de file de ce dernier tome, il y aura tous les personnages d'*Une simple histoire d'amour* qui vont nous revenir en force, ainsi que tous les résidents du manoir, de Patrick O'Gallagher, son épouse et leurs quatre enfants, jusqu'aux domestiques, qui en ont encore long à raconter. C'est madame Éléonore elle-même qui m'a prévenue, avant Noël, de me tenir prête, car elle allait venir me visiter sous peu... Tiens ! Ça aurait été une bonne idée qu'elle soit là aujourd'hui, en remplacement d'Agnès ! Quoi qu'il en soit, j'ai sorti ma plus belle théière et deux tasses en porcelaine héritées de ma maman, roses avec des dorures, et j'ai décidé de faire des biscuits au sucre ! J'espère seulement qu'ils seront à la hauteur du talent de madame Légaré.

C'est donc pour assister à la conclusion de ces deux séries que je vous convie ce matin, profitant de l'absence d'Agnès pour vous adresser ces quelques mots.

Par la fenêtre de mon bureau, je viens d'assister au lever du soleil, qui brille de mille feux dans un ciel d'un bleu éclatant, mais ce n'est qu'un leurre. En effet, aujourd'hui, il fait tellement froid que la rivière échappe une légère buée qui flotte au ras de l'eau. Inutile de vous dire que mes amies les outardes ne sont pas sorties de leur nid, et j'ai bien l'intention de faire comme elles. Dieu que c'est plaisant de pouvoir rester bien au chaud et de ne pas avoir à sortir pour aller travailler !

Mais si je veux m'y mettre, encore faudrait-il qu'Agnès arrive, par exemple ! Pour ceux qui me connaissent, vous savez que la patience n'est pas une vertu que je cultive et, pour l'instant, je ronge mon frein en soupirant.

Alors, pour éviter que je perde complètement mon calme, que diriez-vous de venir me tenir compagnie ? Devant la bibliothèque, j'ai placé deux fauteuils plutôt confortables qui ne demandent qu'à vous accueillir. Ensemble, nous trouverons bien un petit quelque chose à nous raconter pour passer le temps ! Et si personne ne se présente, que ce soit Agnès, Marion, Félicité ou Éléonore, tant pis pour eux ! Nous en profiterons pour grignoter quelques biscuits au sucre en buvant du thé !

Achevé d'imprimer le 19 avril 2019